O HOMEM DE SÃO PETERSBURGO

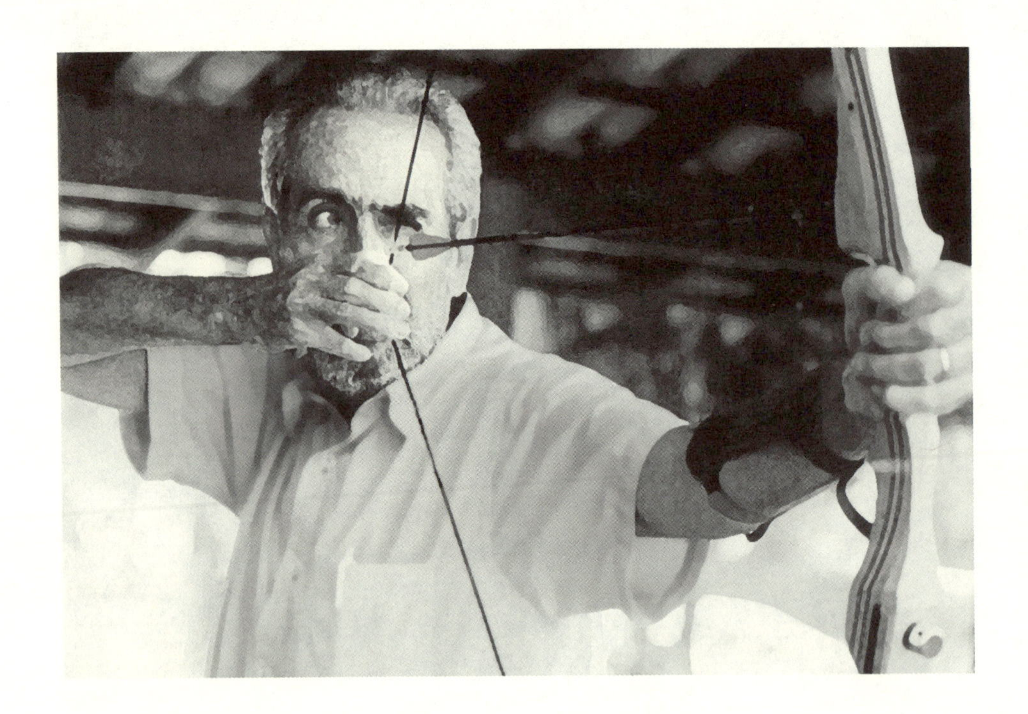

O ARQUEIRO

GERALDO JORDÃO PEREIRA (1938-2008) começou sua carreira aos 17 anos, quando foi trabalhar com seu pai, o célebre editor José Olympio, publicando obras marcantes como *O menino do dedo verde*, de Maurice Druon, e *Minha vida*, de Charles Chaplin.

Em 1976, fundou a Editora Salamandra com o propósito de formar uma nova geração de leitores e acabou criando um dos catálogos infantis mais premiados do Brasil. Em 1992, fugindo de sua linha editorial, lançou *Muitas vidas, muitos mestres*, de Brian Weiss, livro que deu origem à Editora Sextante.

Fã de histórias de suspense, Geraldo descobriu *O Código Da Vinci* antes mesmo de ele ser lançado nos Estados Unidos. A aposta em ficção, que não era o foco da Sextante, foi certeira: o título se transformou em um dos maiores fenômenos editoriais de todos os tempos.

Mas não foi só aos livros que se dedicou. Com seu desejo de ajudar o próximo, Geraldo desenvolveu diversos projetos sociais que se tornaram sua grande paixão.

Com a missão de publicar histórias empolgantes, tornar os livros cada vez mais acessíveis e despertar o amor pela leitura, a Editora Arqueiro é uma homenagem a esta figura extraordinária, capaz de enxergar mais além, mirar nas coisas verdadeiramente importantes e não perder o idealismo e a esperança diante dos desafios e contratempos da vida.

KEN FOLLETT

O HOMEM DE SÃO PETERSBURGO

Título original: *The Man from St. Petersburg*

tradução: A.B. Pinheiro de Lemos
preparo de originais: Taís Monteiro
revisão: BR75/Silvia Rebello e Cristhiane Ruiz
projeto gráfico e diagramação: Valéria Teixeira
capa: Design©www.blacksheep-uk.com
imagens de capa: Homem: Blend Images/ Mark Edward Atkinson/ Glow Images;
Ponte: Londonstills.com/ Superstock;
Cartão-postal russo: Oleg Golovnev/ Shutterstock.com
adaptação capa: Miriam Lerner
impressão e acabamento: Cromosete Gráfica e Editora Ltda.

A notícia na página 56 foi retirada do *The Times* de 4 de junho de 1914.

A valsa "After the Ball", na página 206, foi composta por Chad K. Harris e lançada no Reino Unido pela Francis Day and Hunter. Tradução de Vera Ribeiro.

A citação nas páginas 227 e 228 foi retirada do *The Times* de 29 de junho de 1914.

O poema original "Her Dilemma", na página 298, faz parte de *The Complete Poems*, de Thomas Hardy, que foi publicado em inglês pela Papermac e nesta edição aparece em tradução livre de Vera Ribeiro.

CIP-BRASIL. CATALOGAÇÃO NA PUBLICAÇÃO
SINDICATO NACIONAL DOS EDITORES DE LIVROS, RJ

F724h Follet, Ken
O homem de São Petersburgo/ Ken Follett; tradução A.B. Pinheiro de Lemos. São Paulo: Arqueiro, 2016.
336 p.; 16 x 23 cm.

Tradução de: The man from St. Petersburg
ISBN 978-85-8041-635-0

1. Ficção inglesa. I. Lemos, A.B. Pinheiro de. II. Título.

CDD 823
16-36558 CDU 821.111-3

Editora Arqueiro Ltda.
Rua Funchal, 538 – conjuntos 52 e 54 – Vila Olímpia
04551-060 – São Paulo – SP
Tel.: (11) 3868-4492 – Fax: (11) 3862-5818
E-mail: atendimento@editoraarqueiro.com.br
www.editoraarqueiro.com.br

Não se pode amar a humanidade.
Pode-se amar apenas as pessoas.

– GRAHAM GREENE

CAPÍTULO UM

Era uma tarde calma de domingo, do tipo que Walden amava. Parado diante de uma janela aberta, ele contemplava o parque. O gramado amplo e bem-cuidado era repleto de árvores frondosas: um pinheiro-silvestre, dois carvalhos imensos, vários castanheiros e um salgueiro que parecia uma cabeça feminina cheia de cachos. O sol estava alto e as árvores projetavam sombras escuras. Os pássaros estavam em silêncio, mas da trepadeira florida ao lado da janela soava um zumbido de abelhas satisfeitas. A casa também estava silenciosa. A maioria dos criados estava de folga. Os únicos hóspedes do fim de semana eram o irmão de Walden, George, com a mulher, Clarissa, e os filhos deles. George saíra para dar um passeio, Clarissa descansava e as crianças achavam-se fora de vista. Walden estava totalmente à vontade. Tinha usado uma sobrecasaca para ir à igreja, como não poderia deixar de ser, e, dentro de uma ou duas horas, colocaria a gravata branca e a casaca para o jantar. Agora, porém, estava confortável num terno de tweed com uma camisa de colarinho mole. E se Lydia tocar piano esta noite, pensou, o dia será perfeito. Virou-se para a mulher.

– Vai tocar hoje, depois do jantar?

– Se você quiser – falou Lydia, sorrindo.

Walden ouviu um barulho e tornou a olhar pela janela. No ponto mais distante da estrada, a cerca de meio quilômetro, um automóvel apareceu. Walden sentiu uma irritação repentina, como a pontada de dor que experimentava na perna direita antes de uma tempestade. Por que um carro me irritaria?, pensou ele. Não era contra automóveis. Possuía, inclusive, um Lanchester, que usava com regularidade em viagens para Londres. No verão, porém, os automóveis representavam um grande transtorno para a aldeia, levantando nuvens de poeira ao passarem ruidosamente na estrada sem pavimentação. Ele estava pensando em revestir uns 200 metros da estrada com macadame. Normalmente não teria hesitado em fazê-lo, mas as estradas não eram mais responsabilidade sua desde 1909, quando Lloyd George instituíra as Comissões de Estradas – e essa era, compreendeu Walden, a fonte de sua irritação. Fora um exemplo característico de legislação liberal: tiravam dinheiro de Walden para fazer o que ele teria feito de qualquer maneira e depois não concluíam. Imagino que, ao fim, terei de pavimentar a estrada pessoalmente, pensou ele, mas me irrita ter de pagar duas vezes pelo mesmo serviço.

O automóvel entrou na área coberta de cascalho e parou diante da porta do lado sul, estremecendo e fazendo barulho. A fumaça do cano de descarga chegou até a janela, e Walden prendeu a respiração. O motorista, de capacete, óculos de proteção e casaco comprido, saltou e abriu a porta para o passageiro, um homem baixo, de casaco e chapéu de feltro pretos. Walden o reconheceu e sentiu um peso no coração. A serenidade da tarde de verão terminara.

– É Winston Churchill – murmurou ele.

– Que constrangedor – comentou Lydia.

O homem simplesmente se recusava a aceitar um não. Na quinta-feira, enviara um bilhete que Walden ignorara. Na sexta-feira, telefonara para a casa de Walden em Londres e fora informado de que o conde não estava. Agora, aparecia ali em Norfolk num domingo e seria dispensado de novo. Será que ele acha que sua obstinação vai me impressionar?, pensou Walden.

Detestava ser grosseiro com as pessoas, mas Churchill bem que merecia. O governo liberal de que o homem era ministro estava empenhado em ataques insidiosos contra as próprias fundações da sociedade inglesa, taxando abusivamente as propriedades rurais, enfraquecendo a Câmara dos Lordes, tentando entregar a Irlanda de mão beijada aos católicos, debilitando a Marinha Real e cedendo às chantagens dos sindicatos e dos malditos socialistas. Walden e seus amigos não podiam confraternizar com gente desse tipo.

A porta se abriu e Pritchard entrou na sala. Era proveniente do East End londrino e tinha os cabelos pretos cheios de brilhantina e um ar de gravidade fingida. Fugira para o mar ainda menino e descera do navio na África Oriental. Walden, que estava lá num safári, contratara-o para supervisionar os carregadores nativos. Estavam juntos desde então. Pritchard era agora o mordomo de Walden e viajava com ele de uma casa para outra; um amigo até o ponto em que um criado podia sê-lo.

– O Primeiro Lorde do Almirantado está aqui, milorde – anunciou Pritchard.

– Diga que não estou em casa.

O homem ficou visivelmente constrangido. Não estava acostumado a dispensar ministros. O mordomo de meu pai teria feito isso sem pestanejar, pensou Walden. Mas o velho Thomson estava agora aposentado, cultivando rosas no jardim do seu pequeno chalé no vilarejo, e Pritchard jamais adquirira a mesma dignidade inabalável.

Pritchard passou a não pronunciar os agás aspirados do inglês, um sinal de que estava ou muito relaxado ou muito tenso.

– O Sr. Churchill falou que o senhor diria isso e pediu que lhe entregasse esta carta.

E estendeu-lhe uma bandeja com um envelope.

Walden não gostava nem um pouco de ser pressionado.

– Devolva a ele e... – começou a falar em um tom irritado, então parou de repente e olhou atentamente para a caligrafia no envelope.

Havia algo familiar naquela letra grande, um pouco inclinada.

– Ah, meu Deus – murmurou o conde.

Pegou o envelope, abriu-o e tirou lá de dentro uma folha de papel branco e grosso dobrada ao meio. O timbre real estava no alto da página, impresso em vermelho. Walden leu:

Palácio de Buckingham
1º de maio de 1914

Meu caro Walden,
Queira receber o jovem Winston.
Jorge V
Rex imperator

– É do rei – disse Walden a Lydia.

Ficou tão constrangido que chegou a corar. Era *lamentável* usar o rei para algo assim. Walden sentia-se como um colegial que recebe a ordem de esquecer as desavenças e cuidar de seus deveres. Por um momento, ficou tentado a desafiar o rei. Mas as consequências... Lydia não seria mais recebida pela rainha, as pessoas não poderiam mais convidar os Waldens para festas em que um membro da Família Real estivesse presente e, o pior de tudo, a filha deles, Charlotte, não poderia ser apresentada à corte como debutante. A vida social da família ficaria arruinada. Seria melhor até que se mudassem para outro país. Não, não havia a menor possibilidade de desobedecer ao rei.

Walden suspirou. Churchill o derrotara. De certa forma era um alívio, pois agora poderia se entender com os liberais sem que ninguém o culpasse por isso. *Uma carta do rei, meu caro,* diria ele, à guisa de explicação; *não pude fazer nada.*

– Peça ao Sr. Churchill para entrar – disse ele a Pritchard.

Walden entregou a carta a Lydia. Os liberais realmente não compreendiam como a monarquia devia funcionar, refletiu.

– O rei não é firme o bastante com essa gente.

– A situação está se tornando terrivelmente desagradável – falou Lydia.

Mas ela não está nem um pouco aborrecida, pensou Walden. Deve estar achando tudo emocionante e só fez o comentário por ser o que uma condessa inglesa diria. E como não era inglesa, mas russa, gostava de dizer coisas tipicamente inglesas, da mesma forma que um homem falando francês diria a todo instante *alors* e *hein*?.

Walden foi até a janela. O carro de Churchill ainda estava arquejando e soltando fumaça lá fora. O motorista se encontrava de pé ao lado do automóvel, com a mão na porta, dando a impressão de que tinha que segurar o veículo como a um cavalo, a fim de impedir que se afastasse. Alguns criados olhavam, a uma distância segura.

Pritchard tornou a entrar na sala e anunciou:

– Sr. Winston Churchill.

Churchill estava com 40 anos, exatamente dez anos mais novo que Walden. Era um homem baixo, esguio e que se vestia de uma maneira que Walden julgava elegante demais para se enquadrar nos critérios de um verdadeiro cavalheiro. Os cabelos rareavam com rapidez, sobrando apenas um tufo na frente e duas mechas nas têmporas que, junto com o nariz pequeno e um constante faiscar sarcástico nos olhos, lhe proporcionavam uma aparência maliciosa. Era fácil perceber por que os caricaturistas o apresentavam tantas vezes como um querubim maligno.

Ele apertou a mão do conde alegremente.

– Boa tarde, lorde Walden. – Fez uma reverência para Lydia. – Como tem passado, lady Walden?

O que há nesse homem que me irrita tanto?, pensou Walden.

Lydia ofereceu chá e Walden o convidou a sentar-se. Não queria saber de conversa fiada. Estava impaciente para descobrir de uma vez o motivo da visita.

– Em primeiro lugar – começou Churchill –, ofereço minhas desculpas, junto com as do rei, por me impor à sua presença.

Walden assentiu. Não ia fingir que estava tudo bem.

Churchill continuou:

– Devo acrescentar que eu não agiria assim se não houvesse motivos muito urgentes.

– Seria melhor que me explicasse quais são eles.

– Sabe o que está acontecendo no mercado financeiro?

– Claro que sei. A taxa de desconto subiu.

– De 1,75% para quase 3%. É uma alta enorme e ocorreu em poucas semanas.

– Imagino que você saiba o porquê.

Churchill assentiu.

– As empresas alemãs estão faturando as dívidas em larga escala, recebendo o dinheiro e comprando ouro. Mais algumas semanas nesse ritmo e a Alemanha terá recebido tudo o que outros países lhe devem, ao mesmo tempo que deixará as próprias dívidas com eles pendentes, e as suas reservas de ouro serão maiores do que nunca.

– Eles estão se preparando para a guerra.

– Assim e de muitas outras formas. Arrecadaram 1 bilhão de marcos, muito acima da taxação normal, a fim de melhorar um exército que já é o mais forte da Europa. Você deve se lembrar de que em 1909, quando Lloyd George aumentou a taxação britânica em 15 milhões de libras esterlinas, quase houve uma revolução. Bem, 1 bilhão de marcos é o equivalente a *50 milhões* de libras. É a maior arrecadação na história europeia...

– É verdade – interrompeu Walden. Churchill ameaçava tornar-se dramático e Walden não queria que ele fizesse discursos. – Nós, conservadores, estamos preocupados com o militarismo alemão há algum tempo. Agora, na última hora, você vem me dizer que estávamos certos.

Churchill se manteve inabalável.

– É quase certo que a Alemanha vá atacar a França. A pergunta é: nós partiremos em auxílio da França?

– Não – respondeu Walden, surpreso. – O secretário do Exterior nos garantiu que não temos quaisquer obrigações com a França...

– Sir Edward foi sincero, é claro – disse Churchill. – Mas está enganado. Nossa aliança com a França é tão forte que não poderíamos ficar de braços cruzados, assistindo à sua derrota para a Alemanha.

Walden ficou chocado. Os liberais haviam convencido todos, incluindo ele, de que não levariam a Inglaterra à guerra. Agora, um de seus ministros mais eminentes estava dizendo justamente o contrário. A dissimulação dos políticos era algo irritante. Mas Walden esqueceu isso ao começar a pensar nas consequências da guerra. Pensou nos jovens que ele conhecia que teriam de lutar: os pacientes jardineiros de seu parque, os lacaios insolentes, os camponeses de rosto moreno, os estudantes turbulentos, os preguiçosos dos clubes de St. James... Depois esse pensamento foi suplantado por outro, muito mais terrível.

– Mas podemos vencer? – perguntou ele.

Churchill tinha o semblante sombrio.

– Acho que não.

Walden o encarou.

– Meu Deus! O que vocês fizeram?

Churchill se colocou na defensiva:

– Nossa política tem sido a de evitar a guerra, e não é possível fazer isso e ao mesmo tempo se armar até os dentes.

– Mas não conseguiram evitar a guerra.

– Ainda estamos tentando.

– Mas você acha que vão fracassar.

Churchill o fitou com uma expressão beligerante por um momento, e depois engoliu seu orgulho.

– Acho.

– Então o que acontecerá?

– Se a Inglaterra e a França juntas não são capazes de derrotar a Alemanha, então precisamos ter outro aliado, um terceiro país do nosso lado: a Rússia. Se a Alemanha estiver dividida, lutando em duas frentes, poderemos vencer. É claro que o Exército russo é incompetente e corrupto, como tudo o mais naquele país, mas isso não tem importância, desde que desvie as atenções de uma parte do poderio alemão.

Churchill sabia perfeitamente que Lydia era russa. Era uma típica falta de tato menosprezar a Rússia na presença dela. Mas Walden deixou passar, pois estava bastante intrigado com o que Churchill dizia.

– A Rússia já tem uma aliança com a França – comentou.

– Não é suficiente – retrucou Churchill. – A Rússia será obrigada a lutar se a França for atacada. Mas compete a ela decidir se a França é vítima ou agressora. Quando irrompe uma guerra, os dois lados sempre afirmam ser a vítima. Assim, a aliança não obriga a Rússia a lutar, se não quiser. Precisamos que ela renove e confirme o compromisso de ficar do nosso lado.

– Não consigo imaginar vocês dando as mãos ao czar.

– Então está nos julgando mal. Para salvar a Inglaterra, faremos acordo até com o diabo.

– Seus partidários não vão gostar.

– Eles não saberão.

Walden percebeu o rumo que a conversa estava tomando. A perspectiva era emocionante.

– Em que estão pensando? Um tratado secreto? Ou um acordo verbal?

– As duas coisas.

Walden estreitou os olhos e observou Churchill atentamente. Esse jovem demagogo pode ter um cérebro privilegiado, pensou, e esse cérebro pode não estar funcionando a meu favor. Então os liberais querem fazer um acordo secreto com o czar, apesar do ódio do povo inglês contra o brutal regime russo... mas por que me contar tudo isso? É evidente que estão querendo me envolver de alguma forma. Com que objetivo? A fim de terem um conservador em quem lançar a culpa se tudo sair errado? Precisarão de um conspirador mais sutil do que Churchill para me atrair para essa armadilha.

– Continue – disse Walden.

– Já iniciei as negociações navais com os russos, nos mesmos termos de nossas negociações militares com os franceses. Elas já vêm sendo realizadas há algum tempo, mas agora estão começando a ficar mais sérias. Um jovem almirante russo está a caminho de Londres. É o príncipe Aleksei Andreievich Orlov.

– Aleks! – exclamou Lydia.

Churchill se virou para ela.

– Creio que ele seja seu parente, lady Walden.

– Sim – confirmou Lydia, parecendo apreensiva por alguma razão que Walden não conseguia sequer imaginar. – Aleks é filho da minha irmã mais velha, o que faz dele meu... primo?

– Sobrinho – disse Walden.

– Não sabia que ele tinha se tornado almirante – acrescentou Lydia. – Deve ter sido uma promoção recente.

Ela estava, como sempre, no mais absoluto controle de si mesma. Walden concluiu que o tal momento de inquietação não passara de fruto de sua imaginação. Estava satisfeito com a vinda de Aleks a Londres, pois sempre gostara do rapaz.

– Ele é muito jovem para ter tanta autoridade – comentou Lydia.

– Tem 30 anos – disse Churchill a ela, e Walden recordou que Churchill, aos 40 anos, era jovem demais para estar no comando de toda a Marinha Real.

A expressão de Churchill parecia dizer: o mundo pertence a jovens brilhantes como eu e Orlov.

Mas você está precisando de mim para alguma coisa, pensou Walden.

– Além disso – continuou Churchill –, Orlov é sobrinho do czar e, o que é ainda mais importante, uma das poucas pessoas de quem o czar gosta e em quem confia, além de Rasputin. Se há alguém na Marinha russa que pode trazer o czar para o nosso lado é Orlov.

Walden fez a pergunta que estava em sua mente:

– E qual será a minha participação em tudo isso?

– Quero que represente a Inglaterra nas negociações... e quero que me entregue a Rússia numa bandeja.

O homem não consegue resistir à tentação de ser melodramático, pensou Walden.

– Quer que Aleks e eu negociemos uma aliança militar anglo-russa?

– Isso mesmo.

Walden percebeu de imediato como a missão seria difícil, desafiadora e, ao mesmo tempo, gratificante. Disfarçou sua animação e resistiu à tentação de levantar-se e começar a andar de um lado para outro.

– Você conhece o czar pessoalmente – continuou Churchill. – Conhece a Rússia e é fluente em russo. É tio de Orlov pelo casamento. Já persuadiu o czar uma vez a ficar do lado da Inglaterra e não da Alemanha, em 1906, quando interveio para evitar a aprovação do Tratado de Björkö. – Churchill fez uma pausa antes de acrescentar: – Apesar disso, não foi a nossa primeira opção para representar a Inglaterra nas negociações. Do jeito que as coisas estão em Westminster...

– Claro, claro... – Walden não queria começar a discutir *aquilo*. Mas alguma coisa fez com que mudasse de ideia.

– Em suma, você foi a escolha do czar. Parece que é o único inglês em quem ele tem alguma confiança. Seja como for, o czar enviou um telegrama ao primo, Sua Majestade o Rei Jorge V, insistindo para que Orlov negociasse com você.

Walden podia imaginar a consternação entre os radicais ao saberem que teriam de envolver um nobre reacionário do Partido Conservador em tal esquema clandestino.

– Imagino que vocês tenham ficado horrorizados – comentou ele.

– De modo algum. Nas relações internacionais nossas políticas não são muito diferentes das que vocês defendem. E sempre achei que as divergências na política interna não constituem razão suficiente para que seus talentos sejam desperdiçados pelo governo de Sua Majestade.

Agora, a bajulação, pensou Walden. Eles me querem a qualquer custo. Em voz alta, disse:

– Como conseguiremos manter tudo em segredo?

– Parecerá uma visita social. Se você concordar, Orlov ficará hospedado em sua casa durante a temporada em Londres e vocês o apresentarão à sociedade. Se estou certo, sua filha deverá debutar este ano, não é? – perguntou Churchill a Lydia.

– Sim.

– Então de qualquer forma será uma época de muita atividade social para vocês. Orlov é solteiro e, obviamente, um bom partido. Podemos dizer que está procurando uma esposa inglesa. E talvez até a encontre.

– Ótima ideia.

De repente, Walden compreendeu que começava a gostar da perspectiva. Acostumara-se a ser uma espécie de diplomata semioficial nos governos conservadores de Salisbury e Balfour, mas fazia oito anos que não participava da política internacional. Agora tinha a oportunidade de voltar ao palco e recordou como aquilo tudo era atraente e fascinante: o sigilo; a arte da negociação, típica de um jogador; os conflitos de personalidades; o uso cauteloso da persuasão, intimidação ou ameaça de guerra. Lembrou que não era fácil lidar com os russos – eles tendiam a ser caprichosos, obstinados e arrogantes. Mas Aleks seria flexível. Quando Walden se casara com Lydia, ele comparecera à cerimônia, um menino de 10 anos com roupa de marinheiro. Depois, Aleks passara dois anos na Universidade de Oxford e visitara Walden Hall nas férias. O pai do rapaz tinha morrido, por isso Walden lhe dispensara mais tempo do que em geral concederia a um adolescente e fora recompensado pela amizade com uma mente jovem e vivaz.

Era uma base esplêndida para uma negociação. Creio que posso obter os resultados mais favoráveis possíveis, pensou. Que triunfo magnífico será!

– Posso então entender que aceitará a missão? – perguntou Churchill.

– Claro – respondeu Walden.

~

Lydia se levantou.

– Não, não se levantem – disse, quando os homens começaram a se erguer. – Vou deixá-los aí falando sobre política. Ficará para o jantar, Sr. Churchill?

– Infelizmente, tenho um compromisso em Londres.

– Neste caso, despeço-me agora.

Lydia então trocou um aperto de mão com ele e depois saiu da sala octogonal, onde sempre tomavam o chá. Atravessou o saguão grande, seguiu pelo menor e entrou na sala das flores. No mesmo instante, um dos ajudantes de jardineiro – ela não sabia o nome dele – passou pela porta que dava para o jardim com uma braçada de tulipas, rosa e amarelas, para a mesa de jantar. Uma das coisas que Lydia amava na Inglaterra, em geral, e em Walden Hall, em particular, era a profusão de flores. Havia sempre flores frescas pela casa, todas as manhãs e à noite, mesmo no inverno, quando tinham de ser cultivadas em estufas.

O ajudante de jardineiro tocou em seu gorro – não precisava tirá-lo, a menos que lhe fosse dirigida a palavra, já que se entendia que aquela sala fazia parte do jardim –, colocou as flores em uma mesa de mármore e saiu em seguida. Lydia sentou-se e inspirou o ar frio e perfumado. Aquele era um bom aposento para se recuperar de choques, e a conversa a fizera pensar em São Petersburgo e a deixara nervosa. Lembrava-se de Aleksei Andreievich como um menino bonito e tímido no casamento dela; também lembrava que aquele fora o dia mais infeliz de sua vida.

Era um despropósito de sua parte transformar a sala das flores em seu santuário, pensou ela. A casa tinha cômodos para quase todos os fins: salas diferentes para o café da manhã, o almoço, o chá e o jantar; uma sala para jogar bilhar e outra para guardar as armas; salas especiais para lavar roupa, passar a ferro, fazer geleia, limpar prataria, pendurar caça, guardar vinho, escovar roupas... Os aposentos particulares de Lydia compreendiam um quarto, uma sala de vestir e uma sala de estar. E, no entanto, quando queria ficar em paz, ela ia até ali, sentava-se numa cadeira dura e ficava olhando para a pia grosseira de pedra e para as pernas de ferro batido da mesa com tampo de mármore. Sabia que o marido também possuía um santuário extraoficial – quando Stephen estava perturbado com alguma coisa, ia para a sala das armas e lia o livro de caça.

Então Aleks seria hóspede dela durante a temporada em Londres. Falariam sobre a Rússia, a neve, o balé e as bombas. Ver o rapaz a faria pensar em outro jovem russo, o homem com quem não se casara.

Já haviam se passado dezenove anos desde que o vira pela última vez, mas a simples menção a São Petersburgo ainda o trazia de volta à sua mente e deixava sua pele arrepiada por baixo do vestido de seda. Na época ele tinha 19 anos, a mesma idade que ela, e era um ávido estudante de cabelos pretos compridos, traços de lobo e olhos de cocker spaniel. Era magro como um varapau, com a pele muito branca, os pelos do corpo macios e escuros e as mãos hábeis, muito hábeis. Lydia corou pensando não no corpo dele, mas em seu próprio, traindo-a, enlouquecendo-a de prazer, fazendo-a gritar vergonhosamente. Fui imoral, e ainda sou, pois gostaria de fazer tudo outra vez, disse a si mesma.

Pensou no marido com uma pontada de culpa – era raro pensar nele de outra forma. Não o amava quando se casaram, mas agora sim. Ele era forte, afetuoso, e a adorava. Sua afeição era constante e gentil, totalmente desprovida da paixão desesperada que ela conhecera no passado. Ele só era feliz, ponderou Lydia, porque jamais soubera que o amor podia ser selvagem e ávido.

Não quero esse tipo de amor, pensou. Aprendi a viver sem ele e ao longo dos anos foi ficando cada vez mais fácil. E não podia deixar de ser assim – já tenho quase 40 anos!

Algumas de suas amigas ainda sofriam tentações e muitas acabavam cedendo a elas. Não lhe falavam de seus casos amorosos, pois sentiam que Lydia não os aprovava. Mas comentavam a respeito de outras e assim ela ficara sabendo que algumas festas nas mansões do campo eram repletas de... bem, adultério. Certa ocasião, lady Girard lhe dissera com o ar condescendente de uma mulher mais velha que oferece conselhos a uma jovem anfitriã:

– Minha cara, se receber a viscondessa e Charlie Stott na mesma ocasião, *precisa* colocá-los em quartos bem próximos.

Lydia os colocara em cantos opostos da casa, e a viscondessa nunca mais voltara a Walden Hall.

As pessoas diziam que toda essa imoralidade era culpa do falecido rei, mas Lydia não acreditava nisso. Era verdade que fora amigo de judeus e cantores, mas isso não o tornava um libertino. Estivera duas vezes em Walden Hall, a primeira ainda como príncipe de Gales, a segunda já como rei Eduardo VII, e comportara-se impecavelmente em ambas as ocasiões.

Ela gostaria de saber se o novo rei algum dia viria a Walden Hall. Era sempre uma grande tensão ter um monarca como hóspede, mas também era emocionante arrumar a casa da melhor forma possível, servir as refeições mais suntuosas que se podia imaginar e comprar doze vestidos novos só para um fim de semana. E, se o rei viesse, talvez concedesse aos Waldens a cobiçada *entrée* – o direito de entrar no palácio de Buckingham pelo portão do jardim nas grandes ocasiões, em vez de ficar na fila na The Mall com outras duzentas carruagens.

Lydia pensou em seus hóspedes daquele fim de semana. George era o irmão mais novo de Stephen. Tinha o charme do mais velho, mas nem um pouco de sua seriedade. A filha de George, Belinda, estava com 18 anos, mesma idade de Charlotte. As duas iriam debutar naquela temporada. A mãe de Belinda morrera alguns anos antes, e George tornara a se casar um tanto depressa demais. A segunda mulher, Clarissa, era muito mais nova que ele e bastante vivaz, e dera-lhe filhos gêmeos. Um dos gêmeos herdaria Walden Hall quando Stephen morresse, a menos que Lydia ainda tivesse um filho. Eu bem que poderia, pensou ela. Sinto que posso, mas simplesmente não engravido.

Estava quase na hora de aprontar-se para o jantar. Ela suspirou. Sentia-se à vontade em seu vestido de chá, com os cabelos louros soltos. Mas agora teria de se enfiar num espartilho e deixar que uma criada arrumasse seus cabelos em um coque no alto da cabeça. Comentava-se que algumas mulheres mais jovens estavam abandonando o espartilho. Isso era ótimo, pensou Lydia, quando se tinha um corpo naturalmente curvilíneo, mas ela era pequena em todos os lugares errados.

Levantou-se e saiu. O ajudante de jardineiro estava parado ao lado de uma roseira, conversando com uma das criadas. Lydia a reconheceu: era Annie, uma moça bonita, voluptuosa e superficial, dona de um sorriso largo e generoso. Ela estava com as mãos nos bolsos do avental, o rosto redondo inclinado para o sol, rindo de algo que o rapaz dissera. Aí está uma jovem que não precisa de espartilho, pensou Lydia. Annie deveria estar cuidando de Charlotte e Belinda, pois a governanta tirara a tarde de folga, então Lydia disse bruscamente:

– Annie! Onde estão as moças?

O sorriso de Annie desapareceu, e ela fez uma pequena reverência.

– Não consegui encontrá-las, milady.

O ajudante de jardineiro se afastou, encabulado.

– Não parece estar procurando por elas – comentou Lydia. – Trate de se apressar.

– Pois não, milady.

Annie saiu correndo para os fundos da casa. Lydia suspirou – sabia que as moças não estariam por lá, mas não quis se dar ao trabalho de chamar Annie de volta e censurá-la novamente.

Lydia atravessou o gramado pensando em coisas familiares e agradáveis, afastando São Petersburgo da mente. O pai de Stephen, o sétimo conde de Walden, plantara azaleias no lado oeste do parque. Lydia não conhecera o velho, que morrera antes que ela e Stephen se conhecessem, mas ele fora, em todos os aspectos, um dos vitorianos mais impressionantes que existiram. As plantas que escolhera estavam florescendo gloriosamente, ostentando uma explosão nada vitoriana de cores variadas. Temos que contratar alguém para pintar um quadro da casa, pensou Lydia – o último fora pintado antes de o parque estar completamente pronto.

Ela contemplou Walden Hall. A fachada de pedra cinzenta ao sul estava linda e distinta, iluminada pelo sol da tarde. No meio dela ficava a porta sul. A ala leste compreendia a sala de estar e as várias salas de refeições, e atrás delas havia as cozinhas, despensas e lavanderias, que se estendiam até os estábulos. Mais perto de Lydia, na ala oeste, ficavam a sala de estar matinal, a sala octogonal e, no canto, a biblioteca; depois, ao longo da fachada oeste, vinham o salão de bilhar, a sala das armas, sua sala de flores, um salão de fumar e o escritório da propriedade. No segundo andar, os aposentos da família se concentravam quase todos no lado sul, enquanto os quartos de hóspedes ficavam no lado oeste e os dos criados, acima das cozinhas, dando para noroeste, fora de vista. Acima do segundo andar havia uma sucessão irracional de torres, torreões e sótãos. A fachada era toda de cantaria ornamental, no melhor estilo rococó vitoriano, com flores e emblemas esculpidos, dragões, leões e querubins, balcões, ameias, mastros de bandeiras, relógios de sol e gárgulas. Lydia adorava a mansão e sentia-se grata porque Stephen, ao contrário do que acontecia com boa parte da aristocracia antiga, tinha condições de mantê-la.

Avistou Charlotte e Belinda emergirem do meio dos arbustos no outro lado do gramado. Annie não as encontrara, é claro. As duas usavam chapéus de aba larga, vestidos leves de verão, meias pretas e sapatos baixos de colegiais da mesma cor. Como Charlotte ia debutar naquela temporada, podia ocasionalmente usar os cabelos presos em um coque no alto da cabeça e vestir-se a rigor para o jantar. Na maior parte do tempo, no entanto, Lydia a tratava como uma criança, afinal, era um erro deixá-las crescerem muito depressa. As duas primas estavam concentradas na conversa, e Lydia perguntou-se sobre o que estariam falando. O que havia na minha cabeça quando eu tinha 18 anos?, pensou. Lembrou-se então de um rapaz de cabelos macios e mãos hábeis. Por favor, Deus, permita que os meus segredos fiquem sempre guardados.

~

– Acha que vamos nos *sentir* diferentes depois que debutarmos? – perguntou Belinda.

Charlotte já pensara a respeito.

– Eu não me sentirei.

– Mas seremos adultas.

– Não vejo como um monte de festas, bailes e piqueniques pode fazer com que uma pessoa se torne adulta.

– Teremos de usar espartilho.

Charlotte deu uma risadinha.

– Você já usou alguma vez? – perguntou.

– Não. E você?

– Experimentei o meu na semana passada.

– E como foi?

– Horrível. Não se consegue andar direito.

– E a sua aparência, como ficou?

Charlotte gesticulou com as mãos para indicar um busto enorme. As duas desataram a rir. Ela avistou a mãe e ficou séria, esperando uma reprimenda. Mas Lydia parecia preocupada e limitou-se a sorrir vagamente enquanto se afastava.

– Mas será bem divertida – comentou Belinda.

– A temporada? Será, sim – murmurou Charlotte, parecendo em dúvida. – Mas qual o sentido de tudo isso?

– Ora, podermos conhecer o tipo certo de rapaz, é claro.

– Ou seja, procurar um marido.

Chegaram ao carvalho grande no meio do gramado. Belinda sentou-se no banco embaixo da árvore, parecendo um pouco mal-humorada.

– Acha que debutar não passa de uma tolice, não é mesmo?

Charlotte sentou-se ao lado dela e olhou para o outro lado do tapete de relva, na direção da longa fachada sul de Walden Hall. As janelas góticas altas faiscavam ao sol da tarde. Dali, a casa dava a impressão de que funcionava racional e regularmente. Por trás daquela fachada, no entanto, era uma confusão encantadora.

– O que acho tolice é ser obrigada a esperar tanto tempo. Não tenho a menor pressa de ir a bailes, visitar pessoas à tarde e conhecer rapazes, e não me importaria se nunca fizesse essas coisas. Mas fico furiosa por ainda ser tratada como uma criança. Detesto ter de jantar com Marya, que é totalmente ignorante, ou finge ser. Pelo menos na sala de jantar é possível ter conversas melhores. Papai fala de coisas interessantes. Quando fico entendiada, Marya sugere que joguemos cartas. Mas não quero *jogar* nada. Passei a vida toda fazendo isso.

Charlotte suspirou. Falar sobre aquilo deixava-a ainda mais furiosa. Olhou para o rosto sereno e sardento de Belinda, emoldurado por um halo de cachos ruivos. O rosto de Charlotte era oval e ela tinha o nariz reto, o queixo forte, cabelos grossos e pretos. A despreocupada Belinda, pensou ela; essas coisas não a incomodam, porque nunca se incomoda com nada.

Charlotte tocou o braço da jovem.

– Desculpe. Acho que exagerei.

– Não foi nada. – Belinda deu um sorriso indulgente. – Você está sempre se irritando com coisas que não pode mudar. Lembra quando resolveu que queria ir para Eton?

– Isso nunca aconteceu!

– Claro que aconteceu. Você queria ir e armou a maior confusão. Falou: "Papai estudou em Eton, então por que eu também não posso ir para lá?"

Charlotte não se lembrava do incidente, mas não podia negar que era uma atitude típica dela aos 10 anos.

– Mas você acha mesmo que essas coisas não podem ser diferentes, Belinda? Debutar e ir para a temporada em Londres, ficar noiva, depois casar...

– Você pode fazer um escândalo e ser obrigada a emigrar para a Rodésia.

– Não sei direito o que é preciso fazer para provocar um escândalo.

– Nem eu.

As jovens ficaram em silêncio por algum tempo. Havia momentos em que Charlotte gostaria de ser tranquila como Belinda. A vida seria bem mais simples... mas também seria terrivelmente chata.

– Perguntei a Marya o que se espera que eu faça depois que me casar, e sabe o que ela respondeu? – Charlotte imitou o sotaque gutural russo da governanta: – "Fazer? Como assim, minha criança? Você não vai fazer *nada*!"

– Ah, isso é bobagem – disse Belinda.

– Será mesmo? O que sua mãe e a minha fazem?

– Elas são membros da boa sociedade. Vão a festas, viajam para o campo, assistem a óperas e...

– Justamente o que eu estava dizendo. Nada – insistiu Charlotte.

– Elas têm filhos...

– Isso é diferente. Elas fazem o maior *segredo* sobre ter filhos.

– Porque é... vulgar.

– Por quê? O que há de vulgar em ter filhos? – Charlotte percebeu que estava ficando exaltada de novo. Marya sempre dizia a ela para não se exaltar. Respirou fundo e baixou a voz ao acrescentar: – Nós duas vamos ter filhos. Não acha que poderiam nos dizer alguma coisa sobre como isso acontece? Afinal, estão sempre exigindo que a gente saiba tudo a respeito de Mozart, Shakespeare e Leonardo da Vinci.

Belinda parecia constrangida, mas muito interessada. Ela se sente da mesma forma que eu, pensou Charlotte. Será que sabe de alguma coisa?

– Sabia que eles crescem dentro da gente? – perguntou Charlotte.

Belinda assentiu e depois disparou sem pensar:

– Mas como começa?

– Ah, acho que apenas acontece, quando a gente faz 21 anos. É por isso que uma moça deve virar debutante e participar da temporada... para arrumar um marido antes de começar a ter bebês. – Charlotte hesitou por um instante antes de acrescentar: – Acho que é isso.

– E como eles saem?

– Não sei. São muito grandes?

Belinda abriu as mãos por mais de meio metro.

– Os gêmeos eram deste tamanho com um dia de idade. – Ela pensou mais um pouco, reduziu a distância. – Talvez fossem um pouco menores...

– Quando uma galinha põe um ovo, sai... por trás. – Charlotte evitou os olhos de Belinda. Nunca tivera uma conversa tão íntima com alguém. – O ovo também parece muito grande, mas sai.

Belinda inclinou-se para mais perto e falou baixinho:

– Uma vez vi Daisy tendo um bezerro. É a vaca Jersey da fazenda. Os homens não sabiam que eu estava olhando.

Charlotte estava fascinada.

– O que aconteceu?

– Foi horrível. Tive a impressão de que a barriga se abriu, e saiu um monte de sangue e outras coisas – disse Belinda, estremecendo.

– Isso me deixa apavorada. Fico com medo de que aconteça comigo antes de eu saber como é. Por que não nos contam nada?

– Não deveríamos estar conversando sobre esse assunto.

– Mas que diabo! Temos todo o direito de falar!

Belinda arfou.

– Praguejar só vai piorar as coisas!

– Não me importo. – Charlotte estava furiosa por saber que não havia qualquer possibilidade de descobrir como essas coisas aconteciam, ninguém a quem perguntar, nenhum livro a consultar... De repente, teve uma ideia. – Há um armário trancado na biblioteca... Aposto que está cheio de livros sobre esse assunto. Vamos dar uma olhada!

– Mas se está trancado...

– Ah, eu sei há anos onde guardam a chave.

– Ficaremos enrascadas se formos apanhadas.

– Eles estão trocando de roupa para o jantar. É a nossa chance.

Charlotte se levantou. Belinda ainda hesitava.

– Vai ter a maior briga.

– Não me importo. Vou dar uma olhada naquele armário e, se você quiser, pode ir comigo.

Charlotte virou-se e encaminhou-se para a casa. Logo depois, Belinda saiu correndo para alcançá-la, como Charlotte tinha certeza de que aconteceria.

Elas passaram pelo pórtico e pelo saguão altivo e elegante. Virando à esquerda, atravessaram a sala de estar e a sala octogonal e entraram na biblioteca. Charlotte dizia a si mesma que era uma mulher e tinha o direito de saber, mas ainda assim sentia-se como uma menininha malcriada.

A biblioteca era o seu local predileto. Localizada num canto da casa, era bem iluminada pela claridade que entrava por três janelas grandes. As cadeiras estofadas em couro eram antigas e surpreendentemente confortáveis. No inverno, a lareira ficava acesa o dia inteiro, e o aposento continha jogos e quebra-cabeças, além de dois ou três mil livros. Alguns eram bastante antigos, da época em que a casa tinha sido construída, mas muitos eram novos – os romances que sua mãe lia e os livros de assuntos diversos em que seu pai tinha interesse: química, agricultura, viagens, astronomia e história. Charlotte gostava de ir à biblioteca especialmente nos dias em que Marya estava de folga e não podia tirar-lhe das mãos um livro de Thomas Hardy e substituí-lo por um título infantil. Havia ocasiões em que o pai lhe fazia companhia na biblioteca, sentado à escrivaninha vitoriana, lendo um catálogo de máquinas agrícolas ou o balanço de uma estrada de ferro americana, sem jamais interferir em suas escolhas.

A biblioteca estava vazia agora. Charlotte foi direto para a mesa, abriu uma gaveta pequena e quadrada e tirou uma chave.

Havia três armários encostados na parede ao lado da escrivaninha. Um deles continha jogos em caixas, outro tinha papéis de carta e envelopes com o timbre dos Waldens. O terceiro estava trancado. Charlotte abriu-o com a chave.

Lá dentro havia em torno de trinta livros e uma pilha de revistas velhas. Ela deu uma olhada numa das revistas. A primeira não pareceu promissora. Apressadamente, pegou dois livros ao acaso, sem olhar para os títulos. Fechou e trancou o armário, tornando a guardar a chave na gaveta.

– Pronto! – exclamou, triunfante.

– Aonde podemos ir para ler esses livros? – sussurrou Belinda.

– Lembra-se do esconderijo?

– Ah! Sim!

– Por que estamos sussurrando?

As duas riram. Charlotte foi até a porta. De repente, ouviu uma voz na entrada, chamando:

– Lady Charlotte... Lady Charlotte....

– É Annie – disse, voltando-se para Belinda. – Está nos procurando. É uma moça agradável, mas muito boba. Vamos para o outro lado. Depressa!

A jovem atravessou a biblioteca e passou para o salão de bilhar, que levava à sala de armas. Mas havia alguém neste último cômodo. Charlotte parou para ouvir.

– É papai – sussurrou Belinda, parecendo apavorada. – Ele tinha saído com os cachorros.

Felizmente, havia um par de portas francesas que davam do salão de bilhar para o terraço. Charlotte e Belinda saíram, fechando as portas em silêncio. O sol estava baixo e vermelho, projetando grandes sombras pelo gramado.

– Como vamos voltar? – perguntou Belinda.

– Pelos telhados. Venha comigo!

Charlotte contornou os fundos da casa correndo e atravessou a horta em direção aos estábulos. Tinha colocado os dois livros no corpete do vestido e apertado o cinto, para que não caíssem.

Em um canto do pátio dos estábulos havia degraus que levavam ao telhado dos aposentos dos criados. Charlotte subiu primeiro na arca de ferro usada para armazenar lenha, depois passou para o telhado de zinco corrugado de um galpão onde se guardavam ferramentas e que ficava colado à lavanderia. Em seguida, subiu para o telhado inclinado da lavanderia. Virou-se e olhou para trás. Belinda a seguia.

Charlotte se deitou de bruços nas telhas de ardósia e foi se arrastando para o lado, como um caranguejo, apoiando-se nas palmas das mãos e nas laterais dos sapatos, até que o telhado terminou numa parede. Então ela engatinhou até a cumeeira do telhado e sentou-se ali, com uma perna para cada lado. Belinda alcançou-a e sussurrou:

– Isso não é perigoso?

– Faço isso desde meus 9 anos.

Acima delas ficava a janela de um dos quartos do sótão, compartilhado por duas copeiras. A janela era alta, a parte de cima quase encostando no telhado, inclinado dos dois lados. Charlotte se levantou e deu uma espiada no quarto. Não havia ninguém lá dentro. Subiu para o peitoril da janela e ficou de pé.

Inclinou-se para a esquerda, passou um braço e uma perna pela beirada do telhado e se ergueu para as telhas de ardósia. Virou-se e ajudou Belinda a subir também.

Elas ficaram deitadas ali por um momento, recuperando o fôlego. Charlotte lembrava-se de alguém ter comentado com ela que Walden Hall tinha cerca de 1,5 hectare de telhados. Era difícil de acreditar até se chegar lá em cima e descobrir que poderia se perder entre as cumeeiras e vales. Daquele ponto, era possível chegar a qualquer parte dos telhados usando as passagens, escadas e túneis instalados para os homens da manutenção que apareciam todas as primaveras para limpar as calhas, pintar os canos e trocar as telhas quebradas. Charlotte se levantou.

– Vamos. O resto é fácil.

Havia uma escada para o telhado seguinte, depois uma passagem estreita, em seguida alguns degraus de madeira que levavam a uma porta pequena e quadrada na parede. Charlotte abriu a porta, engatinhou para dentro e, pronto, estava em seu esconderijo.

Era uma sala de teto baixo, sem janelas, com assoalho de tábuas cheias de farpas que podiam machucar quem não tomasse cuidado. Charlotte imaginava que em outros tempos fora usada como depósito, mas agora tinha sido totalmente esquecida. Uma porta no outro lado dava para um pequeno cômodo junto ao quarto das crianças, que havia anos não era usado. Charlotte descobrira o local quando tinha 8 ou 9 anos e passara a usá-lo como esconderijo para escapar da vigilância – algo que ela parecia fazer desde sempre. Havia almofadas no chão, velas em potes e uma caixa de fósforos. Sobre uma das almofadas estava um velho cachorro de brinquedo que Charlotte escondera ali oito anos antes, depois que Marya, a governanta, ameaçara jogá-lo fora. Em uma mesinha, um vaso rachado continha vários lápis de cor e, ao lado dele, havia um estojo de couro vermelho para lápis e papel. Walden Hall passava por um inventário periódico, e Charlotte lembrava que a Sra. Braithwait, a governanta, certa vez comentara que objetos inusitados tinham sumido.

Belinda também entrou no esconderijo e Charlotte acendeu as velas. Tirou os dois livros do corpete e verificou os títulos. Um deles era sobre medicina doméstica e o outro era um romance erótico. O livro médico parecia mais promissor. Charlotte se sentou numa almofada e o abriu. Belinda se acomodou a seu lado, com uma expressão de culpa. Charlotte tinha a sensação de que estava prestes a descobrir o segredo da vida.

Folheou o livro. Parecia explícito e detalhado ao falar de reumatismo, ossos quebrados e sarampo. Mas quando se tratava de parto, tornava-se, de repente, impenetravelmente vago. Havia referências misteriosas a dores, bolsas estourando e um cordão que tinha de ser amarrado em dois lugares, depois cortado com uma tesoura previamente mergulhada em água fervente. O capítulo era claramente destinado a pessoas que já sabiam bastante a respeito do assunto. Havia um desenho de uma mulher nua. Charlotte notou, mas ficou envergonhada demais para dizer a Belinda, que a mulher no desenho não tinha pelos num determinado lugar em que ela tinha em abundância. Havia também um desenho de um bebê dentro da barriga da mulher, mas nenhuma indicação de uma passagem pela qual ele pudesse sair.

– O médico deve cortar a barriga para o bebê sair – comentou Belinda.

– Então como faziam no tempo em que não existiam médicos? – retrucou Charlotte. – A verdade é que este livro não é bom.

Ela abriu o outro volume ao acaso e leu em voz alta a primeira frase que lhe atraiu a atenção:

– "Ela se abaixou com uma lentidão lasciva sobre a minha lança rígida e depois começou os seus deliciosos movimentos para a frente e para trás."

Charlotte franziu o rosto, olhando para Belinda, que murmurou:
– O que será que isso significa?

~

Feliks Kschessinsky estava sentado em um vagão, esperando que o trem saísse da estação de Dover. Fazia frio e ele permanecia absolutamente imóvel. Estava escuro lá fora, e ele podia ver seu reflexo na janela: um homem alto, de bigode impecável, usando um casaco preto e chapéu-coco. Havia uma pequena maleta no suporte de bagagem acima de sua cabeça. Ele poderia passar por um representante comercial de um fabricante de relógios suíços, a não ser pelo fato de usar um casaco ordinário, de a maleta de papelão não escapar aos olhos de um observador mais atento e de seu rosto não ser o de um vendedor de relógios.

Pensava na Inglaterra. Podia lembrar-se do tempo em que, na juventude, sustentara que a monarquia constitucional da Inglaterra era a forma ideal de governo. A recordação divertiu-o e o rosto pálido refletido na janela presenteou-o com o vestígio de um sorriso. Fazia muito tempo que mudara de ideia a respeito da forma ideal de governo.

O trem partiu e alguns minutos depois Feliks contemplava o sol nascer sobre os pomares e campos de lúpulo de Kent. Ele nunca deixava de ficar impressionado ao constatar como a Europa era *bonita*. Sofrera um choque profundo ao vê-la pela primeira vez. Como qualquer camponês russo, sempre fora incapaz de imaginar que o mundo pudesse ser assim. Lembrava que, na ocasião, estava num trem. Atravessara centenas de quilômetros pelas províncias escassamente povoadas do noroeste da Rússia, com suas árvores raquíticas, vilarejos miseráveis enterrados na neve e estradas lamacentas e sinuosas. E, de repente, acordara uma manhã e descobrira-se na Alemanha. Contemplando os campos verdes impecáveis, as estradas pavimentadas, as lindas casas em aldeias limpas, os canteiros de flores na estação ferroviária, pensara estar no paraíso. Depois, na Suíça, sentado na varanda de um pequeno hotel, aquecido pelo sol ainda à vista acima das montanhas cobertas de neve, tomando café e comendo um pão fresco e crocante, pensara: As pessoas aqui devem ser muito felizes.

Agora, observando as fazendas inglesas iniciarem suas atividades ao nascer do dia, recordou o amanhecer em sua aldeia natal: um céu cinzento, em ebulição, e um vento cortante; um campo pantanoso congelado, com poças de gelo e tufos de mato aparecendo; ele próprio num casaco surrado de lona, os pés já dormentes calçados em tamancos; o pai andando a seu lado, usando as roupas puídas de um sacerdote rural empobrecido, argumentando que Deus era bom. O pai amara o povo russo porque Deus também o amava. Para Feliks, no entanto, sempre fora muito claro que Deus odiava o povo, pois o tratava com a maior crueldade.

Essa discussão fora o início de uma longa jornada que levara Feliks do cristianismo ao socialismo e então ao terror anarquista; da província de Tambov a São Petersburgo e à Sibéria; e por fim a Genebra. E, em Genebra, ele tomara a decisão que o levara à Inglaterra. Lembrou-se da reunião. Quase a perdera...

~

Quase perdera a reunião. Estivera na Cracóvia, negociando com os judeus poloneses que contrabandeavam a revista *Motim* para a Rússia, através da fronteira. Chegou a Genebra depois do anoitecer e foi direto para a pequena gráfica de Ulrich. O comitê editorial estava reunido, quatro homens e duas mulheres, em torno de uma vela, nos fundos da gráfica, atrás da prensa reluzente, inalando os odores de papel-jornal e máquinas lubrificadas, planejando a revolução russa.

Ulrich atualizou Feliks nos assuntos que estavam sendo discutidos. Ele estivera com Josef, um espião da Okhrana, a polícia secreta russa. Josef simpatizava secretamente com os revolucionários e fornecia informações falsas à Okhrana em troca de dinheiro. Os anarquistas às vezes lhe transmitiam informações verdadeiras, mas inofensivas. Josef retribuía com dados sobre as atividades da Okhrana.

As notícias que Josef tinha naquele momento eram sensacionais.

– O czar quer fazer uma aliança militar com a Inglaterra – disse Ulrich a Feliks. – Está enviando o príncipe Orlov a Londres para negociar. A Okhrana está a par porque tem que proteger o príncipe na viagem pela Europa.

Feliks tirou o chapéu e sentou-se, ponderando se aquilo era mesmo verdade. Uma das mulheres, uma russa triste e desleixada, trouxe-lhe chá num copo. Feliks tirou do bolso a metade de um torrão de açúcar, colocou-o entre os dentes e bebeu o chá através dele, à maneira camponesa.

– Então, a Inglaterra poderia travar uma guerra com a Alemanha e obrigar os russos a lutarem – acrescentou Ulrich.

Feliks assentiu. A moça que lhe servira o chá comentou:

– E não serão os príncipes e condes que morrerão, mas sim o povo russo.

Ela estava certa, pensou Feliks. Os camponeses é que lutariam na guerra. Ele passara a maior parte da vida entre aquela gente. Eram rudes, carrancudos e intolerantes, mas a generosidade desmedida e as ocasionais explosões de pura alegria indicavam como poderiam ser numa sociedade decente. Suas preocupações eram o clima, os animais, as doenças, o nascimento de crianças e a vontade de passar a perna nos proprietários de terras. Por um breve período, no final da adolescência, eram vigorosos e íntegros, e podiam sorrir, correr, namorar. Mas logo se tornavam encurvados, grisalhos, lerdos, soturnos. Agora, o príncipe Orlov arrebanharia esses jovens na flor da idade e os colocaria na frente de canhões para serem mortos ou mutilados para sempre, certamente pelos melhores motivos da diplomacia internacional.

Eram coisas assim que faziam com que Feliks fosse um anarquista.

– O que devemos fazer? – perguntou Ulrich.

– Temos que estampar a notícia na primeira página da *Motim*! – exclamou a mulher.

Eles começaram a discutir como a notícia deveria ser transmitida. Feliks ficou escutando, em silêncio. As questões editoriais não o interessavam muito. Ele distribuía a revista e escrevia artigos em que explicava como fazer bombas, mas sentia-se bastante infeliz. Tornara-se extremamente civilizado em Genebra. Tomava cerveja em vez de vodca, usava camisa e gravata, ia a concertos de música clássica, tinha um emprego numa livraria. Enquanto isso, a Rússia fervilhava. Os petroleiros estavam em guerra com os cossacos, o parlamento mostrava-se impotente, um milhão de trabalhadores estava em greve. O czar Nicolau II era o soberano mais incompetente e obtuso que uma aristocracia degenerada podia produzir. O país era um barril de pólvora só esperando uma centelha. Feliks queria ser essa centelha. Mas voltar era muito perigoso. Stalin retornara e assim que pisara em solo russo fora despachado para a Sibéria. A polícia secreta conhecia os revolucionários exilados ainda mais do que conhecia os que ainda estavam na Rússia. Feliks sentia-se irritado por sua camisa de colarinho, pelos sapatos de couro e pelas circunstâncias em que se encontrava.

Correu os olhos pelo pequeno grupo de anarquistas: Ulrich, o tipógrafo, com seus cabelos brancos e seu avental sujo de tinta, era um intelectual que emprestava a Feliks livros de Proudhon e Kropotkin, mas também era um homem de ação que certa vez o ajudara a assaltar um banco; Olga, a moça desleixada que parecia apaixonada por Feliks até o dia em que o vira quebrar o braço de um guarda e passara a temê-lo; Vera, a poetisa promíscua; Yevno, o estudante de filosofia que falava muito sobre uma onda de purificação de sangue e fogo; Hans, o fabricante de relógios, que perscrutava a alma das pessoas como se as olhasse através de sua lente de aumento; e Piotr, o conde despojado, autor de tratados de economia brilhantes e editoriais revolucionários inspiradores. Eram pessoas honestas e trabalhadoras, extremamente inteligentes. Feliks sabia como eram importantes, pois estivera na Rússia, entre os desesperados que aguardavam com impaciência os jornais e panfletos contrabandeados, passando-os de mão em mão, até ficarem em frangalhos. Ainda assim, o que faziam não era suficiente, pois os tratados econômicos não protegiam as pessoas das balas da polícia e os artigos inflamados não queimavam palácios.

Ulrich estava dizendo:

– A notícia merece uma circulação mais ampla do que poderá obter na *Motim*. Quero que cada camponês da Rússia saiba que Orlov está querendo jogá-lo numa guerra inútil e sangrenta, por causa de algo que absolutamente não lhe diz respeito.

– O primeiro problema é saber se acreditarão em nós – comentou Olga.

– O primeiro problema é saber se a história é verdadeira – interveio Feliks.

– Podemos verificar – disse Ulrich. – Os camaradas de Londres podem descobrir se Orlov chegará no momento previsto e se encontrará com as pessoas que precisa.

– Não é suficiente espalhar a notícia – declarou Yevno, muito agitado. – Temos que acabar com isso!

– Como? – perguntou Ulrich, observando o jovem por cima dos óculos de aros de arame.

– Devíamos exigir o assassinato de Orlov. Ele é um traidor do povo e merece ser executado.

– E isso impediria as negociações?

– Provavelmente – interveio o conde Piotr. – Sobretudo se o assassino fosse um anarquista. Devemos lembrar que a Inglaterra proporciona asilo político aos anarquistas, e isso enfurece o czar. Se um de seus príncipes for morto na Inglaterra por um de nossos camaradas, o czar pode ficar furioso o bastante a ponto de cancelar todas as negociações.

– E que história sensacional teríamos! – exclamou Yevno. – Poderíamos dizer que Orlov foi assassinado por um dos nossos pelo crime de traição contra o povo russo.

– Todos os jornais do mundo publicariam uma notícia como *essa* – comentou Ulrich.

– Pensem no efeito que isso teria na Rússia. Sabem como os camponeses russos se sentem em relação ao recrutamento. É uma sentença de morte. Eles fazem um funeral quando um jovem vai para o Exército. Se souberem que o czar está planejando obrigá-los a lutar em uma grande guerra europeia, os rios vão ficar vermelhos de sangue...

Ele estava certo, pensou Feliks. Yevno sempre falava assim, mas desta vez ele tinha razão.

– Acho que você está sonhando, Yevno. Orlov está numa missão secreta. Não vai desfilar por Londres numa carruagem aberta, acenando para as multidões. Além do mais, eu conheço os camaradas de Londres. Eles nunca assassinaram ninguém. Não vejo como poderia ser feito – disse Ulrich.

– Pois eu sei como – declarou Feliks.

Todos olharam para ele. As sombras em seus rostos se alteravam conforme a chama da vela bruxuleava.

– Sei como pode ser feito. – A voz de Feliks parecia estranha, como se a garganta dele estivesse sendo espremida. – Irei a Londres e matarei Orlov.

O silêncio tomou conta do lugar. Toda aquela conversa sobre morte e destruição tornava-se de repente real e concreta. Todos pareciam aturdidos, à exceção de Ulrich, que sorria, satisfeito, quase como se tivesse planejado desde o início que as coisas tomassem aquele rumo.

CAPÍTULO DOIS

LONDRES ERA INACREDITAVELMENTE RICA. Feliks já testemunhara a riqueza extravagante na Rússia e uma larga prosperidade na Europa, mas jamais naquela escala. Ali não havia absolutamente ninguém em farrapos. Ao contrário, todos usavam diversas camadas de roupas grossas, embora estivesse fazendo calor. Feliks via carroceiros, vendedores ambulantes, varredores, operários e entregadores, todos ostentando casacos saídos das fábricas, sem buracos nem remendos. Todas as crianças estavam de botinas. As mulheres usavam chapéus – e que chapéus! Quase todos enormes, largos como uma roda de automóvel, e decorados com fitas, plumas, flores e frutas. As ruas estavam apinhadas. Ele viu mais carros em seus primeiros cinco minutos ali do que já vira antes em toda a vida. Parecia haver tantos automóveis quanto veículos puxados por cavalos. Sobre rodas ou a pé, todos avançavam apressadamente.

O trânsito estava parado em Piccadilly Circus e a causa era comum em qualquer cidade: um cavalo caíra e a carroça virara. Vários homens lutavam para levantar o animal e o veículo, enquanto, da calçada, vendedoras de flores e mulheres de rosto pintado gritavam palavras de estímulo e gracejos.

Enquanto Feliks seguia para leste, a impressão inicial de grande riqueza modificou-se um pouco. Ele passou por uma catedral com teto em domo chamada de São Paulo, segundo o mapa que comprara na estação Victoria. Seguiu então por distritos mais pobres. De repente, as magníficas fachadas dos bancos e prédios comerciais foram substituídas por fileiras de casinhas pequenas, em variados graus de abandono. Havia menos automóveis e mais cavalos, e os animais eram bem mais magros. Quase todas as lojas se resumiam a simples barracas à beira da rua. Não se viam mais garotos de entregas, e muitas crianças estavam descalças – não que isso tivesse alguma importância, pois lhe parecia que naquele clima não precisavam mesmo de botinas.

A situação foi se tornando pior à medida que Feliks se embrenhava pelo East End. Ali havia cortiços miseráveis, pátios imundos e becos fétidos em que farrapos humanos, vestidos em andrajos, vasculhavam pilhas de lixo, procurando comida. Feliks entrou na Whitechapel High Street e viu as barbas familiares, os cabelos compridos e os trajes tradicionais dos judeus ortodoxos. Pequenas lojas vendiam peixe defumado e carne kosher. Era como estar num gueto russo, só que ali os judeus não pareciam assustados.

Chegou à Jubilee Street, 165, o endereço que Ulrich lhe fornecera. Era um prédio de dois andares que parecia uma capela luterana. Um aviso no lado de fora anunciava que o Clube e Instituto Amigo do Trabalhador estava aberto a todos os trabalhadores, independentemente da posição política. Mas outro aviso deixava transparecer a natureza do lugar, proclamando que fora inaugurado, em 1906, por Peter Kropotkin. Feliks se perguntou se iria conhecer ali em Londres o legendário Kropotkin.

Entrou no prédio. Viu no saguão uma pilha de um jornal também chamado *Amigo do Trabalhador*, só que o título estava em iídiche: *Der Arbeiter Fraint*. Avisos nas paredes anunciavam aulas de inglês, uma escola dominical, uma viagem a Epping Forest e uma palestra sobre *Hamlet*. Feliks parou no saguão. A arquitetura confirmava sua primeira impressão: não restava a menor dúvida de que o saguão tinha sido a nave de uma igreja dissidente, que fora transformada pelo acréscimo de um palco numa extremidade e de um bar na outra. Havia um grupo de homens e mulheres no palco, aparentemente ensaiando uma peça. Talvez fosse aquilo que os anarquistas faziam na Inglaterra, pensou Feliks. Isso explicaria por que tinham permissão para se reunir em clubes. Foi até o bar. Não havia sinal de bebida alcoólica, mas viu bolinhos kosher, arenque em conserva e – a suprema alegria! – um samovar. A moça atrás do balcão fitou-o e disse:

– *Nu?*

Feliks sorriu.

~

Uma semana depois, no dia em que o príncipe Orlov deveria chegar a Londres, Feliks almoçou num restaurante francês no Soho. Chegou cedo e pegou uma mesa perto da porta. Tomou uma sopa de cebola, comeu um bife com queijo de cabra e bebeu meia garrafa de vinho tinto. Fez o pedido em francês e os garçons o trataram com extremo respeito. Quando terminou, o lugar estava no auge do movimento da hora do almoço. Num momento em que três dos garçons estavam na cozinha e os outros dois de costas para ele, Feliks levantou-se calmamente, foi até a porta, pegou o chapéu e o casaco e saiu sem pagar.

Sorriu enquanto se afastava pela rua. Gostava de roubar.

Aprendera rapidamente como viver quase sem dinheiro naquela cidade. Para o café da manhã, comprava chá e um pedaço de pão numa barraca na rua por 2 *pence*. Mas era a única refeição que pagava. Na hora do almoço, roubava frutas ou legumes de alguma barraca. No fim da tarde, ia a um bandejão beneficente e conseguia uma tigela de caldo grosso e pão à vontade depois de ouvir um sermão incompreensível e cantar um hino de louvor. Tinha 5 libras em dinheiro, mas estava guardando-as para uma emergência.

Estava morando em Dunstan Houses, em Stepney Green, num cortiço de cinco andares no qual também vivia metade dos mais eminentes anarquistas de Londres. Ele dormia em um colchão no chão do apartamento de Rudolf Rocker, o alemão louro e carismático que editava *Der Arbeter Fraint*. Feliks era imune ao charme de Rocker, mas respeitava a dedicação total do homem. O alemão e a mulher, Milly, mantinham as portas sempre abertas para anarquistas, e ao longo do dia – e metade da noite – havia por ali visitantes, mensageiros, debates, reuniões de comitês, com muito chá e cigarros. Feliks não pagava aluguel, mas todos os dias levava alguma coisa – meio quilo de linguiça, um pacote de chá, uma porção de laranjas – para a despensa comunitária. Todos pensavam que ele comprava esses mantimentos, mas é claro que os roubava.

Ele disse aos outros anarquistas que estava ali para estudar no Museu Britânico e concluir seu livro sobre o anarquismo natural nas comunidades primitivas. Todos acreditavam. Eram amigáveis, dedicados e inofensivos; acreditavam sinceramente que a revolução podia ser implantada por meio da educação e do sindicalismo, por panfletos, conferências e excursões a Epping Forest. Feliks sabia que a maioria dos anarquistas fora da Rússia era assim. Não os odiava, mas no fundo os desprezava, pois, no final das contas, eram apenas medrosos.

Apesar disso, sempre era possível encontrar alguns homens violentos dentro desses grupos. Quando precisasse, Feliks iria procurá-los.

Enquanto isso, preocupava-se com a chegada de Orlov e com a melhor forma de matá-lo. Tais preocupações eram inúteis, e ele tentava distrair a mente com o estudo do inglês. Aprendera um pouco do idioma na cosmopolita Suíça. Durante a longa viagem de trem pela Europa, estudara uma cartilha para crianças russas e uma tradução inglesa de seu romance predileto, *A filha do capitão*, de Pushkin, que sabia quase de cor em russo. Agora, lia o *Times* todas as manhãs, no salão de leitura do clube da Jubilee Street. À tarde, andava pelas ruas puxando conversa com bêbados, vagabundos e prostitutas – as pessoas que mais apreciava, aquelas que violavam as regras. As palavras impressas nos livros logo se fundiram com os sons a seu redor e ele já era capaz de dizer qualquer coisa que precisasse. Em pouco tempo conseguiria conversar sobre política em inglês.

Depois de deixar o restaurante, seguiu para o norte pela Oxford Street e entrou no bairro alemão a oeste da Tottenham Court Road. Havia muitos revolucionários entre os alemães, mas tendiam a ser comunistas em vez de anarquistas. Feliks admirava a disciplina dos comunistas, mas desconfiava de seu autoritarismo; além disso, tinha o temperamento incompatível com o trabalho partidário.

Atravessou o Regent's Park e entrou no subúrbio de classe média que ficava ao norte. Vagou pelas ruas arborizadas, contemplando os pequenos jardins das impecáveis casas de tijolos, à procura de uma bicicleta para roubar. Aprendera a andar de bicicleta na Suíça, e descobrira que era o veículo perfeito para seguir alguém, por ser fácil de manobrar e não atrair qualquer atenção. Além do mais, no tráfego de uma cidade grande, era rápida o bastante para acompanhar um automóvel ou uma carruagem. Infelizmente os cidadãos burgueses daquela parte de Londres pareciam manter suas bicicletas trancadas. Avistou um homem pedalando pela rua e sentiu-se tentado a derrubá-lo e apoderar-se da bicicleta, mas, naquele momento, havia três pedestres e um furgão de padaria na rua, e Feliks não queria chamar atenção. Pouco depois, viu um menino entregando mercadorias, mas sua bicicleta era ostensiva demais, com uma cesta grande na frente e uma placa de metal pendurada no quadro, com o nome da mercearia. Feliks já estava pensando em estratégias alternativas quando finalmente encontrou o que precisava.

Um homem de aproximadamente 30 anos saiu de um jardim empurrando uma bicicleta. Usava um chapéu duro de palha e um blazer listrado pressionando a pança. Encostou a bicicleta no muro do jardim e abaixou-se para prender a bainha da calça com um pregador.

Feliks aproximou-se rapidamente.

O homem viu a sombra dele, levantou a cabeça e murmurou:

– Boa tarde.

Feliks derrubou-o.

O homem caiu de costas e ficou olhando para Feliks com uma expressão estúpida de surpresa.

Feliks se jogou em cima dele, acertando o joelho no botão do meio do blazer listrado. O sujeito perdeu o fôlego e ficou impotente, ofegante, tentando recuperar o ar.

Feliks levantou-se e olhou para a casa. Havia uma mulher jovem na janela observando, com a mão cobrindo a boca entreaberta, os olhos arregalados de pavor.

Feliks tornou a olhar para o homem caído. Tinha pelo menos um minuto antes que ele sequer pensasse em se levantar.

Montou na bicicleta e afastou-se rapidamente.

Um homem que não tem medo pode fazer qualquer coisa, pensou Feliks. Aprendera essa lição havia onze anos, num desvio ferroviário nos arredores de Omsk. Estava nevando na ocasião...

~

Estava nevando. Feliks encontrava-se sentado num vagão aberto, sobre uma pilha de carvão, congelando.

Fazia um ano que sentia frio, desde que escapara do grupo de prisioneiros que trabalhavam acorrentados na mina de ouro. Durante esse ano, tinha cruzado a Sibéria, do norte congelado até quase os montes Urais. Agora, estava a apenas 1.500 quilômetros da civilização e do clima quente. Percorrera a pé a maior parte do caminho, embora em algumas ocasiões tenha viajado em trens ou em carroças cheias de peles. Preferia viajar com gado, pois eles o mantinham aquecido e ele podia partilhar a comida dos animais. Tinha alguma consciência de que era pouco mais do que um animal. Jamais se lavava, o casaco era uma manta roubada de um cavalo, as roupas esfarrapadas estavam cheias de pulgas, seu cabelo estava infestado de piolhos. Seu alimento predileto era ovo cru de pássaros. Certa ocasião roubara um pônei, montara-o até o animal morrer e depois comera-lhe o fígado. Perdera a noção do tempo. Sabia que era outono, pelo clima, mas não sabia em que mês estava. Muitas vezes descobria-se incapaz de lembrar o que fizera no dia anterior. Nos momentos de maior sanidade, compreendia que estava meio louco. Nunca falava com as pessoas. Ao se aproximar de uma aldeia ou pequena cidade, tratava de contorná-la, parando apenas pelo tempo suficiente para roubar alguma coisa do depósito de lixo. Tudo o que sabia era que tinha de continuar a seguir para oeste, pois lá estaria mais quente.

Mas o trem de carvão entrara num desvio e Feliks pensou que talvez estivesse morrendo. Havia um guarda corpulento, de casaco de pele, que estava ali para impedir que camponeses roubassem carvão para se aquecer... Quando tal pensamento lhe ocorreu, Feliks compreendeu que estava tendo um momento de lucidez e que talvez fosse o último. Perguntou-se o que o teria provocado, e então sentiu o cheiro do jantar do guarda. Só que o sujeito era grande, saudável e tinha uma arma.

Não me importo, pensou Feliks. Vou morrer de qualquer maneira.

Levantou, pegou o maior pedaço de carvão que podia aguentar e cambaleou até a cabana do guarda. Em seguida entrou e acertou-o na cabeça.

Havia uma panela no fogo com guisado, mas quente demais para comer. Feliks levou a panela para fora e esvaziou-a sobre a neve. Depois, caiu de joelhos e pôs-se a comer, tudo misturado com neve. Havia pedaços de batata e nabo, cenouras, nacos de carne. Ele engolia tudo sem mastigar. O guarda saiu da cabana e acertou-o com um golpe violento de porrete nas costas. Feliks ficou frenético de raiva porque o homem tentava impedi-lo de comer. Levantou-se, voou para cima dele e começou a chutá-lo e a arranhá-lo. O guarda reagiu com o porrete, mas Feliks não sentia os golpes. Agarrou o pescoço do homem e começou a estrangulá-lo. Não largou mais. Depois de algum tempo, os olhos do guarda se fecharam, o rosto ficou arroxeado e a língua pendeu para fora. Feliks pôde, enfim, terminar de comer o guisado.

Em seguida, devorou todos os alimentos que havia na cabana e esquentou-se na frente do fogo. Dormiu na cama do guarda. Quando acordou, sentiu que tinha recuperado a sanidade. Tirou as botas e o casaco do cadáver e seguiu a pé para Omsk. No caminho, descobriu uma coisa extraordinária a seu respeito: perdera a capacidade de sentir medo. Alguma coisa acontecera em sua mente, como se um interruptor tivesse sido desligado. Não conseguia pensar em nada capaz de amedrontá-lo. Se sentisse fome, roubaria; se estivesse sendo perseguido, se esconderia; se fosse ameaçado, mataria. Não havia nada que desejasse, e não existia mais nada que pudesse feri-lo. Amor, orgulho, desejo e compaixão eram emoções esquecidas.

Todas acabariam voltando, mais cedo ou mais tarde, menos o medo.

Ao chegar a Omsk, vendeu o casaco do guarda e comprou uma calça, uma camisa, um colete e um sobretudo. Queimou os trapos que usava e pagou 1 rublo para se banhar com água quente e fazer a barba num hotel ordinário. Comeu em um restaurante, usando garfo e faca, em vez dos dedos. Viu a primeira página de um jornal e lembrou que sabia ler. Compreendeu então que tinha voltado do túmulo.

~

Sentou-se num banco na estação da Liverpool Street, a bicicleta encostada na parede ao lado. Tentou imaginar como era Orlov. Não sabia nada a respeito do homem além de sua patente e da missão que o trazia à Inglaterra. O príncipe podia ser um servidor insípido, diligente e leal do czar, ou um sádico e devasso, ou um velho afável de cabelos brancos que só gostava de brincar com os netos. Não fazia a menor diferença: Feliks iria matá-lo de qualquer maneira.

Estava convencido de que poderia reconhecer Orlov, pois russos do tipo dele não tinham a menor vocação para viajar discretamente, estivessem ou não em missão secreta.

Mas será que Orlov viria? Se viesse, se chegasse no trem que Josef indicara e se posteriormente se encontrasse com o conde de Walden, como Josef dissera que aconteceria, então não restaria mais qualquer dúvida de que a informação do homem fora correta.

Poucos minutos antes da chegada prevista do trem, uma carruagem fechada, puxada por quatro cavalos magníficos, aproximou-se ruidosamente da estação e seguiu direto para a plataforma. Havia um cocheiro na frente e um criado de libré atrás. Um funcionário da ferrovia, vestindo um casaco estilo militar com botões reluzentes, encaminhou-se para a carruagem. Falou com o cocheiro e orientou-o para ir até a extremidade da plataforma. O oficial encarregado da estação apareceu em seguida, de sobrecasaca e cartola, com um ar de importância. Consultou um relógio de bolso e comparou-o aos relógios da estação com uma expressão severa. Abriu a porta da carruagem para que o passageiro descesse.

O funcionário da ferrovia passou pelo banco de Feliks, que agarrou-o pela manga.

– Por favor, senhor – disse Feliks, com os olhos arregalados como um ingênuo turista estrangeiro –, aquele é o rei da Inglaterra?

O funcionário sorriu.

– Não. É apenas o conde de Walden.

Em seguida, se afastou.

Então Josef estava certo!

Feliks observou Walden com olhos de assassino. Ele era alto, mais ou menos da altura de Feliks, e corpulento – mais fácil de alvejar do que alguém pequeno. Tinha em torno de 50 anos. A não ser por um ligeiro claudicar, parecia em perfeitas condições físicas: podia fugir, mas não muito depressa. Usava um casaco cinza-claro que chamava bastante atenção e uma cartola da mesma cor. Os cabelos eram curtos e lisos, e a barba era pontuda, no estilo lançado pelo falecido rei Eduardo VII. O conde parou na plataforma, apoiado na bengala – uma arma em potencial –, descansando a perna esquerda. O cocheiro, o lacaio e o oficial encarregado da estação se movimentavam em torno dele, como abelhas cercando uma rainha. A postura era relaxada. Ele não olhou para o relógio. Não prestava a menor atenção aos subalternos a seu redor. Está acostumado a isso, pensou Feliks; durante toda a sua vida, sempre fora o homem mais importante na multidão.

O trem apareceu, soltando fumaça pela chaminé. Eu poderia matar Orlov agora, pensou Feliks, sentindo por um momento a emoção do caçador ao se aproximar da presa. Mas já decidira que não cometeria o assassinato naquele dia. Estava ali para observar, não para agir. A maioria das tentativas de assassinato anarquistas fracassava, em sua opinião, por causa da pressa ou da espontaneidade com que eram cometidas. Feliks acreditava em planejamento e organização, o que parecia um absurdo para muitos anarquistas. Eles não compreendiam que um homem podia planejar as próprias ações – era só quando começava a organizar a vida dos outros que se tornava um tirano.

O trem enfim parou, com um grande suspiro de vapor. Feliks se levantou e se aproximou da plataforma. No final do trem havia o que parecia ser um vagão particular, diferenciado dos demais pelas cores pintadas recentemente. Esse vagão parou exatamente diante da carruagem de Walden. O chefe da estação adiantou-se e, ansioso, abriu uma porta.

Feliks ficou tenso, observando com toda a atenção o espaço sombreado no qual sua presa iria aparecer.

Por um instante, todos ficaram esperando. Logo em seguida Orlov apareceu. Parou rapidamente na porta e, nesse momento, os olhos de Feliks se focaram nele. Era um homem pequeno, usando um casaco russo de gola de pele obviamente caro e uma cartola preta. O rosto era rosado e jovem, quase infantil, com um bigode pequeno. Ele sorriu, hesitante. Parecia vulnerável. Tanta perversidade é cometida por pessoas com semblantes inocentes, refletiu Feliks.

Orlov saltou do trem. Ele e Walden se abraçaram, à maneira russa, mas rapidamente, e logo entraram na carruagem.

Foram um tanto apressados, observou Feliks.

O lacaio e dois carregadores começaram a pôr as malas na carruagem. Logo ficou claro que não seria possível levar tudo. Feliks sorriu ao pensar em sua própria maleta de papelão, meio vazia.

A carruagem fez a volta. Parecia que o lacaio ficaria para cuidar do resto da bagagem. Os carregadores aproximaram-se da janela da carruagem e um braço envolto por uma manga cinza emergiu, largando algumas moedas em suas mãos. O veículo afastou-se. Feliks montou na bicicleta e foi atrás.

Não era difícil acompanhar a carruagem no tráfego tumultuado de Londres. Ele seguiu-a através da cidade, ao longo da Strand Street e através do parque St. James. A carruagem seguiu a alguma distância pela estrada no outro lado do parque, depois entrou abruptamente num pátio murado.

Feliks saltou da bicicleta e passou a empurrá-la pela relva à beira do parque, até chegar em frente ao portão do pátio murado. Avistou a carruagem parada diante da entrada imponente de uma mansão. Por cima do teto da carruagem viu duas cartolas, uma preta e uma cinza, desaparecerem no interior da casa. Depois o portão foi fechado e ele não pôde ver mais nada.

~

Lydia observou a filha com ar grave. Charlotte estava parada diante de um espelho grande, experimentando o vestido de debutante com que seria apresentada na corte. Madame Bourdon, a costureira magra e elegante, andava de um lado para outro com seus alfinetes, acertando um babado aqui, prendendo um franzido ali.

Charlotte parecia linda e inocente – justamente a imagem que se esperava de uma debutante. O vestido de tule branco bordado com cristais chegava quase até o chão, cobrindo parcialmente os pequenos sapatos de bico fino. O decote, que descia quase até a cintura, era preenchido por um buquê de cristal. A cauda de 4 metros de tecido prateado, margeada de chiffon rosa-claro, era presa na extremidade por um imenso laço branco e prateado. Os cabelos escuros de Charlotte estavam presos em um coque no alto da cabeça, com uma tiara que pertencera à lady Walden anterior, a mãe de Stephen, e ela também usava as duas plumas brancas que o regulamento exigia.

Minha filhinha já é quase uma adulta, pensou Lydia.

– O vestido está lindo, madame Bourdon.

– Obrigada, milady.

– É terrivelmente desconfortável – disse Charlotte.

Lydia suspirou. Era o tipo de coisa que se podia esperar que a filha dissesse.

– Eu gostaria que você não fosse tão frívola – retrucou Lydia.

Charlotte ajoelhou-se para pegar a cauda e lady Walden acrescentou:

– Não precisa se abaixar assim. Veja, eu lhe mostro como se faz. Vire para a esquerda.

Charlotte obedeceu e a cauda concentrou-se no lado esquerdo.

– Pegue com o braço esquerdo e depois vire mais um pouco para a esquerda. – A cauda ficou estendida no chão diante de Charlotte. – Agora pode ir em frente, usando a mão direita para levantar a cauda por cima do braço esquerdo enquanto anda.

– Funcionou!

Charlotte sorriu. Quando ela sorria, podia-se sentir todo o seu brilho. Ela costumava ser assim o tempo todo, pensou Lydia. Quando era pequena, eu sempre sabia o que se passava em sua mente. Crescer é aprender a enganar.

– Quem ensinou todas essas coisas à *senhora*, mamãe? – perguntou Charlotte.

– A primeira esposa de seu tio George, a mãe de Belinda, me ensinou tudo antes de eu ser apresentada à sociedade.

Lydia sentiu vontade de acrescentar: Essas coisas são fáceis de ensinar, mas as lições mais difíceis você terá de aprender sozinha.

A aia de Charlotte, Marya, entrou no quarto. Era uma mulher eficiente, sem nada de sentimental, usando um vestido cinza, a única criada que Lydia trouxera de São Petersburgo. A aparência dela não mudara nada em dezenove anos. Lydia não tinha a menor ideia da idade da mulher. Já estaria com 50 anos? Ou 60?

– O príncipe Orlov chegou, milady – anunciou Marya. – Ora, Charlotte, mas você está magnífica!

Estava quase na hora de Marya começar a chamá-la de "lady Charlotte", pensou Lydia.

– Desça assim que acabar de mudar de roupa, Charlotte – falou.

A jovem começou imediatamente a desamarrar as fitas nos ombros que prendiam a cauda. Lydia saiu. Encontrou Stephen na sala de estar, tomando xerez. Ele tocou no braço nu da mulher e murmurou:

– Adoro vê-la nesses vestidos de verão.

– Obrigada – respondeu ela, sorrindo.

Ele também estava muito bonito, pensou Lydia, com seu sobretudo cinza e a gravata prateada. Havia mais fios grisalhos na barba. *Nós poderíamos ter sido tão felizes*... Subitamente, sentiu vontade de beijar o rosto do marido. Correu os olhos pela sala. Havia um lacaio no aparador, servindo xerez. Ela teve que reprimir o impulso. Sentou-se e aceitou o copo estendido pelo lacaio.

– Como está Aleks?

– Quase a mesma coisa. Vai ver com os próprios olhos quando ele descer, daqui a pouco. Como está o vestido de Charlotte?

– Lindo. O que me incomoda é a atitude dela. Charlotte se recusa a ver as coisas como elas são. Eu detestaria que ela se tornasse uma moça *cínica*.

Stephen não queria preocupar-se com isso.

– Espere só até um belo oficial da Guarda lhe despertar a atenção. Ela não vai demorar a mudar de ideia.

O comentário irritou Lydia, pois insinuava que todas as mulheres eram escravas de sua natureza romântica. Era o tipo de coisa que Stephen dizia quando não queria pensar a respeito de um assunto. Fazia-o parecer um proprietário de terras sem nada na cabeça, o que não correspondia à realidade. Mas ele estava convencido de que Charlotte não era diferente de qualquer outra moça de 18 anos e não aceitava o contrário. Lydia entretanto sabia que a filha possuía algum elemento selvagem e nem um pouco inglês em sua natureza, algo que teria de ser reprimido.

Sentiu uma hostilidade irracional em relação a Aleks, por causa de Charlotte. Não era culpa dele, mas Aleks representava o fator São Petersburgo, o perigo do passado. Remexeu-se nervosamente na cadeira e surpreendeu Stephen observando-a com atenção. O marido notou.

– Você não pode estar nervosa só porque vai se encontrar com o pequeno Aleks.

Lydia deu de ombros.

– Os russos são imprevisíveis demais.

– Ele não é muito russo.

Ela sorriu para o marido, mas o momento de intimidade entre os dois já passara e agora sobrara apenas a afeição moderada de sempre em seu coração.

A porta se abriu. Fique calma, disse Lydia a si mesma.

Aleks entrou na sala.

– Tia Lydia! – exclamou, inclinando-se para beijar a mão dela.

– Como vai, Aleksei Andreievich? – disse ela, formalmente, para logo depois acrescentar, em tom mais suave: – Ora, você ainda aparenta ter 18 anos!

– Eu gostaria de ter – retrucou Aleks, com um brilho nos olhos.

Lydia perguntou sobre a viagem. Enquanto ele respondia, ela pegou-se imaginando por que o sobrinho continuava solteiro. Ele possuía um título que por si só era suficiente para atrair muitas moças – para não mencionar suas mães. Além disso, era lindo e riquíssimo. Aposto que já destruiu muitos corações, pensou.

– Seus irmãos e sua irmã lhe mandaram lembranças – disse Aleks – e pedem suas preces. – A essa altura ele franziu a testa. – São Petersburgo encontra-se assolada pela instabilidade e pela apreensão. Não é mais a cidade que vocês conheceram.

– Ouvimos falar a respeito do tal monge – comentou Stephen.

– Rasputin. A czarina acredita que Deus fala por intermédio dele, e ela tem grande influência sobre o czar. Mas Rasputin é apenas um sintoma. Há greves a todo momento e de vez em quando surgem motins. O povo não acredita mais que o czar é sagrado.

– E o que se precisa fazer? – indagou Stephen.

Aleks suspirou.

– Tudo. Precisamos de fazendas eficientes, mais fábricas, um parlamento apropriado como o da Inglaterra, reforma agrária, sindicatos, liberdade de expressão...

– Eu não teria tanta pressa de instituir os sindicatos, se estivesse no lugar de vocês – retrucou Stephen.

– Talvez tenha razão. Mesmo assim, a Rússia precisa ingressar no século XX de alguma forma. Ou a nobreza consegue isso ou o povo nos destruirá e fará o que tem que ser feito com as próprias mãos.

Lydia pensou que ele parecia mais radical do que os radicais. Como as coisas deviam ter mudado na Rússia para que um príncipe falasse assim! A irmã dela, Tatyana, a mãe de Aleks, referia-se em suas cartas a "problemas", mas não fazia qualquer insinuação de que a nobreza estivesse em perigo real. Aleks era mais parecido com o pai, o velho príncipe Orlov, um animal político. Se ele estivesse vivo hoje, certamente falaria daquele jeito.

– Há uma terceira possibilidade, você sabe. Um meio pelo qual a aristocracia e o povo podem se unir – disse Stephen.

Aleks sorriu, como se já soubesse o que estava para ser dito.

– E qual é?

– Uma guerra.

Aleks assentiu solenemente. Eles pensam da mesma forma, refletiu Lydia.

Aleks sempre ouvia com atenção as palavras de Stephen, que era a imagem mais próxima de um pai que ele tivera, depois da morte do velho príncipe.

Charlotte entrou e Lydia encarou-a, surpresa. Ela estava usando um vestido que Lydia não conhecia, de renda creme, forrado com seda marrom-escura. Lydia jamais teria escolhido aquele modelo, pois era um tanto *ousado*. Mas não havia como negar que Charlotte estava deslumbrante. Onde o teria comprado?, Lydia perguntou-se. Quando começou a comprar roupas sem a minha companhia? Quem lhe disse que essas cores ressaltam seus cabelos pretos e seus olhos castanhos? Ela está maquiada? E por que não está usando um corpete?

Stephen também olhava fixamente para a filha. Lydia notou que ele se levantara. Ela quase riu. Era um reconhecimento dramático de que Charlotte tinha se tornado adulta. E o mais engraçado era que se tratava de uma reação visivelmente involuntária. Em um instante Stephen se sentiria um tolo, ao compreender que se levantar toda vez que a filha entrasse numa sala não seria um comportamento que pudesse manter em sua própria casa.

O efeito sobre Aleks foi ainda maior. Ele se levantou de um pulo, derramou o xerez e ficou completamente vermelho. Lydia pensou: Ora, ele é tímido! Aleks transferiu o copo pingando da mão direita para a esquerda, de tal forma que se tornou impossível trocar um cumprimento com qualquer uma das duas, então ele ficou parado, parecendo aturdido e desamparado. Foi um momento de constrangimento, pois ele precisava recuperar o controle antes de poder cumprimentar Charlotte, mas o rapaz estava obviamente esperando cumprimentá-la antes de se recompor. Lydia já estava prestes a fazer algum comentário casual, só para preencher o silêncio, quando Charlotte interveio.

A jovem tirou o lenço de seda do bolsinho do paletó de Aleks e enxugou-lhe a mão direita, dizendo em russo:

– Como vai, Aleksei Andreievich?

Apertou-lhe a mão agora seca, tirou-lhe o copo da mão esquerda, enxugou-o, depois secou a mão esquerda, devolveu o copo, tornou a guardar o lenço no bolsinho e o fez se sentar. Então acomodou-se ao lado dele e disse:

– Agora que já terminou de derramar o xerez, fale-me a respeito de Diaghilev. Ele deve ser um homem muito estranho. Por acaso o conhece pessoalmente?

Aleks sorriu.

– Conheço, sim.

Enquanto Aleks falava, Lydia não podia conter a admiração. Charlotte enfrentara o momento constrangedor sem a menor hesitação e formulara uma pergunta – que devia ter preparado com antecedência – que desviara a atenção de Aleks de si mesmo e fizera-o sentir-se totalmente à vontade. E agira com serenidade, como se tivesse vinte anos de prática naquilo. Como desenvolvera tamanha compostura?

Lydia olhou para o marido. Stephen também notara o encanto de Charlotte e estava sorrindo de orelha a orelha, num fulgor de orgulho paternal.

~

Feliks andava de um lado para outro no parque St. James, pensando no que vira. Olhava de vez em quando para a graciosa fachada branca da casa dos Waldens, erguendo-se acima do muro alto do pátio como uma cabeça nobre por cima de um colarinho engomado. E pensou: Todos acham que estão seguros lá dentro.

Sentou-se num banco de onde ainda podia ver a casa. A Londres de classe média enxameava a seu redor, as mulheres com seus chapéus absurdos, os vendedores e donos de loja voltando para casa, todos de terno preto e chapéu-coco. Babás fofocavam com bebês em carrinhos ou com crianças exageradamente vestidas. Cavalheiros de cartola iam e vinham dos clubes na St. James. Lacaios de libré passeavam com cachorros pequenos e feiosos. Uma mulher gorda com uma imensa sacola de compras sentou-se no banco ao lado dele e disse:

– Não acha que está muito quente?

Feliks não tinha certeza de qual deveria ser a resposta apropriada, por isso limitou-se a sorrir e desviou os olhos.

Parecia que Orlov compreendera que sua vida poderia estar em perigo na Inglaterra. Ele ficara à vista apenas por alguns segundos na estação e não aparecera por um instante sequer desde que estava na casa. Feliks imaginou que ele pedira de antemão que o recebessem numa carruagem fechada, pois o clima estava bom e a maioria das pessoas andava em veículos abertos.

Até aquele dia, refletiu Feliks, o assassinato fora planejado de forma abstrata. Era simplesmente uma questão de política internacional, desavenças diplomáticas, alianças e tratados, possibilidades militares, reações hipotéticas de distantes kaisers e czares. Agora, de repente, tornava-se uma questão concreta. Tratava-se de um homem de carne e osso, com peso e altura definidos, um rosto jovem, com um bigode pequeno, um rosto que devia ser destruído por uma bala. Era um corpo baixo num sobretudo grosso, que deveria ser transformado em sangue e em farrapos por uma bomba. Era um pescoço barbeado, por cima de uma gravata listrada, uma garganta que deveria ser cortada de um lado a outro, a fim de que o sangue esguichasse.

Feliks sentia-se perfeitamente capaz de fazê-lo. Mais do que isso, ele estava ansioso. Havia perguntas, mas elas seriam respondidas; havia problemas, mas eles seriam resolvidos; seria preciso coragem, e ele tinha muita.

Visualizou Orlov e Walden dentro da linda casa, em suas roupas de boa qualidade, cercados por criados discretos. Logo jantariam em uma mesa comprida, cuja superfície polida refletiria como um espelho os linhos e talheres de prata. Comeriam com as mãos impecavelmente limpas, até as unhas brancas, as mulheres usando luvas. Consumiriam um décimo da comida servida e mandariam o resto para a cozinha. Poderiam conversar sobre corridas de cavalos, a última moda feminina ou um rei que conheciam. Enquanto isso, o povo que deveria lutar a guerra tremia em cabanas no cruel clima russo – mas mesmo assim ainda conseguia arrumar uma tigela extra de sopa de batata para um anarquista itinerante.

Será uma grande alegria matar Orlov, pensou Feliks; uma doce vingança. Depois, poderei morrer satisfeito.

Estremeceu.

– Acho que vai pegar um resfriado – comentou a mulher gorda.

Feliks deu de ombros.

– Tenho uma boa costeleta de carneiro para o jantar – acrescentou a mulher. – E fiz uma torta de maçã também.

– Ah – murmurou Feliks.

De que diabo ela estava falando? Levantou-se e afastou-se pelo gramado, na direção da casa. Sentou-se no chão, encostado numa árvore. Teria que observar a casa por um ou dois dias, para descobrir o tipo de vida que Orlov levaria em Londres: quando ele sairia e para onde; se iria em carruagem fechada, landau, carro ou táxi; quanto tempo passaria com Walden. O ideal seria conseguir prever os movimentos de Orlov e ficar à sua espera. Poderia se tornar capaz disso simplesmente estudando os hábitos do homem. Do contrário, teria que encontrar um meio de descobrir de antemão os planos do príncipe – talvez subornando um criado da casa.

Havia também a questão da arma a usar e como obtê-la. A escolha dependeria das circunstâncias detalhadas do assassinato, e o acesso a ela dependeria dos anarquistas da Jubilee Street. Nesse particular, o grupo de teatro amador poderia ser ignorado, assim como os intelectuais da Dunstan House e todos os que tinham meios visíveis de sustento. Mas havia quatro ou cinco jovens furiosos que sempre tinham dinheiro para drinques e, nas raras ocasiões em que falavam de política, pregavam o anarquismo em termos de expropriar os expropriadores, que era o jargão para financiar a revolução através do roubo. Eles deviam ter armas ou pelo menos saber como obtê-las.

Duas jovens que pareciam funcionárias de alguma loja passaram perto da árvore, e Feliks ouviu uma delas dizer:

– ...falei para ele: se você pensa que só porque levou uma moça ao Bioscope e lhe pagou um copo de cerveja pode...

Então elas se afastaram. Um sentimento estranho invadiu Feliks. Ele se perguntou se teria sido causado pelas moças, mas não, elas não significavam nada para ele. Será que estou apreensivo? Não. Realizado? Não, isso só acontece depois. Excitado? Dificilmente.

Por fim, concluiu que estava feliz.

Isso era muito estranho.

~

Walden foi ao quarto de Lydia naquela noite. Ela dormiu depois que fizeram amor. Ele ficou acordado no escuro, com a cabeça da mulher em seu ombro, recordando São Petersburgo em 1895.

Naquele tempo estava sempre viajando – América, África, Arábia –, principalmente porque a Inglaterra não era grande o bastante para ele e o pai. Achou a sociedade de São Petersburgo alegre, mas afetada. Gostou da paisagem russa e da vodca. Tinha facilidade para aprender línguas, mas o russo era a mais difícil que já conhecera, e o desafio lhe agradava.

Como herdeiro de um condado, Stephen tinha a obrigação de fazer uma visita de cortesia ao embaixador britânico. Este, por sua vez, deveria convidar Stephen a festas e apresentá-lo à sociedade russa. Stephen ia às festas porque gostava de falar sobre política com diplomatas quase tanto quanto gostava de apostar com oficiais e se embriagar com atrizes. Foi numa recepção na embaixada britânica que conheceu Lydia.

Já ouvira falar dela. Era anunciada como um modelo de virtude e uma beldade. *Era* de fato linda, embora de uma maneira frágil, sem causar grande impacto, com a pele bem clara, cabelos louro-claros e um vestido branco. Era também recatada, respeitável e escrupulosamente gentil. Parecia não haver nada que o atraísse em particular e tratou de se afastar o mais depressa possível.

Mais tarde, porém, descobriu-se sentado ao lado de Lydia, ao jantar. Foram obrigados a conversar. Todos os russos falavam francês e, quando aprendiam uma terceira língua, era o alemão. Assim, Lydia quase não falava inglês. Felizmente o francês de Stephen era bom. Descobrir algum assunto para conversar era um problema maior. Ele fez um comentário sobre o governo da Rússia e Lydia respondeu com os clichês reacionários que estavam na moda na ocasião. Ele falou de seu entusiasmo pelas grandes caçadas na África e Lydia mostrou-se interessada por algum tempo, mas, quando ele mencionou os pigmeus negros que andavam nus, ela corou e virou-se para conversar com o homem no outro lado. Stephen disse a si mesmo que não estava muito interessado nela e não planejava casar-se. Mesmo assim, ficou com a incômoda impressão de que havia mais em Lydia do que os olhos podiam ver.

Agora, deitado na cama com ela, dezenove anos depois, Stephen pensou: Ela ainda me dá essa incômoda impressão. E sorriu pesarosamente, no escuro.

Tornara a encontrá-la mais uma vez naquela noite, em São Petersburgo. Depois do jantar, perdera-se na imensidão da embaixada e acabara chegando à sala de música. Lydia estava ali, sozinha, sentada ao piano, preenchendo a sala com uma canção ardente, apaixonada. A melodia era desconhecida, quase dissonante. Mas fora Lydia quem fascinara Stephen. A beleza pálida e intocável desaparecera – os olhos dela brilhavam, a cabeça estava inclinada, o corpo tremia de emoção, e ela parecia uma mulher completamente diferente.

Stephen jamais esquecera aquela música. Descobrira mais tarde que era o *Concerto para piano em si bemol menor*, de Tchaikovsky. Desde então, queria ouvi-la em todas as oportunidades possíveis, embora jamais tivesse explicado a Lydia o porquê.

Deixando a embaixada, voltou ao hotel para trocar de roupa, pois tinha um encontro para jogar cartas à meia-noite. Era um jogador ardoroso, mas não autodestrutivo. Sabia quanto podia perder e parava quando atingia esse limite. Se fizesse dívidas enormes, seria obrigado a pedir ao pai que as saldasse, o que não poderia suportar. Às vezes ganhava grandes quantias, mas não era o dinheiro que o atraía no jogo: gostava da companhia masculina, de ficar bebendo pela madrugada afora.

Naquela noite, não compareceu ao jogo marcado. Pritchard, o valete, estava ajeitando sua gravata quando o embaixador britânico bateu à porta da sua suíte. Sua Excelência dava a impressão de que acordara às pressas e se vestira correndo. O primeiro pensamento de Stephen foi de que alguma espécie de revolução estava ocorrendo e todos os britânicos teriam que se refugiar na embaixada.

– Infelizmente, tenho más notícias – informou o homem. – É melhor sentar-se. Chegou um telegrama da embaixada. É sobre seu pai.

O velho tirano morrera de um ataque cardíaco, aos 65 anos.

– Que coisa terrível! – exclamou Stephen. – Tão novo!

– Meus pêsames – murmurou o embaixador.

– Foi muita gentileza sua ter vindo pessoalmente.

– Imagine. Estou a seu dispor.

– Muito obrigado.

O embaixador apertou a mão de Stephen e retirou-se.

Stephen ficou com o olhar perdido no espaço, pensando no velho. Fora um homem altíssimo, com uma vontade de ferro e um temperamento mordaz. Seu sarcasmo era capaz de levar uma pessoa às lágrimas. Havia três maneiras de lidar com o velho: ficar igual a ele, submeter-se ou simplesmente ir embora. A mãe de Stephen, uma moça vitoriana doce e desamparada, acabara sucumbindo e morrera jovem. Stephen partira.

Ele imaginou o pai estendido num caixão e pensou: Enfim você está impotente. Agora não pode fazer as criadas chorarem, os lacaios tremerem, as crianças fugirem e se esconderem. Não pode mais combinar casamentos, despejar inquilinos ou derrotar leis no parlamento. Nunca mais mandará ladrões para a cadeia nem despachará ativistas políticos para a Austrália. Das cinzas às cinzas, do pó ao pó.

Nos anos seguintes, ele fizera uma reavaliação de sua opinião em relação ao pai. Agora, em 1914, aos 50 anos, Walden não podia deixar de admitir que herdara alguns de seus valores: o amor ao conhecimento, a crença no racionalismo, o empenho em fazer um bom trabalho como justificativa para a existência de um homem. Mas, em 1895, havia apenas amargura.

Naquela noite no hotel, Pritchard levou-lhe uma garrafa de uísque numa bandeja.

– É um dia triste, milorde.

O uso do *milorde* deixou Stephen surpreso. Ele e o irmão tinham títulos de cortesia – o de Stephen era lorde Highcombe –, mas eram sempre tratados de *senhor* pelos criados. *Milorde* estava reservado ao pai deles. Agora, é claro, Stephen tinha se transformado no conde de Walden. Com o título, passava a ser dono de vários milhares de hectares no sul da Inglaterra, uma grande parte da Escócia, seis cavalos de corrida, Walden Hall, uma vila em Monte Carlo, um pavilhão de caça na Escócia e uma cadeira na Câmara dos Lordes.

Teria que viver em Walden Hall. Era a sede da família e o conde sempre tinha morado lá. Stephen decidiu que instalaria eletricidade na casa. Venderia algumas fazendas e investiria em imóveis em Londres e em ferrovias na América. Faria seu discurso inaugural na Câmara dos Lordes – sobre o que falaria? Provavelmente de política externa. Haveria inquilinos para cuidar e inúmeras propriedades para administrar. Teria que aparecer na corte durante a temporada, promover caçadas em suas propriedades, oferecer bailes...

Precisava de uma esposa.

O papel do conde de Walden não poderia ser desempenhado por um homem solteiro. Seria necessária uma anfitriã em todas aquelas festas, alguém para responder aos convites, discutir os cardápios com as cozinheiras, distribuir os quartos entre os hóspedes, sentar-se na extremidade da mesa comprida na sala de jantar de Walden Hall. Precisava haver uma condessa de Walden.

Precisava haver um herdeiro.

– Preciso de uma esposa, Pritchard.

– Sim, milorde. Nossos dias de solteiro terminaram.

Walden procurou o pai de Lydia no dia seguinte e pediu formalmente permissão para visitá-la.

Quase vinte anos depois, achava difícil imaginar como pudera ser tão irresponsável, mesmo na juventude. Nunca se perguntara se Lydia seria uma boa esposa, mas apenas se teria as qualidades certas para desempenhar o papel de uma condessa. Nunca se perguntara se poderia fazê-la feliz. Presumira que a paixão oculta liberada quando ela tocava piano estaria lá para ele, e se enganara.

Fora visitá-la todos os dias durante duas semanas, já que não havia a menor possibilidade de chegar à Inglaterra a tempo para o funeral do pai, e depois fizera o pedido de casamento, não a ela, mas ao pai, que encarou a união em termos práticos, assim como Walden. O novo conde explicou que gostaria de casar-se imediatamente, embora estivesse de luto, porque tinha de voltar para casa e administrar as propriedades. O pai de Lydia compreendeu perfeitamente e o casamento foi realizado seis semanas depois.

Que jovem tolo e arrogante eu fui, pensou Walden agora. Imaginei que a Inglaterra sempre dominaria o mundo e que eu sempre dominaria meu próprio coração.

A lua saiu de trás de uma nuvem e o luar iluminou o quarto, permitindo-lhe contemplar o rosto adormecido de Lydia. Não previ isso, pensou; não sabia que acabaria por me apaixonar total e perdidamente. Queria apenas que gostássemos um do outro. Ao final, isso foi suficiente para você, mas não para mim. Nunca pensei que *precisaria* do seu sorriso, que ansiaria por seus beijos, que ficaria esperando desesperadamente que você aparecesse em *meu* quarto à noite. Nunca achei que ficaria aterrorizado com a possibilidade de perdê-la.

Ela murmurou em meio ao sono e virou-se. Walden tirou o braço de debaixo do pescoço dela e sentou-se na beira da cama. Se ficasse por mais tempo, acabaria dormindo, e não seria conveniente que a criada de Lydia os surpreendesse juntos no quarto quando fosse servir o chá da manhã. Vestiu o roupão, calçou os chinelos, saiu silenciosamente, passou pelos dois quartos de vestir e entrou em seu próprio quarto. Sou um homem de sorte, pensou, enquanto se deitava para dormir.

~

Walden contemplou a mesa do café da manhã. Havia bules de café, chá da China e chá da Índia; jarros de nata, leite e licor; uma tigela grande com mingau de aveia quente; travessas com bolinhos e torradas; pequenos potes de geleia e mel. No aparador, várias bandejas de prata devidamente aquecidas continham ovos mexidos, linguiças, bacon, rins e hadoque. Na mesa estavam as travessas frias, de rosbife, presunto e língua. Em uma mesa à parte ficava a tigela de frutas com pêssegos, laranjas, melões e morangos.

Isso deve deixar Aleks de bom humor, pensou Walden.

Serviu-se de ovos e rins e se sentou. Os russos teriam o seu preço, pensou. Haveriam de querer algo em troca da promessa de ajuda militar. Walden estava preocupado com esse preço. Se os russos pedissem alguma coisa que a Inglaterra não pudesse conceder, o acordo estaria perdido, e aí...

Era sua função garantir que as negociações dessem certo.

Teria que manipular Aleks. O pensamento deixou-o desconfortável. Conhecer o rapaz há tanto tempo deveria ser de grande ajuda, mas na verdade seria mais fácil negociar com alguém de quem não gostasse pessoalmente.

Preciso deixar meus sentimentos de lado, pensou. Precisamos convencer a Rússia de qualquer maneira.

Serviu-se de café e pegou alguns bolinhos e mel. Aleks entrou na sala um minuto depois, parecendo revigorado, os olhos brilhando.

– Dormiu bem? – perguntou Walden.

– Maravilhosamente bem.

Aleks pegou um pêssego e começou a comer de garfo e faca.

– Só vai comer isso? – falou Walden. – Você adorava o café da manhã inglês... Lembro que comia mingau, nata, ovos, carne e morangos, e depois ainda pedia mais torradas à cozinheira.

– Não sou mais um menino em fase de crescimento, tio Stephen.

E é melhor eu não me esquecer disso, pensou Walden.

Depois da refeição, ambos passaram para a sala de estar matutina.

– Nosso novo plano quinquenal para o Exército e a Marinha está prestes a ser anunciado – comentou Aleks.

Então é assim que ele faz, pensou Walden. Conta alguma coisa antes de pedir outra. Lembrou-se de Aleks lhe dizendo: "Estou pensando em ler Clausewitz neste verão, tio. Por falar nisso, posso levar um convidado à Escócia para a temporada de caça?"

– O orçamento para os próximos cinco anos é de 7,5 bilhões de rublos – acrescentou Aleks.

A 10 rublos por libra esterlina, calculou Walden, daria 750 milhões de libras.

– É um programa maciço – comentou. – Mas eu gostaria que o tivessem começado há cinco anos.

– Eu também – falou Aleks.

– Tudo indica que o programa mal terá começado antes de entrarmos em guerra.

Aleks deu de ombros.

Walden pensou: É claro que ele não quer se comprometer com uma previsão do prazo que a Rússia levará para entrar em guerra.

– A primeira coisa que devem fazer é aumentar o tamanho dos canhões em seus encouraçados.

Aleks balançou a cabeça.

– Nosso terceiro encouraçado está prestes a ser lançado. O quarto está em construção. Os dois terão canhões de 12 polegadas.

– Não é suficiente, Aleks. Churchill exige canhões de 15 polegadas para os nossos.

– E ele está certo. Nossos comandantes sabem disso, mas os políticos não. Você conhece a Rússia, tio: ideias novas são encaradas com a mais profunda desconfiança. A inovação leva uma eternidade para se consumar.

Estamos ainda nas preliminares, pensou Walden.

– Qual *é* a sua prioridade?

– Cem milhões de rublos serão gastos imediatamente na esquadra do Mar Negro.

– Eu achava que o mar do norte fosse mais importante.

E era, pelo menos para a Inglaterra.

– Temos um ponto de vista mais asiático do que vocês. O vizinho que nos ameaça é a Turquia, e não a Alemanha.

– Eles podem tornar-se aliados.

– Podem mesmo. – Aleks hesitou por um instante. – A grande fraqueza da Marinha russa é o fato de não possuir nenhum porto em águas quentes.

Parecia o começo de um discurso ensaiado. É isso mesmo, pensou Walden; estamos chegando agora ao cerne da questão. Mas ele continuou se esquivando.

– E Odessa?

– Fica na costa do Mar Negro. Enquanto os turcos tiverem Constantinopla e Galípoli, terão o controle da passagem entre o Mar Negro e o Mediterrâneo. Assim, para todos os efeitos estratégicos, o Mar Negro pode ser considerado um lago dentro de seu território.

– É por isso que o império russo está tentando se expandir para o sul há séculos.

– E por que não? Somos eslavos e muitos dos povos balcânicos são eslavos também. Se eles desejam a liberdade nacional, é claro que seremos solidários.

– Tem razão. E se eles conseguirem, provavelmente deixarão a Marinha russa passar livremente para o Mediterrâneo.

– O controle eslavo dos Bálcãs nos ajudaria. O controle russo ajudaria ainda mais.

– Sem dúvida, embora não seja muito provável que aconteça, até onde posso perceber.

– Não gostaria de pensar um pouco no assunto?

Walden abriu a boca para falar, mas tornou a fechá-la abruptamente. Então é isso, pensou. É isso que os russos estão querendo. O preço está fixado. Mas, pelo amor de Deus, não podemos entregar os Bálcãs a eles! Se o acordo depender disso, então não haverá acordo...

Aleks estava dizendo:

– Se vamos lutar lado a lado, devemos ser fortes. A área de que estamos falando é justamente aquela em que precisamos nos fortalecer, então é claro que queremos a ajuda de vocês nesse ponto.

O pedido não poderia ser formulado de forma mais clara: entreguem-nos os Bálcãs e lutaremos com vocês.

Controlando-se, Walden franziu o cenho, como se estivesse perplexo, e disse:

– Se a Inglaterra tivesse o controle dos Bálcãs, poderíamos, pelo menos em teoria, entregar a região a vocês. Mas não podemos dar o que não temos, então não tenho certeza se podemos fortalecê-los, para usar a mesma palavra que você usou, nessa região.

A resposta de Aleks foi tão rápida que só podia ser ensaiada:

– Mas vocês podem reconhecer os Bálcãs como uma esfera de influência russa.

Ah, isso não é tão ruim assim, pensou Walden. Talvez seja possível.

Sentia-se bastante aliviado. Mas resolveu testar a determinação de Aleks antes de encerrar a conversa.

– Certamente podemos concordar em favorecê-los à frente da Áustria e da Turquia naquela parte do mundo.

Aleks balançou a cabeça e disse com firmeza:

– Queremos mais do que isso.

Valera a pena tentar. Aleks era jovem e tímido, mas não podia ser pressionado. Que pena!

Walden precisava agora de tempo para pensar. Atender à reivindicação russa representaria uma mudança significativa nas conjunturas internacionais. Tais mudanças, como os movimentos da crosta terrestre, eram capazes de provocar terremotos em lugares inesperados.

– Talvez você queira conversar com Churchill antes de seguirmos adiante – comentou Aleks, sorrindo.

Você sabe muito bem que é isso mesmo que farei, pensou Walden. Compreendeu de repente como Aleks manipulara a conversa. Primeiro, assustara o tio com um pedido totalmente despropositado; depois, quando apresentara a verdadeira exigência, Walden ficara tão aliviado que a acolhera com satisfação.

Pensei que ia manipular Aleks, e acabei sendo manipulado.

Sorriu.

– Estou orgulhoso de você, meu rapaz.

~

Feliks determinou naquela manhã quando, onde e como iria matar o príncipe Orlov.

O plano começou a se delinear em sua mente enquanto lia o *Times*, na biblioteca do clube da Jubilee Street. Sua imaginação foi acionada por um parágrafo na coluna de noticiário da corte:

> O príncipe Aleksei Andreievich Orlov chegou de São Petersburgo ontem. Ficará hospedado com o conde e a condessa de Walden durante a temporada em Londres. O príncipe será apresentado a Suas Majestades o rei e a rainha na corte, na quinta-feira, 4 de junho.

Sabia agora que Orlov estaria num determinado lugar, numa determinada data, numa determinada hora. Informações desse tipo eram essenciais para um assassinato cuidadosamente planejado. Feliks previra que as obteria ou conversando com um dos criados de Walden ou observando Orlov e identificando algum encontro regular dele com alguém. Agora não precisava mais correr os riscos de falar com criados ou seguir pessoas. Será que Orlov sabia que seus movimentos estavam sendo anunciados em jornais, para a alegria de assassinos?, perguntou-se. Era uma atitude tipicamente inglesa, pensou Feliks.

O problema seguinte era como se aproximar de Orlov o suficiente para matá-lo. Até mesmo Feliks teria dificuldade em invadir um palácio real. Mas essa questão também foi resolvida pelo *Times*. Na mesma página de noticiário da corte, espremida entre a notícia de um baile oferecido por lady Bailey e os detalhes dos últimos testamentos, ele leu o seguinte:

A CORTE DO REI
CIRCULAÇÃO DE CARRUAGENS

A fim de facilitar a circulação das carruagens dos convidados nas cortes de Suas Majestades, no Palácio de Buckingham, foi-nos solicitado informar que no caso de os convidados terem o privilégio de acessar a entrada de Pimlico, o cocheiro de cada carruagem, ao voltar para buscá-la, deverá entregar ao guarda postado à esquerda do portão um cartão com o nome da dama ou do cavalheiro a quem a carruagem pertence, escrito com clareza. E no caso das carruagens de convidados em geral, o cocheiro deverá entregar, ao voltar para pegá-las na entrada principal, um cartão similar ao guarda postado à esquerda da arcada que leva ao quadrângulo do palácio.

Para permitir que os convidados desfrutem as facilidades acima, é necessário que um lacaio acompanhe cada carruagem, já que a única forma permitida para buscar a carruagem será informar o nome aos lacaios na porta, que deverão trazê-la. As portas serão abertas para a recepção aos convidados às 20h30.

Feliks leu várias vezes. Havia alguma coisa no estilo do *Times* que o tornava muito difícil de compreender. Aquela informação deixava transparecer que, no momento em que as pessoas saíssem do palácio, seus lacaios teriam de correr para buscar as carruagens, que ficariam estacionadas em algum outro lugar.

Deve haver algum meio, pensou, de eu conseguir me esconder na carruagem de Walden quando ela for levada de volta ao palácio para buscá-los.

Mas ainda havia outra grande dificuldade: ele não possuía uma arma.

Poderia tê-la arrumado facilmente em Genebra, mas nesse caso seria obrigado a passar com ela por fronteiras internacionais, o que seria arriscado. Poderiam impedir sua entrada na Inglaterra se revistassem sua bagagem.

Claro que deveria ser igualmente fácil obter uma arma de fogo em Londres, só que não sabia como fazê-lo, e relutava em perguntar. Observara lojas de armas no West End e notara que todos os clientes que entravam e saíam pareciam pertencer às classes superiores. Feliks nunca seria atendido lá, mesmo que tivesse dinheiro suficiente para comprar um dos belos e precisos exemplares à venda. Passara bastante tempo em pubs populares, onde com certeza havia comércio de armas entre criminosos, mas não testemunhara nenhuma transação, o que não chegava a ser surpreendente. Sua única esperança era recorrer aos anarquistas. Conversava com alguns dos que considerava "sérios", mas nunca os vira falando de armas, naturalmente por causa de sua presença. O problema era que não tinha tempo suficiente para merecer confiança. Havia sempre espiões da polícia em grupos anarquistas. Isso não impedia que acolhessem os recém-chegados com satisfação, mas fazia com que fossem sempre muito cautelosos.

Agora o tempo para investigações discretas já tinha se esgotado. Teria que perguntar abertamente onde conseguiria uma arma de fogo e ao mesmo tempo ser muito cuidadoso. Logo após o negócio, cortaria os vínculos com a Jubilee Street e se mudaria para outra parte de Londres, evitando assim o risco de ser descoberto.

Pensou nos jovens judeus da Jubilee Street. Eram rapazes raivosos e violentos. Ao contrário dos pais, recusavam-se a ser tratados como escravos em empregos no East End, costurando os ternos que a aristocracia encomendava aos alfaiates da Savile Row. Não seguiam as tradições religiosas, recusavam-se a ouvir os sermões conservadores dos rabinos e ainda não haviam descoberto se as soluções para os seus problemas estavam na política ou no crime.

Feliks acabou concluindo que sua melhor chance era Nathan Sabelinsky, um rapaz de uns 20 anos e feições eslavas que costumava usar camisas de colarinho duro e um colete amarelo. Feliks vira-o entre os jogadores na Commercial Road, o que significava que devia ter dinheiro suficiente para jogar e para gastar em roupas.

Feliks correu o olhar pela biblioteca. Os outros ocupantes eram um velho adormecido, uma mulher de casaco grosso lendo o *Das Kapital* e fazendo anotações, e um judeu lituano debruçado sobre um jornal russo, lendo com a ajuda de uma lente de aumento. Feliks saiu da sala e desceu. Não havia sinal de Nathan nem de nenhum de seus amigos. Ainda estava cedo para ele aparecer: se Nathan trabalhasse, pensou Feliks, deveria ser à noite.

Ele voltou a Dunstan Houses. Guardou a navalha, as roupas de baixo limpas e uma camisa reserva na mala de papelão. Disse a Milly, a mulher de Rudolf Rocker:

– Arrumei um quarto. Voltarei esta noite para agradecer a Rudolf.

Prendeu a mala na traseira da bicicleta e seguiu para oeste, até o centro de Londres, depois virou para o norte, na direção de Camden Town. Encontrou ali uma rua de casas outrora suntuosas, construídas para famílias de classe média pretensiosas que haviam agora se transferido para os subúrbios, na extremidade das novas linhas ferroviárias. Numa dessas casas, Feliks alugou um quarto encardido, de uma irlandesa chamada Bridget. Pagou 10 xelins adiantados por duas semanas de aluguel.

Retornou a Stepney por volta do meio-dia, na frente da casa de Nathan, na Sidney Street. Era uma construção pequena, de dois andares, com dois cômodos em cada um. A porta da frente estava aberta e Feliks entrou.

O barulho e o cheiro atingiram-no como um golpe físico. Na sala de pouco mais de 3 metros quadrados, havia cerca de quinze ou vinte pessoas trabalhando na fabricação de roupas. Os homens usavam máquinas, as mulheres costuravam à mão e as crianças passavam a ferro as peças prontas. O vapor erguia-se das tábuas de passar e se misturava com o suor. As máquinas retiniam, os ferros assoviavam e os trabalhadores tagarelavam sem parar, em iídiche. Pedaços de pano já cortados, prontos para serem costurados, estavam empilhados em todos os espaços disponíveis no chão. Ninguém olhou para Feliks; estavam todos trabalhando furiosamente depressa.

Ele falou com a pessoa mais próxima, uma moça com um bebê no colo, que pregava botões na manga de um casaco.

– Nathan está?

– Lá em cima – respondeu a moça, sem parar de trabalhar.

Feliks saiu da sala e subiu a escada estreita. Cada um dos dois quartos pequenos tinha quatro camas. Quase todas estavam ocupadas, presumivelmente por pessoas que trabalhavam à noite. Encontrou Nathan no quarto dos fundos, sentado na beira de uma cama, abotoando a camisa. Quando o rapaz o viu, disse:

– Feliks, *wie gehts*?

– Preciso falar com você – disse Feliks, em iídiche.

– Pode falar.

– Vamos sair daqui.

Nathan vestiu o sobretudo e os dois seguiram pela Sidney Street. Ficaram parados ao sol, perto da janela aberta de uma fábrica, a conversa encoberta pelo barulho que vinha lá de dentro.

– O negócio do meu pai – falou Nathan. – Ele paga 5 *pence* a uma garota para passar uma calça na máquina; uma hora de trabalho para ela. Paga mais 3 *pence* às moças que cortam, passam e pregam botões. Aí ele leva as calças para um alfaiate no West End e recebe 9 *pence* por cada uma. O lucro é de apenas 1 *penny*... o suficiente para comprar uma fatia de pão. Se ele pedir 10 *pence* ao alfaiate do West End, será chutado para fora da fábrica, e um dos inúmeros alfaiates judeus que andam pelas ruas com suas máquinas embaixo do braço ficará com o trabalho. Não quero viver assim.

– Foi por isso que se tornou anarquista?

– Aquelas pessoas fazem as roupas mais lindas do mundo, mas você viu como *elas* estão vestidas?

– E como as coisas vão mudar? Pela violência?

– Acho que sim.

– Eu tinha certeza que você pensava assim. Preciso de uma arma, Nathan.

O rapaz riu nervosamente.

– Para quê?

– Para que os anarquistas costumam querer armas?

– Me diga você, Feliks.

– Para roubar de ladrões, para oprimir os tiranos e para matar os assassinos.

– Qual dessas coisas você pretende fazer?

– Eu posso lhe contar. Se você *realmente* quiser saber...

Nathan pensou por um momento e falou:

– Vá ao pub Frying Pan, na esquina da Brick Lane com a Thrawl Street. Procure Garfield, o Anão.

– Obrigado! – Feliks não foi capaz de disfarçar o tom de triunfo na voz. – Quanto terei de pagar?

– Cinco xelins por uma *pinfire*.

Pinfire era uma arma de fogo em que o cartucho é disparado quando o percussor atinge um pino. Feliks precisava de algo mais confiável. Disse isso a Nathan.

– As boas armas são caras.

– Neste caso, terei que pechinchar. – Feliks apertou a mão de Nathan. – Obrigado.

Nathan ficou observando-o montar na bicicleta.

– Talvez possa me contar tudo depois.

Feliks sorriu.

– Você vai ler a notícia nos jornais.

Acenou com a mão e se afastou. Seguiu pela Whitechapel Avenue e depois pela Whitechapel High Street, então virou à direita na Osborn Street. Imediatamente a aparência das ruas mudou. Aquela era a parte mais miserável de Londres que ele já vira. As ruas eram estreitas e imundas, o ar impregnado de fumaça e barulho, e quase todas as pessoas pareciam deploráveis. As sarjetas transbordavam de detritos. Apesar de tudo, as ruas estavam movimentadas como uma colmeia. Homens corriam de um lado para outro com carrinhos de mão, multidões se concentravam em torno de barracas, prostitutas surgiam a cada esquina, oficinas de carpintaria e sapataria se espalhavam pelas calçadas.

Feliks deixou a bicicleta em frente à porta do Frying Pan; se alguém a levasse, simplesmente roubaria outra. Para entrar no pub, passou por cima do que parecia ser um gato morto. Era um salão único e simples, de teto baixo, com um balcão na outra extremidade. Homens e mulheres mais velhos estavam sentados em bancos ao longo das paredes, enquanto os mais jovens se encontravam de pé no meio do salão. Feliks foi até o balcão, pediu um copo de cerveja e uma porção de linguiça.

Olhou ao redor e logo avistou Garfield, o Anão. Não o reconhecera antes porque ele estava de pé numa cadeira. Era um homem de meia-idade, com cerca de 1,20 metro de altura e uma cabeça enorme. Havia um cachorro preto grande sentado ao lado da cadeira. Garfield falava com dois sujeitos grandalhões, de aparência rude, usando coletes de couro e camisas sem colarinho. Talvez fossem seus guarda-costas. Feliks notou que ambos eram barrigudos e sorriu para si mesmo, pensando: Posso acabar com eles. Os dois seguravam canecas de cerveja, e o anão aparentemente bebia gim. O sujeito atrás do balcão entregou a Feliks seu pedido.

– Quero também um copo do seu melhor gim – disse Feliks.

Uma mulher jovem encostada no balcão virou-se para fitá-lo.

– Para mim? – perguntou.

Ela deu um sorriso sedutor, exibindo os dentes podres. Feliks desviou os olhos. Depois que o gim foi servido, ele pagou e foi até o grupo, que estava perto de uma janela pequena que dava para a rua. Postou-se entre eles e a porta e dirigiu-se ao anão:

– Sr. Garfield?

– Quem quer saber? – perguntou Garfield, a voz esganiçada.

Feliks estendeu-lhe o copo de gim.

– Podemos conversar sobre negócios?

O anão pegou o copo, esvaziou-o e respondeu:

– Não.

Feliks tomou um gole de cerveja. Era mais doce e tinha menos espuma do que a cerveja suíça.

– Quero comprar uma arma.

– Então não sei o que está fazendo aqui.

– Ouvi falar do senhor no clube da Jubilee Street.

– Você é um anarquista?

Feliks não disse nada.

Garfield fitou-o de alto a baixo.

– Que espécie de arma você iria querer, se eu tivesse alguma para vender?

– Um revólver. Um bom.

– Algo como um Browning de sete tiros?

– Seria perfeito.

– Não tenho nenhum. E se tivesse, não venderia. E se vendesse, pediria 5 libras.

– Ouvi dizer que vale no máximo 1 libra.

– Pois ouviu errado.

Feliks pensou por um momento. O anão concluíra que ele, como um anarquista e, ainda por cima, um estrangeiro, podia ser extorquido. Muito bem, pensou Feliks, vamos jogar do jeito que ele quer.

– Não posso pagar mais do que 2 libras.

– E eu não poderia fazer por menos de 4 libras.

– Isso incluiria uma caixa de munição?

– Está bem, 4 libras, incluindo uma caixa de munição.

– Certo.

Feliks notou que um dos capangas reprimia um sorriso. Depois de pagar pelas bebidas e pela porção de linguiça, Feliks ficou com 3 libras, 15 xelins e 1 *penny*.

Garfield acenou com a cabeça para um dos seus acompanhantes. O homem contornou o balcão e saiu pela porta dos fundos. Voltou uns dois minutos depois, carregando o que parecia um monte de trapos. Olhou para o anão, que tornou a acenar com a cabeça. Ele então entregou os trapos a Feliks.

O russo abriu o amontoado de panos e encontrou um revólver e uma caixa pequena. Pegou a arma e examinou-a atentamente.

– Abaixa isso, porra. Não precisa mostrar ao mundo inteiro que você tem uma arma – disse Garfield.

O revólver estava limpo e lubrificado, e o gatilho era macio.

– Se eu não olhar, como vou saber se é bom? – retrucou Feliks.

– Onde você pensa que está, na Harrods?

Feliks abriu a caixa de munição e foi enchendo as câmaras em movimentos rápidos e experientes.

– Guarda essa merda – sibilou o anão. – Me dá logo o dinheiro e sai já daqui. Você é louco.

A tensão subiu pela garganta de Feliks. Ele engoliu em seco. Deu um passo para trás e apontou o revólver para o anão.

– Meu Deus – balbuciou Garfield.

– Devo testar a arma? – falou Feliks.

Os capangas deram um passo para o lado, para evitar que Feliks pudesse cobrir os dois com a arma. O russo sentiu um aperto no coração. Não esperava que eles fossem tão espertos. O próximo movimento seria atacá-lo. O pub ficou subitamente silencioso. Feliks compreendeu que não alcançaria a porta antes que um dos capangas o alcançasse. O cachorro preto rosnou, sentindo a tensão no ambiente.

Feliks sorriu e atirou no animal.

O estampido da arma foi ensurdecedor. Ninguém se mexeu. O cachorro arriou no chão, sangrando. Os capangas do anão ficaram paralisados.

Feliks deu outro passo para trás, estendeu a mão e encontrou a porta. Abriu-a, ainda apontando o revólver para Garfield, e saiu.

Bateu a porta com força, meteu a arma no bolso do casaco e saltou em cima da bicicleta.

Ouviu a porta do pub se abrir. Deu impulso e começou a pedalar. Alguém agarrou-o pela manga do casaco, mas ele pedalou com mais vigor ainda e se desvencilhou. Ouviu um estampido e abaixou-se, num ato de puro reflexo. Alguém gritou. Ele contornou um vendedor de sorvete e virou uma esquina. A distância, ouviu o apito de um guarda. Olhou para trás. Ninguém o estava seguindo.

Meio minuto depois, Feliks estava perdido em meio à confusão de Whitechapel.

Pensou: Ainda restam seis balas.

CAPÍTULO TRÊS

Charlotte estava pronta. O vestido, que tanta agonia lhe causara, tinha ficado perfeito. Para completá-lo, usava uma rosa de cor champanhe no pulso e levava na mão um pequeno buquê também de rosas, com um laço de chiffon. A tiara de diamantes estava fixada firmemente nos cabelos, que tinham sido arrumados num coque, com as duas plumas brancas nas laterais. Tudo estava perfeito.

Mas ela estava apavorada.

– Quando eu entrar na Sala do Trono – disse para Marya –, a cauda vai cair, minha tiara vai desabar, meus cabelos vão se soltar, as plumas vão entortar, vou tropeçar na bainha do vestido e me estatelar no chão. Todos vão desatar a rir e ninguém rirá mais alto do que Sua Majestade a Rainha. Vou fugir correndo do palácio, atravessar o parque e me atirar no lago.

– Você não devia falar assim – repreendeu Marya. Fez uma breve pausa, antes de acrescentar, com veemência: – Será a mais linda de todas.

A mãe de Charlotte entrou no quarto. Postou-se a meio metro da filha e avaliou-a.

– Você está linda – falou, dando um beijo na jovem.

Charlotte passou os braços pelo pescoço da mãe e pressionou o rosto contra o dela, como costumava fazer na infância, quando era fascinada pela maciez aveludada da pele de Lydia. Quando se afastou, ficou surpresa ao perceber um brilho de lágrimas nos olhos dela.

– A senhora também está linda, mamãe.

O vestido de Lydia era de *charmeuse* cor de marfim, com uma cauda de brocado também cor de marfim, margeado com chiffon púrpura. Por ser casada, usava três plumas nos cabelos, em contraste com as duas de Charlotte. O buquê era de ervilhas-de-cheiro e petúnias cor-de-rosa.

– Está pronta? – perguntou Lydia.

– Estou pronta há séculos – respondeu Chalotte.

– Pegue sua cauda.

Charlotte obedeceu, da foma como fora ensinada. A mãe assentiu, aprovando.

– Vamos?

Marya abriu a porta. Charlotte ficou de lado, para deixar a mãe passar primeiro, mas Lydia a interrompeu:

– Não, minha querida. É a sua noite.

As três seguiram em fila pelo corredor, Marya na retaguarda, na direção do patamar. Ao chegar ao alto da escada, Charlotte ouviu uma explosão de aplausos.

Toda a criadagem estava reunida ao pé da escada – a governanta, a cozinheira, lacaios, arrumadeiras, copeiras e cavalariços. Um mar de rostos a contemplava com orgulho e satisfação. Charlotte ficou comovida com a afeição deles. Compreendeu que era uma grande noite para todos.

O pai estava no meio da multidão, magnífico numa casaca de veludo preto, calções que desciam até os joelhos e meias de seda, com uma espada na cintura e um chapéu de três pontas na mão.

Charlotte desceu a escada lentamente.

O pai beijou-lhe a mão e disse:

– Minha garotinha.

A cozinheira, que a conhecia havia tempo bastante para ter algumas liberdades, segurou-lhe a manga e sussurrou:

– Está maravilhosa, milady.

Charlotte apertou a mão dela.

– Obrigada, Sra. Harding.

Aleks fez-lhe uma reverência. Estava resplandecente no uniforme de almirante da Marinha russa. Como ele é bonito, pensou Charlotte; tenho certeza de que alguma mulher se apaixonará perdidamente por Aleks hoje à noite.

Dois lacaios abriram a porta da frente. O pai pegou o cotovelo de Charlotte e conduziu-a com delicadeza para fora. A mãe seguiu-os, segurando o braço de Aleks. Charlotte pensou: Se eu conseguir não pensar em nada durante a noite inteira e seguir automaticamente para onde as pessoas me levarem, acho que tudo correrá bem.

A carruagem estava esperando do lado de fora. William, o cocheiro, e Charles, o lacaio, aguardavam um de cada lado da porta, usando a libré da família Walden. William, corpulento e grisalho, estava calmo, mas Charles parecia bastante agitado. O pai ajudou Charlotte a entrar no veículo e ela sentou-se, agradecida. Ainda não caí, pensou.

Os outros três embarcaram. Pritchard carregava uma cesta e ajeitou-a no chão da carruagem, antes de fechar a porta. O veículo partiu.

Charlotte reagiu ao olhar a cesta:

– Um piquenique? Mas vamos a menos de um quilômetro de distância!

– Espere só até ver a fila – retrucou seu pai. – Vamos levar quase uma hora para chegar lá.

Ocorreu a Charlotte que podia sentir-se mais entediada do que nervosa naquela noite.

Como previsto, a carruagem parou no almirantado da The Mall, a cerca de 800 metros do Palácio de Buckingham. O pai abriu a cesta e tirou uma garrafa de champanhe. A cesta também continha sanduíches de frango, pêssegos e um bolo.

Charlotte bebeu um gole de champanhe, mas não conseguiu comer nada. Olhou pela janela. As calçadas estavam apinhadas de curiosos assistindo ao desfile dos poderosos. Ela viu um homem alto, de rosto bonito e magro, apoiado numa bicicleta, observando atentamente a carruagem deles. Alguma coisa na expressão dele fez com que Charlotte sentisse um calafrio e desviasse o olhar.

Depois de uma saída de casa em grande estilo, ela descobriu que o anticlímax de esperar na fila era tranquilizante. Quando a carruagem enfim passou pelos portões do palácio e aproximou-se da porta, ela tinha voltado a seu normal – cética, irreverente e impaciente.

A carruagem parou e a porta foi aberta. Charlotte pegou a cauda no braço esquerdo, levantou as saias com a mão direita, desceu do veículo e entrou no palácio.

O grande saguão com o tapete vermelho era um esplendor de luzes e cores. Apesar de seu ceticismo, ela experimentou um momento de emoção ao ver a multidão de mulheres de vestido branco e homens em uniformes resplandecentes. Os diamantes faiscavam, as espadas retiniam, as plumas balançavam. Os homens da Guarda Real, em seus casacos vermelhos, estavam em posição de sentido, nos dois lados.

Charlotte e a mãe deixaram os mantos no vestiário. Depois, escoltadas pelo conde e por Aleks, atravessaram lentamente o saguão e subiram a escada por entre os guardas reais com suas alabardas e as rosas vermelhas e brancas. Passaram pela galeria de retratos e entraram no primeiro dos três salões de recepção, que tinha candelabros enormes e assoalho de parquete reluzente como um espelho. Era ali que a procissão terminava e as pessoas se espalhavam em grupos, conversando e admirando as roupas umas das outras. Charlotte avistou a prima Belinda, com tio George e tia Clarissa. As duas famílias se cumprimentaram.

Tio George usava as mesmas roupas que o pai de Charlotte, só que estava horrível, porque era enorme de gordo e tinha a cara vermelha. Charlotte se perguntou como a tia, que era jovem e bonita, se sentia por ser casada com um homem assim.

Seu pai correu os olhos pela sala, como se procurasse alguém. Finalmente, perguntou a tio George:

– Já viu Churchill por aqui?

– Santo Deus, o que pode querer com ele?

O conde tirou o relógio do bolso.

– Temos que ocupar nossos lugares na Sala do Trono... Se não se incomodar, Clarissa, vamos deixar Charlotte aos seus cuidados.

Walden, Lydia e Aleks afastaram-se.

– Seu vestido é maravilhoso – disse Belinda a Charlotte.

– É terrivelmente incômodo.

– Eu *sabia* que você ia dizer isso!

– Você está muito bonita.

– Obrigada. – Belinda baixou a voz. – O príncipe Orlov é simplesmente lindo.

– Ele é muito gentil.

– Acho que é mais do que *gentil.*

– Que olhar estranho é esse?

Belinda baixou a voz ainda mais:

– Nós duas precisamos ter uma longa conversa o mais depressa possível.

– Sobre o quê?

– Lembra o que conversamos no esconderijo? Quando pegamos aqueles livros na biblioteca de Walden Hall?

Charlotte olhou para os tios, que haviam se virado para conversar com um homem de pele escura que usava um turbante de cetim rosa.

– Claro que lembro.

– É sobre isso que temos de conversar.

Um súbito silêncio desceu sobre o aposento. A multidão recuou para os lados do salão, abrindo uma passagem no meio. Charlotte virou-se e viu o rei e a rainha entrando no salão, acompanhados por seus pajens, diversos membros da Família Real e a Guarda Indiana.

Houve um grande suspiro de seda farfalhante enquanto todas as mulheres no salão se inclinavam em uma reverência.

~

Na Sala do Trono, a orquestra, escondida na Galeria dos Menestréis, tocou "*God Save the King*". Lydia olhou para a imensa arcada, guardada por gigantes dourados. Dois criados entraram, um deles carregando um bastão de ouro e o outro, um de prata. O rei e a rainha entraram em seguida, devagar, sorrindo ligeiramente. Subiram no estrado e se postaram diante dos tronos iguais, enquanto o séquito se encaminhava para os lugares próximos, todos permanecendo de pé.

A rainha Mary usava um vestido de brocado dourado e uma coroa de esmeraldas. Ela não é nenhuma beldade, pensou Lydia, mas todos diziam que o rei a adorava. Ela tinha sido noiva do irmão mais velho do marido, que morrera de pneumonia. Na ocasião, a troca para o novo herdeiro do trono parecera um ato político frio, mas agora todos concordavam que ela era boa rainha e boa esposa. Lydia teria gostado de conhecê-la pessoalmente.

As apresentações começaram. Uma a uma, as esposas dos embaixadores se adiantaram, fizeram uma reverência para o rei, uma para a rainha, e recuaram em seguida. Seguiram-se os embaixadores, vestidos numa ampla variedade de uniformes espalhafatosos de ópera-bufa, à exceção do embaixador dos Estados Unidos, que usava um traje a rigor comum, como para lembrar a todos que os americanos realmente não acreditavam naquelas bobagens.

Enquanto o ritual continuava, Lydia correu os olhos pela sala, contemplando o cetim vermelho nas paredes, a impressionante pintura no teto, os candelabros enormes e os milhares de flores. Ela adorava a pompa e o ritual, as roupas belíssimas e as cerimônias requintadas. Era algo que a comovia e ao mesmo tempo a acalmava. Seus olhos cruzaram com os da duquesa de Devonshire, que era a guardiã das roupas da rainha, e as duas trocaram um sorriso discreto. Lydia avistou John Burns, o presidente socialista da Junta de Comércio, e achou graça dos bordados dourados extravagantes do traje dele.

Depois que as apresentações diplomáticas terminaram, o rei e a rainha se sentaram. A Família Real, os diplomatas e a nobreza mais alta também. Lydia e Walden, junto com a nobreza menor, tinham que ficar em pé.

Finalmente começou a apresentação das debutantes. Cada moça parava por um instante à entrada da Sala do Trono, enquanto uma criada pegava a cauda do vestido de seu braço e a espalhava pelo chão. Depois, a jovem a ser apresentada iniciava a interminável caminhada pelo tapete vermelho na direção dos tronos, com todos os olhares fixados nela. Se uma moça conseguia ser graciosa e natural ali, podia sê-lo em qualquer outro lugar.

Ao se aproximar do estrado, a debutante entregava o cartão de convite ao lorde Chamberlain, que lia seu nome em voz alta. Então ela fazia uma reverência ao rei, depois à rainha. Poucas moças faziam a reverência com elegância, pensou Lydia. Ela quase não conseguira convencer Charlotte a praticar, e talvez as outras mães tivessem enfrentado o mesmo problema. Depois das reverências, a debutante se afastava, tomando o cuidado de não virar as costas para os tronos até ter se misturado à multidão de espectadores.

As moças entravam tão depressa e tão próximas uma da outra que corriam o risco de tropeçar na cauda da garota à sua frente. A cerimônia pareceu a Lydia menos pessoal e mais superficial que no passado. Ela mesma fora apresentada à rainha Vitória, na temporada de 1896, no ano seguinte ao do seu casamento com Walden. A velha rainha não estava sentada num trono, mas num banco alto, dando a impressão de que estava de pé. Lydia ficara surpresa ao descobrir como a monarca era pequena. Ela tivera de beijar sua mão. Agora essa parte da cerimônia tinha sido suprimida, presumivelmente para poupar tempo. Isso fazia com que a corte parecesse uma fábrica empenhada em produzir o maior número de debutantes no menor tempo possível. No entanto, as moças de hoje não sabiam da diferença e provavelmente não se importariam, se soubessem.

Charlotte apareceu na entrada, a criada estendeu a cauda de seu vestido no chão e deu-lhe um empurrão de leve. Então a jovem seguiu pelo tapete vermelho com a cabeça erguida, parecendo absolutamente serena e confiante. Lydia se deu conta de que este era o momento pelo qual tinha esperado a vida inteira.

A moça na frente de Charlotte fez uma reverência – e foi nesse instante que o inconcebível aconteceu.

Em vez de se erguer da reverência, a debutante olhou para o rei, estendeu os braços num gesto de súplica e gritou, bem alto:

– Majestade, pelo amor de Deus, pare de torturar as mulheres!

Lydia pensou: Uma sufragista!

Então ela fixou os olhos na filha. Charlotte encontrava-se completamente imóvel, a meio caminho dos tronos, assistindo à cena com uma expressão de horror no rosto pálido.

O silêncio perplexo na Sala do Trono durou apenas um instante. Dois cavalheiros de serviço na corte reagiram rapidamente. Adiantaram-se, pegaram a moça com força pelos braços e afastaram-na, sem a menor cerimônia.

A rainha estava vermelha. O rei conseguia dar a impressão de que nada acontecera. Lydia tornou a olhar para Charlotte, pensando: Por que logo minha filha tinha de ser a próxima?

Todos os olhos estavam agora fixados em Charlotte. Lydia sentiu vontade de gritar para ela: Finja que nada aconteceu! Continue em frente, como se tudo estivesse normal!

Charlotte estava imóvel. Suas faces estavam ligeiramente ruborizadas. Lydia percebeu que ela respirava fundo.

Então, a jovem começou a andar. Lydia mal conseguia respirar. Charlotte entregou o cartão ao lorde Chamberlain, que anunciou:

– Lady Charlotte Walden.

Charlotte postou-se diante do rei.

Cuidado!, pensou Lydia.

Mas ela fez uma reverência perfeita, e em seguida fez outra para a rainha.

Lydia deixou escapar um longo suspiro. A mulher a seu lado, uma baronesa que ela reconhecera de vista mas não sabia exatamente quem era, sussurrou:

– Ela soube contornar a situação muito bem.

– É minha filha – disse Lydia, sorrindo.

~

Em seu íntimo, Walden achou a sufragista divertida. Uma moça corajosa, pensou. Claro que ele ficaria horrorizado se *Charlotte* fizesse algo assim na corte, mas como era a filha de outra pessoa, ele tinha encarado o incidente como uma bem-vinda quebra na rotina da interminável cerimônia. Percebera como Charlotte se comportara, mostrando-se inabalável. Mas não esperaria outra reação dela, afinal, era uma moça segura e confiante. Na opinião dele, Lydia deveria se parabenizar pela criação da filha, em vez de se preocupar o tempo inteiro.

Anos atrás, ele costumava gostar daquelas cerimônias. Quando jovem, adorava vestir o traje da corte e desfilar com ele. Só que naquele tempo ele tinha pernas para isso. Agora, sentia-se ridículo com calções descendo até os joelhos e meias de seda, sem mencionar a maldita espada de aço. E já comparecera a tantas cerimônias na corte que o ritual pitoresco não o fascinava mais.

Imaginou como o rei Jorge devia se sentir. Walden gostava dele. É claro que, em comparação com o pai, Eduardo VII, Jorge era um tanto sem graça. As multidões jamais gritavam o nome dele da mesma forma que gritavam "O bom Teddy!" Mas, no final das contas, até que gostavam de Jorge, devido a seu charme discreto e seu modo simples de viver. Ele sabia como ser firme, embora raramente o demonstrasse. E Walden gostava de homens que sabiam atirar. De fato, tinha a impressão de que Jorge se sairia muito bem como rei.

Finalmente a última debutante fez as suas reverências e seguiu adiante. O rei e a rainha se levantaram. A orquestra tornou a tocar o hino nacional. O rei inclinou-se e a rainha fez uma reverência, primeiro para os embaixadores, depois para suas esposas, em seguida às duquesas e finalmente aos ministros. O rei segurou a mão de sua mulher, os pajens pegaram a cauda do vestido dela e os criados recuaram. O casal real então se retirou, seguido pelos convidados em ordem de importância.

Os convivas dividiram-se em três salões de jantar: um para a Família Real e os amigos íntimos, outro para o corpo diplomático e o terceiro para os demais. Walden era amigo do rei, mas não íntimo, então se direcionou para o salão geral. Aleks ficou com os diplomatas.

Walden tornou a se reunir com a família no salão de jantar. Lydia estava radiante.

– Parabéns, Charlotte – disse ele.

– Quem era aquela moça horrível? – perguntou Lydia.

– Ouvi alguém dizer que era filha de um arquiteto – respondeu Walden.

– Isso explica tudo – declarou Lydia.

Charlotte ficou desconcertada.

– Por que explica tudo?

Walden sorriu.

– Sua mãe está querendo dizer que ela não pertence à classe mais alta.

– Mas por que ela acha que o rei tortura as mulheres?

– Ela estava se referindo às sufragistas. Mas não vamos falar sobre isso hoje. É uma grande ocasião para todos nós. Vamos jantar. Parece que tudo está delicioso.

Havia uma mesa enorme enfeitada com flores e repleta de pratos quentes e frios. Criados com a libré real, vermelha e dourada, serviam aos convidados lagosta, filé de truta, perdizes, presunto de York, ovos de tarambola e uma infinidade de massas e sobremesas. Walden se serviu e sentou-se para comer. Estava faminto, depois de ter passado mais de duas horas em pé na Sala do Trono.

Mais cedo ou mais tarde, Charlotte teria de tomar conhecimento das sufragistas, de suas greves de fome e da consequente alimentação forçada. Mas o assunto era desagradável, para dizer o mínimo, e quanto mais tempo ela permanecesse numa ignorância feliz, melhor seria, pensou Walden. Na idade da filha, a vida deveria limitar-se a festas e piqueniques, vestidos e chapéus, conversas e flertes.

Mas todos estavam falando a respeito do "incidente" e "daquela moça". O irmão de Walden, George, sentou-se ao lado dele e disse, sem qualquer preâmbulo:

– O nome dela é Mary Blomfield. É filha do falecido Sir Arthur Blomfield. A mãe dela estava na sala de estar na hora do acontecido e desmaiou ao ser informada do comportamento da filha.

George parecia radiante com o escândalo.

– Acho que era a única coisa que ela podia fazer – comentou Walden.

– Uma vergonha para toda a família. Não tornaremos a ver os Blomfield na corte por umas duas ou três gerações.

– Não sentiremos falta deles.

– Tem razão.

Walden avistou Churchill abrindo caminho pela multidão na direção do lugar em que eles estavam sentados. Escrevera a ele para contar sobre sua conversa com Aleks e estava impaciente em discutir o passo seguinte – mas não *ali*. Desviou os olhos, torcendo para que o sujeito percebesse a insinuação, mas devia saber que não havia a menor esperança de que ele entendesse uma mensagem tão sutil. Churchill inclinou-se sobre sua cadeira.

– Podemos conversar por um momento?

Walden olhou para o irmão. George exibia uma expressão horrorizada. Walden lançou-lhe um olhar resignado e levantou-se.

– Vamos dar uma volta pela galeria dos retratos – sugeriu Churchill.

Walden seguiu-o.

– Imagino que você também vá me dizer que esse protesto sufragista é culpa do Partido Liberal – disse Churchill.

– Creio que seja – respondeu Walden. – Mas não é sobre isso que você quer falar.

– Tem razão, não é.

Os dois andavam lado a lado pela comprida galeria. Churchill disse:

– Não podemos reconhecer os Bálcãs como uma esfera de influência russa.

– Eu temia que dissesse isso.

– *Para que* eles querem os Bálcãs? Isto é, sem considerar todas aquelas bobagens sobre compaixão pelo nacionalismo eslavo.

– Eles querem uma passagem para o Mediterrâneo.

– O que seria uma grande vantagem para nós, se eles fossem nossos aliados.

– Exatamente.

Eles chegaram ao final da galeria e pararam.

– Existe alguma possibilidade de darmos essa passagem aos russos sem reformularmos o mapa da península Balcânica? – perguntou Churchill.

– Estive pensando nisso.

– E tem uma contraproposta – disse Churchill, sorrindo.

– Tenho.

– Pois vamos ouvi-la.

– O problema se concentra em três extensões de água: o Bósforo, o Mar de Mármara e o estreito de Dardanelos – começou Walden. – Se pudermos garantir essas passagens, eles não precisarão dos Bálcãs. Vamos supor que toda a passagem entre o Mar Negro e o Mediterrâneo possa ser declarada como uma rota internacional, com travessia livre de navios de todas as nações, sob a garantia conjunta da Rússia e da Inglaterra.

Churchill recomeçou a andar lentamente, com uma expressão pensativa. Walden seguiu ao lado dele, esperando uma resposta. Enfim, Churchill disse:

– Essa passagem *deveria* mesmo ser uma rota internacional. O que está sugerindo é que ofereçamos, como uma concessão, algo que já estamos mesmo querendo.

– Isso.

Churchill virou o rosto para fitá-lo, sorrindo.

– Em matéria de manobras maquiavélicas ninguém consegue superar a aristocracia inglesa. Muito bem, pode apresentar a proposta a Orlov.

– Não quer submetê-la antes ao Gabinete?

– Não.

– Nem mesmo ao secretário do Exterior?

– Não nesta etapa. Os russos certamente vão querer modificar a proposta. No mínimo vão querer detalhes sobre a maneira de impor a garantia. Deixarei para submeter o assunto ao Gabinete quando as negociações estiverem mais adiantadas.

– Está certo.

Walden se perguntou até que ponto o Gabinete estaria a par do que ele e Churchill estavam fazendo. Churchill também podia ser maquiavélico. Haveria engrenagens dentro das engrenagens?

– Onde está Orlov agora? – perguntou Churchill.

– No salão de jantar diplomático.

– Pois vamos até lá e apresentemos a proposta imediatamente.

Walden balançou a cabeça, pensando que as pessoas tinham razão quando acusavam Churchill de impulsivo.

– Este não é o momento apropriado.

– Não podemos esperar o momento apropriado, Walden. Cada dia que passa é importante.

Será preciso um homem muito maior do que você para intimidar-me, pensou Walden.

– Terá que deixar isso a meu critério, Churchill. Falarei com Orlov amanhã de manhã.

Churchill parecia inclinado a discutir, mas fez um esforço visível para se conter.

– Está bem. Acho que a Alemanha não vai declarar guerra esta noite. – Olhou para o relógio. – Estou indo embora agora. Mantenha-me a par de tudo.

– Claro. Até logo.

Churchill desceu a escada e Walden voltou ao salão de jantar. A festa estava terminando. Agora que o rei e a rainha haviam se retirado e todos já estavam alimentados, não havia mais motivo para permanecer ali. Walden reuniu a família e desceu. Encontraram Aleks no saguão.

Enquanto as mulheres iam buscar os mantos, Walden pediu a um dos criados que providenciasse sua carruagem.

Em tudo e por tudo, pensou ele, enquanto esperava, foi uma noite muito bem-sucedida.

~

A The Mall fazia Feliks se lembrar das ruas do Old Equerries Quarter, em Moscou. Era uma avenida larga e reta, que se estendia da Trafalgar Square até o palácio de Buckingham. De um lado havia mansões grandiosas, inclusive o palácio de St. James. Do outro, ficava o parque St. James. As carruagens e os automóveis das pessoas poderosas da Inglaterra achavam-se alinhados nos dois lados da avenida, ocupando metade de sua extensão. Motoristas e cocheiros estavam encostados nos veículos, bocejando e remexendo-se, esperando serem chamados ao palácio para buscar os patrões.

A carruagem dos Waldens estava parada no lado onde ficava o parque. O cocheiro, na libré azul e rosa da família, aguardava ao lado dos cavalos, lendo um jornal, à luz do lampião de uma carruagem. A poucos metros de distância, na escuridão do parque, Feliks o observava atentamente.

Ele estava desesperado porque seu plano parecia perdido.

Não compreendera a diferença entre as palavras em inglês "cocheiro" e "criado". Por isso, entendera errado a informação do *Times* a respeito das carruagens. Pensara que o cocheiro ficaria esperando no portão do palácio até que o patrão aparecesse, voltando então correndo para buscar a carruagem. Feliks planejara dominá-lo nesse momento, tirar-lhe a libré e levar, pessoalmente, a carruagem para o palácio.

Porém, o cocheiro ficara junto da carruagem, enquanto o criado esperava no portão do palácio. Quando a carruagem fosse chamada, o criado viria correndo. Depois, ele e o cocheiro seguiriam com a carruagem, para buscar os passageiros. Isso significava que Feliks teria que dominar duas pessoas e não apenas uma, e ainda por cima precisaria fazer isso sem dar na vista, para que nenhum dos muitos criados próximos à The Mall percebesse que havia algo errado.

Desde que compreendera seu erro, cerca de duas horas antes, Feliks não parava de pensar no problema. Enquanto isso, observava o cocheiro conversando com os colegas, examinando um Rolls-Royce estacionado ali perto, participando de algum jogo com moedas ou polindo as janelas da carruagem. Talvez fosse mais sensato abandonar o plano e deixar para matar Orlov em outro dia.

Mas Feliks detestava essa perspectiva. Não tinha certeza de que teria outra oportunidade tão boa, então queria assassiná-lo ali mesmo. Já imaginava o estampido do revólver, a maneira como o príncipe tombaria. Elaborara na mente o telegrama codificado que mandaria para Ulrich, em Genebra. Imaginava a emoção na pequena gráfica e depois as manchetes nos jornais do mundo inteiro, e em seguida a onda final de revolução espalhando-se por toda a Rússia. Não posso adiar mais, pensou ele; tem de ser agora.

Enquanto observava, um rapaz de libré verde aproximou-se do cocheiro dos Waldens.

– Como vai, William?

Então o nome do cocheiro é William, pensou Feliks.

– Pare de falar com esse sotaque esquisito, John – disse William.

Feliks não compreendeu o comentário. Não sabia inglês tão bem assim.

– Alguma novidade? – perguntou John.

– Sim. A revolução. O rei diz que no próximo ano os cocheiros poderão entrar no palácio para jantar e os grã-finos ficarão esperando aqui na rua.

– Uma história bastante verossímil.

– Eu que o diga.

John afastou-se.

Posso livrar-me de William, pensou Feliks. Mas o que farei com o lacaio?

Repassou mentalmente a sequência provável de acontecimentos. Walden e Orlov apareceriam na porta do palácio, o porteiro avisaria o lacaio de Walden, que correria do palácio para a carruagem – uma distância em torno de meio quilômetro. O lacaio veria Feliks vestido com as roupas do cocheiro e daria o alarme.

E se, como uma alternativa, o lacaio chegasse ao estacionamento e descobrisse que a carruagem não estava mais lá?

Era uma ideia.

O lacaio pensaria que talvez tivesse se enganado de lugar. Olharia para um lado e outro. Meio em pânico, procuraria a carruagem. Finalmente reconheceria a derrota e voltaria ao palácio para comunicar ao patrão que não conseguira encontrar o veículo. A esta altura, Feliks já estaria conduzindo a carruagem e seu dono através do parque.

Ainda podia conseguir!

Era mais arriscado do que antes, mas ainda podia dar certo.

Não havia mais tempo para refletir. Os primeiros lacaios já estavam correndo pela The Mall. O Rolls-Royce na frente da carruagem de Walden foi chamado. William ajeitou a cartola e aguardou.

A essa altura, Feliks emergiu dos arbustos e encaminhou-se na direção dele, dizendo:

– Ei! Ei, William!

O cocheiro olhou para ele, franzindo a testa. Feliks insistiu, em tom de urgência:

– Venha até aqui! Depressa!

William dobrou o jornal, hesitou por um instante, depois se encaminhou lentamente na direção de Feliks.

Feliks permitiu que sua própria tensão acrescentasse um tom de pânico à sua voz.

- Olhe só para isso! - exclamou, e apontou para os arbustos. - Sabe alguma coisa a respeito disso?

- O que é? - perguntou William, aturdido.

Chegou perto e olhou atentamente na direção apontada por Feliks.

- Isto! - Feliks mostrou-lhe o revólver. - Vou matá-lo se não ficar com a boca fechada.

William ficou apavorado. Feliks podia ver o brilho branco dos olhos dele na semiescuridão. Era um homem corpulento, embora mais velho do que Feliks. Se ele fizesse alguma besteira e estragasse seu plano, Feliks ia matá-lo.

- Comece a andar - disse Feliks.

O homem hesitou.

Tenho de afastá-lo da luz!, pensou Feliks.

- Ande logo, seu desgraçado!

William avançou por entre os arbustos. Feliks seguiu-o. Quando estavam a cerca de 50 metros da rua, Feliks ordenou:

- Pare.

William obedeceu e virou-se.

Se ele vai lutar, então será aqui que tentará, deduziu Feliks.

- Tire as roupas.

- Como?

- Tire as roupas!

- Você é louco - balbuciou William.

- Tem razão. Sou mesmo. Agora tire logo as roupas!

William hesitou.

Se eu atirar, as pessoas virão correndo? Os arbustos abafarão o barulho? Conseguirei matá-lo sem abrir um buraco no uniforme? Conseguirei tirar o casaco dele e escapar antes que alguém apareça?

Feliks engatilhou a arma.

William começou a despir-se.

Feliks podia ouvir a crescente atividade na rua: automóveis sendo ligados, arreios retinindo, o barulho de cascos, homens gritando uns para os outros e para os cavalos. A qualquer momento o criado poderia chegar correndo para buscar a carruagem dos Waldens.

- Mais rápido! - ordenou Feliks.

William estava apenas com as roupas de baixo.

– O resto também – falou Feliks.

William hesitou e Feliks levantou o revólver.

O cocheiro tirou a camiseta, baixou a ceroula e ficou nu, tremendo de medo, cobrindo os genitais com as mãos.

– Vire-se – ordenou Feliks.

William obedeceu.

– Deite no chão, com o rosto virado para baixo.

Mais uma vez, William fez o que o outro mandou.

Feliks largou o revólver. Apressadamente, tirou seu casaco e o chapéu e vestiu a libré e a cartola que William largara no chão. Olhou para o calção branco até os joelhos e as meias compridas, mas resolveu deixá-los. Quando estivesse sentado lá em cima da carruagem, ninguém notaria sua calça e as botas, especialmente à luz fraca dos lampiões das ruas.

Guardou o revólver no bolso do próprio casaco e dobrou-o por cima do braço. Pegou o resto das roupas de William, que tentou virar-se para olhar.

– Não se mexa! – exclamou Feliks, bruscamente.

Em seguida se afastou em silêncio.

William continuaria ali por algum tempo, depois tentaria voltar discretamente para a casa dos Waldens, sem querer que alguém o visse, já que estava nu. Era muito pouco provável que comunicasse o roubo de suas roupas antes que tivesse a oportunidade de arrumar outras, a menos que fosse muito desinibido. É claro que poderia ignorar o recato se soubesse que Feliks ia matar o príncipe Orlov – mas como poderia imaginar isso?

Feliks colocou as roupas de William dentro de um arbusto e rumou para a iluminada The Mall.

Era nesse ponto que o plano poderia dar errado. Até aquele momento, ele fora apenas uma pessoa suspeita, espreitando dos arbustos. Dali em diante, seria claramente um impostor. Se um dos amigos de William – John, por exemplo – olhasse com mais atenção para seu rosto, o plano fracassaria.

Subiu rapidamente na carruagem, pôs o casaco no assento ao lado, ajustou a cartola, soltou o freio e sacudiu as rédeas. O veículo movimentou-se.

Feliks suspirou de alívio. Cheguei até aqui, pensou. Agora vou pegar Orlov!

Enquanto avançava pela The Mall, Feliks observava as calçadas, procurando um criado com a libré azul e rosa correndo. Seria muito azar se o criado dos Waldens o visse, reconhecesse as cores e pulasse na traseira da carruagem. Praguejou quando um automóvel surgiu à sua frente, obrigando-o a diminuir o ritmo dos cavalos, até parar. Olhou ao redor ansiosamente. Não havia qualquer sinal do criado. Após um instante o caminho ficou desimpedido e ele seguiu em frente.

Ao final da avenida, perto do palácio, avistou um espaço vazio à direita, no lado da rua mais distante do parque. O lacaio passaria pela calçada do outro lado e não veria a carruagem. Feliks parou o veículo ali e puxou o freio.

Desceu e parou por trás dos cavalos, observando a calçada do outro lado. Começou a pensar se sairia vivo do atentado.

Em seu plano original, havia uma boa possibilidade de que Walden entrasse na carruagem sem sequer olhar para o cocheiro, mas agora ele certamente notaria que não havia lacaio. O porteiro do palácio teria de abrir a porta do veículo e baixar os degraus. Será que Walden iria falar com o cocheiro naquele momento ou adiaria as perguntas até chegar em casa? Se falasse com Feliks, então ele teria de responder, e a voz o trairia. O que poderei fazer se isso acontecer?, pensou Feliks.

Darei um tiro em Orlov, à porta do palácio, e enfrentarei as consequências.

Viu o criado de azul e rosa correndo pelo outro lado da The Mall.

Subiu na carruagem, soltou o freio e conduziu-a ao pátio do palácio.

Havia uma fila. À sua frente, mulheres bonitas e homens bem-alimentados entravam em carruagens e automóveis. Atrás dele, em algum ponto da The Mall, o criado dos Waldens estaria correndo de um lado para outro, procurando a carruagem. Quanto tempo ele levaria para voltar?

Os criados do palácio tinham um sistema rápido e eficiente para embarcar os convidados em seus veículos. Enquanto os passageiros entravam na carruagem que estava em frente à porta, um criado ia chamando os donos da seguinte, e um terceiro criado chamava as pessoas que iriam na carruagem atrás desta.

A fila andou e um criado aproximou-se de Feliks.

– O conde de Walden – disse Feliks.

O criado entrou.

Eles não podem sair rápido demais, pensou Feliks.

A fila tornou a andar e agora havia apenas um automóvel na frente dele. Que Deus permita que não enguice, pensou Feliks. O motorista segurou a porta aberta para um casal idoso e em seguida o automóvel partiu.

Feliks adiantou a carruagem até o pórtico e parou-a um pouco à frente, a fim de escapar da claridade que vinha do interior. Ficou de costas para as portas do palácio.

Ele esperou, sem se atrever a olhar em volta.

Ouviu a voz de uma moça dizer em russo:

– E quantas moças lhe pediram em casamento esta noite, primo Aleks?

Uma gota de suor escorreu para um olho de Feliks, e ele a secou com as costas da mão.

Um homem reclamou:

– Onde diabo está meu criado?

Feliks enfiou a mão no bolso do casaco a seu lado e segurou a coronha do revólver. Restavam seis balas, lembrou.

Pelo canto do olho, avistou um criado do palácio adiantar-se rapidamente. Um instante depois, ouviu a porta da carruagem ser aberta. O veículo balançou um pouco enquanto alguém entrava.

– Cadê Charles, William?

Feliks ficou tenso. Imaginou que sentia os olhos de Walden cravados em sua nuca.

– Vamos logo, papai – disse a moça, de dentro da carruagem.

– William está ficando surdo depois de velho...

As palavras restantes de Walden foram abafadas assim que ele entrou na carruagem. A porta bateu.

– Pode ir, cocheiro – disse o criado do palácio.

Feliks deixou escapar um suspiro de alívio e partiu.

O alívio da tensão o fez enfraquecer por um instante. Depois, enquanto conduzia a carruagem para fora do pátio, sentiu um ímpeto de exultação. Orlov estava em seu poder, trancado numa caixa, preso como um animal numa armadilha. Agora nada poderia deter Feliks.

Entrou no parque.

Segurando as rédeas com a mão direita, enfiou com dificuldade o braço esquerdo no casaco que deixara ao lado. Depois, passou as rédeas para a mão esquerda e enfiou o braço direito. Levantou-se e ajeitou o casaco nos ombros. Tateou o bolso, tocando o revólver.

Tornou a se sentar e passou um cachecol pelo pescoço.

Estava pronto.

Agora precisava escolher o momento.

Só dispunha de alguns minutos. A casa dos Waldens ficava a menos de 1,5 quilômetro do palácio. Fizera um reconhecimento do terreno montado na bicicleta na noite anterior. Encontrara dois lugares apropriados, um onde um lampião de rua iluminaria a vítima e outro onde havia arbustos densos próximos, que poderia usar para se esconder e fugir depois do assassinato.

O primeiro lugar estava 50 metros à frente. Ao se aproximar, ele viu um homem de traje a rigor parar ao lado do lampião, para acender um charuto. Seguiu adiante.

O segundo lugar ficava numa curva. Se houvesse alguém ali, Feliks teria de correr o risco e atirar no intruso também, se fosse necessário.

Seis balas.

Avistou a curva. Fez os cavalos trotarem um pouco mais depressa. Ouviu a moça rir no interior da carruagem.

Chegou ao ponto. Estava com os nervos à flor da pele.

Agora.

Ele largou as rédeas e puxou o freio. Os cavalos cambalearam, a carruagem estremeceu e parou abruptamente.

Ouviu uma mulher soltar um grito e um homem berrar em seguida no interior da carruagem. Algo na voz da mulher perturbou-o, mas não havia tempo para imaginar a razão. Feliks saltou para o chão, puxou o cachecol por cima da boca e do nariz, tirou o revólver do bolso e engatilhou-o.

Transbordando de força e raiva, abriu a porta da carruagem.

CAPÍTULO QUATRO

UMA MULHER GRITOU e o tempo parou.

Feliks conhecia aquela voz. O som atingiu-o como um golpe violento. O choque paralisou-o.

Ele deveria localizar Orlov, apontar o revólver, puxar o gatilho, atirar outra vez por via das dúvidas, depois virar-se e correr para os arbustos...

Em vez disso, procurou a fonte do grito e viu o rosto dela. Era surpreendentemente familiar, como se o tivesse visto no dia anterior, em vez de dezenove anos antes. Os olhos da mulher estavam arregalados de pânico e a boca vermelha achava-se entreaberta.

Lydia.

Ele parou na porta da carruagem, com a boca aberta por baixo do cachecol, sem apontar o revólver para lugar algum, pensando: Minha Lydia... aqui *nesta carruagem...*

Enquanto a fitava, estava vagamente consciente de que Walden se movia, com uma estranha lentidão, perto dele à esquerda. Mas Feliks só podia pensar em uma coisa: Era assim que ela ficava, com os olhos arregalados e a boca aberta, quando estava nua embaixo de mim, as pernas me enlaçando pela cintura, olhando-me fixamente e gritando de prazer...

Então ele percebeu que Walden sacara uma espada...

Pelo amor de Deus, uma *espada*?

...e a lâmina brilhava à luz do lampião, enquanto descia. Feliks mexeu-se muito devagar e tarde demais – a espada acertou-o na mão. Largou o revólver, que disparou ao bater no chão, com um estampido alto.

A explosão rompeu o encantamento.

Walden puxou a espada de volta e depois arremeteu-a na direção do coração de Feliks, que desviou. A ponta afiada atravessou o casaco e o paletó e o atingiu no ombro. O russo pulou para trás, num reflexo, e se livrou da espada. Sentiu o sangue quente escorrer por dentro da camisa.

Olhou para o chão, procurando o revólver, mas não conseguiu encontrá-lo. Tornou a erguer os olhos e viu que Walden e Orlov haviam trombado um com o outro ao tentarem passar pela porta da carruagem ao mesmo tempo. O braço direito de Feliks pendia inerte ao lado do corpo. Compreendeu que estava desarmado e impotente. Não podia sequer estrangular

Orlov, pois seu braço direito tornara-se inútil. Fracassara totalmente e tudo por causa da voz de uma mulher emergindo do passado.

Ainda por cima isso, pensou ele, amargamente.

Dominado pelo desespero, virou-se e fugiu.

– Maldito fora da lei! – gritou Walden.

O ferimento de Feliks doía a cada passo. Ouviu alguém correndo atrás dele, os passos leves demais para serem de Walden – Orlov o estava perseguindo. Feliks estava à beira da histeria, pensando: Orlov está *me* perseguindo, e eu é que estou fugindo!

Ele saiu da rua e se embrenhou entre os arbustos. Ouviu Walden gritar:

– Volte, Aleks! Ele está armado!

Eles não sabem que larguei o revólver, pensou Feliks. Se ao menos ainda estivesse com ele, poderia atirar em Orlov agora.

Correu um pouco mais, depois parou para ouvir. Não escutou nada. Orlov desistira.

Feliks encostou-se numa árvore. Estava exausto pela corrida em alta velocidade. Depois que recuperou o fôlego, tirou o casaco e o sobretudo da libré que roubara e tocou no ferimento com cuidado. Doía terrivelmente, o que ele julgou ser um bom sinal – se fosse muito grave, toda a área estaria dormente. O ombro sangrava lentamente e latejava. A mão fora cortada na parte carnuda entre o polegar e o indicador e sangrava bastante.

Tinha que sair do parque antes que Walden tivesse uma oportunidade de chamar a polícia.

Com dificuldade, Feliks tornou a vestir o casaco. Largou o sobretudo no chão. Comprimiu a mão direita por baixo da axila esquerda, a fim de atenuar a dor e diminuir o fluxo de sangue. Exausto, encaminhou-se para a The Mall.

Lydia.

Era a segunda vez em sua vida que aquela mulher provocava uma catástrofe. A primeira, em 1895, em São Petersburgo...

Não. Não se permitiria pensar nela. Ainda não. Precisava estar totalmente alerta agora.

Descobriu, aliviado, que a bicicleta estava onde a deixara, sob os galhos de uma árvore grande, e empurrou-a pela grama até a beira do parque. Walden já teria alertado a polícia? Estariam procurando um homem alto, de casaco escuro? Observou atentamente a cena na The Mall. Os lacaios ainda corriam, automóveis rugiam, carruagens eram manobradas. Quanto tempo se passara desde que subira na carruagem de Walden? Vinte minutos? Nesse meio-tempo, o mundo virara de cabeça para baixo.

Feliks respirou fundo e saiu com a bicicleta para a rua. Todos estavam ocupados com alguma atividade e ninguém prestou atenção nele. Mantendo a mão direita no bolso do casaco, ele montou e começou a pedalar, guiando com a mão esquerda.

Havia guardas por toda parte ao redor do palácio. Se Walden os mobilizasse rapidamente, eles poderiam cercar o parque e as ruas vizinhas. Feliks olhou para a frente, na direção do Arco do Almirantado. Não havia nenhum sinal de um bloqueio policial.

Depois que passasse pelo arco, estaria no West End e não conseguiriam mais encontrá-lo.

Começou a adquirir mais habilidade em guiar com uma só mão e aumentou a velocidade.

Ao se aproximar do arco, um automóvel emparelhou com a bicicleta. Ao mesmo tempo, um guarda saiu para o meio da rua, à frente. Feliks parou e preparou-se para correr, mas o guarda estava apenas retendo o tráfego para permitir que outro automóvel, presumivelmente de alguma alta autoridade, emergisse de um portão. O guarda bateu continência quando o automóvel passou e depois acenou para que o tráfego continuasse.

Feliks passou por dentro do arco e entrou na Trafalgar Square.

Walden é muito lento, pensou ele, satisfeito.

Já era meia-noite, mas o West End brilhava com as luzes, apinhado de pessoas e um tráfego intenso. Havia guardas por toda parte e nenhum outro ciclista. Feliks sobressaía. Pensou em largar a bicicleta e caminhar de volta a Camden Town, mas não tinha certeza se conseguiria andar tanto. Estava se cansando rapidamente.

Da Trafalgar Square, subiu a St. Martin's Lane, então trocou as ruas principais pelas vielas atrás de Theatreland. Um beco escuro foi subitamente iluminado quando a porta dos fundos de um teatro se abriu e um bando de atores apareceu, todos rindo e falando alto. Mais adiante, ouviu gemidos e suspiros e passou por um casal fazendo amor de pé num portal.

Entrou em Bloomsbury. Estava mais quieto e mais escuro. Pedalou para o norte, subindo a Gower Street, e passou pela fachada clássica da universidade deserta. Pedalar exigia agora um esforço enorme, e ele sentia dores por todo o corpo. Só mais 2 ou 3 quilômetros, pensou.

Desmontou para atravessar a movimentada Euston Road. As luzes do tráfego o deslumbraram. Estava com muita dificuldade para focalizar qualquer coisa.

Tornou a montar na bicicleta na frente da Euston Station e recomeçou a pedalar. Sentiu-se tonto de repente. A roda da frente virou e bateu no meio-fio. Feliks caiu.

Ficou estendido no chão, atordoado e fraco. Abriu os olhos e viu um guarda se aproximando. Conseguiu erguer-se e ficar de joelhos.

– Andou bebendo? – perguntou o guarda.

– Estou tonto – murmurou Feliks.

O guarda segurou-o pelo braço direito e o ajudou a se levantar. A dor no ombro ferido fez Feliks voltar a si. Conseguiu manter a mão direita que sangrava no bolso.

O guarda farejou seu hálito.

– Hum... – Sua atitude tornou-se mais cordial ao descobrir que Feliks não cheirava a bebida alcoólica. – Vai ficar bem?

– Daqui a um instante.

– É estrangeiro?

O guarda tinha notado seu sotaque.

– Francês – respondeu Feliks. – Trabalho na embaixada.

O guarda adotou uma postura mais polida.

– Gostaria que eu chamasse um carro de aluguel?

– Não, obrigado. Estou quase chegando.

O guarda levantou a bicicleta.

– Se eu fosse você, empurraria a bicicleta até chegar em casa.

Feliks pegou-a da mão do guarda.

– É isso mesmo que vou fazer.

– Muito bem, senhor. Boa noite.

– *Bonne nuit*, seu guarda.

Com bastante esforço, Feliks exibiu um sorriso. Então foi empurrando a bicicleta com a mão esquerda e se afastou. Vou entrar no primeiro beco e sentar para descansar um pouco, decidiu. Olhou para trás; o guarda ainda o observava. Continuou a andar, embora precisasse desesperadamente se deitar. No primeiro beco, pensou. Mas quando chegou lá, seguiu adiante, pensando: Este não, o próximo.

E foi assim que chegou em casa.

Parecia que tinham se passado horas desde que ele parara na frente da casa em Camden Town. Espiou em meio ao nevoeiro o número na porta, para se certificar de que estava no lugar certo.

Para chegar a seu quarto, tinha de descer um lance de degraus de pedra até o porão. Encostou a bicicleta na grade de ferro, enquanto abria o pequeno portão. Depois cometeu o erro de tentar descer os degraus com a bicicleta, que lhe escapuliu das mãos e caiu ruidosamente. Logo em seguida, a proprietária, Bridget, apareceu na porta da rua, envolta em um xale.

– O que diabo está acontecendo? – perguntou ela.

Feliks sentou-se num degrau e não respondeu. Decidiu que não se mexeria até se sentir mais forte. Bridget desceu e ajudou-o a se levantar, murmurando:

– Acho que andou bebendo demais.

Ela o ajudou a descer os degraus até a porta do porão.

– Me dê a sua chave – falou.

Feliks teve que usar a mão esquerda para tirar a chave do bolso direito da calça. Entregou a Bridget, que abriu a porta. Os dois entraram e Feliks parou no meio do quarto minúsculo, enquanto Bridget acendia o lampião.

– Vamos tirar o seu casaco – disse ela.

Feliks aceitou a ajuda e Bridget viu a mancha de sangue.

– Andou brigando?

Feliks foi deitar-se no colchão.

– E parece que perdeu – acrescentou ela.

– Perdi – balbuciou Feliks, desmaiando em seguida.

Uma dor excruciante o fez recuperar os sentidos. Quando abriu os olhos, viu Bridget lavando os ferimentos com algo que ardia como fogo.

– Esta mão precisa de pontos – disse ela.

– Amanhã – murmurou Feliks.

Ela obrigou-o a beber de uma xícara. Era água morna misturada com gim.

– Não tenho conhaque – explicou.

Felix se recostou e deixou que Bridget lhe fizesse um curativo.

– Posso chamar o médico, mas não tenho como pagar – disse ela.

– Amanhã.

Bridget se levantou.

– Virei vê-lo amanhã de manhã, assim que acordar.

– Obrigado.

Ela saiu e Feliks finalmente permitiu-se recordar.

Ao longo dos tempos, tudo o que permitia aos homens aumentarem sua produção, ou mesmo continuá-la, foi apropriado por uns poucos. A terra pertence a esses poucos, que podem impedir a comunidade de cultivá-la. As minas de carvão, que representam o trabalho de gerações, pertencem a uns poucos. Os teares, que representam, em seu atual estado de perfeição, o trabalho de três gerações de tecelões de Lancashire pertencem também a uns poucos. E se os netos desse mesmo tecelão que inventou o primeiro tear reivindicarem seus direitos de usar uma dessas máquinas, ouvirão no mesmo instante: "Tirem as mãos daí! Essa máquina não lhes pertence!" As ferrovias pertencem a uns poucos acionistas, que talvez nem saibam onde fica a ferrovia que lhes proporciona uma renda anual maior do que a de um rei medieval. E se os filhos das pessoas que morreram aos milhares na escavação de túneis se reunirem – uma multidão esfarrapada e faminta – e forem pedir pão ou trabalho aos acionistas, serão recebidos com baionetas e balas.

Feliks levantou os olhos do panfleto de Kropotkin. A livraria estava vazia. O dono era um velho revolucionário que ganhava dinheiro vendendo romances a mulheres ricas e mantinha uma provisão de literatura subversiva nos fundos da loja. Feliks costumava passar muito tempo ali.

Tinha 19 anos. Estava prestes a ser expulso da prestigiosa Academia Espiritual por vadiagem, indisciplina, cabelo comprido e associação com niilistas. Estava com fome e sem dinheiro, em breve também estaria sem casa... e a vida era maravilhosa. Não se importava com outra coisa que não fossem as ideias, e a cada dia aprendia mais sobre poesia, história, psicologia e – o mais importante de tudo – política.

As leis sobre a propriedade não são feitas para garantir ao indivíduo ou à sociedade o aproveitamento do produto de seu próprio trabalho. Ao contrário, são feitas para roubar do produtor uma parte do que ele criou. Quando, por exemplo, a lei determina o direito de Fulano de Tal a uma casa, não está estabelecendo seu direito a um chalé que construiu para si mesmo ou a uma casa que ergueu com a ajuda de alguns amigos. Nesse caso, ninguém haveria de contestar o seu direito. Mas acontece que a lei está estabelecendo o seu direito a uma casa que não é produto de seu trabalho.

Os slogans anarquistas lhe pareceram ridículos quando os ouvira pela primeira vez: "Propriedade é roubo"; "Governo é tirania"; "Anarquia é justiça". Era espantoso como, ao pensar sobre eles com seriedade, esses slogans haviam se tornado para Feliks não apenas verdadeiros, mas totalmente óbvios. O argumento de Kropotkin sobre as leis era incontestável. Não havia necessidade de leis para impedir o roubo na aldeia natal de Feliks; se um camponês roubava de outro o cavalo, a cadeira ou o casaco que a mulher bordara, então a aldeia inteira ia atrás do culpado e o obrigava a devolver tudo. O único roubo que escapava impune era a cobrança de aluguel pelo dono das terras, e a polícia estava sempre presente para garantir esse roubo. O mesmo em relação ao governo. Os camponeses não precisavam de ninguém para lhes dizer como o arado e os bois deveriam ser partilhados entre seus campos; eles próprios resolviam isso. Era apenas o tamanho dos campos do dono das terras é que precisava ser imposto.

Falam-nos continuamente dos benefícios proporcionados pelas leis e penalidades. Mas as pessoas que falam assim alguma vez já tentaram comparar os benefícios atribuídos às leis e penalidades com os efeitos degradantes dessas penalidades sobre a humanidade? Apenas imagine todas as paixões terríveis que são despertadas nos homens pelas punições atrozes infligidas em nossas ruas! O homem é o animal mais cruel que existe. E quem alimenta e desenvolve os instintos cruéis a não ser o rei, o juiz e os padres, armados com as leis, que esfolam a pele das pessoas com os açoites, derramam azeite fervente em ferimentos, deslocam braços e pernas, esmigalham ossos, matam brutalmente, a fim de manter a autoridade? Apenas imagine a torrente de depravação lançada na sociedade humana pelo "informante", que é encorajado pelos juízes e pago pelo governo a peso de ouro sob o pretexto de ajudar na descoberta do "crime". Basta entrar nas cadeias e observar em que o homem se transforma quando chafurda no vício e na corrupção que se destilam das próprias paredes de nossas prisões. Imagine, finalmente, a corrupção e a depravação impostas aos homens pela ideia de obediência, a própria essência da lei; pela ideia do castigo;

da autoridade como detentora do direito de punir; da necessidade de carrascos, carcereiros e delatores – em suma, todos os atributos da lei e da autoridade. Imagine tudo isso e sem dúvida concordará que uma lei que inflige penalidade é uma abominação que precisa deixar de existir.

Povos sem organização política, e por isso menos depravados do que nós, já compreenderam muito bem que o homem classificado como "criminoso" é simplesmente um infeliz, e que a solução não é açoitá-lo, acorrentá-lo ou matá-lo, mas ajudá-lo com os cuidados mais fraternais, por um tratamento baseado na igualdade, pelos costumes de vida entre homens honestos.

Feliks estava vagamente consciente de que alguém entrara na livraria e estava parado perto dele, mas estava muito concentrado em Kropotkin para prestar atenção.

Chega de leis! Chega de juízes! Liberdade, igualdade e compaixão humana são as únicas barreiras eficazes que podemos opor aos instintos antissociais de determinadas pessoas entre nós.

A pessoa deixou cair um livro e a concentração de Feliks foi interrompida. Ele desviou os olhos do panfleto, viu o livro caído no chão ao lado da saia comprida da cliente e se inclinou automaticamente para pegá-lo. Ao entregar-lhe o volume, contemplou o rosto dela e balbuciou, com absoluta sinceridade:

– Mas você é um anjo!

Ela era loura e pequena, usava uma pele castanho-clara, da cor de seus olhos, e tudo nela era claro, iluminado e louro. Feliks pensou que nunca vira uma mulher mais bonita, e estava certo.

Ela o fitou e corou, mas não desviou os olhos. Por mais incrível que pudesse parecer, tudo indicava que ela também vira nele algo de fascinante. Depois de um momento, ele olhou para o livro. *Anna Kariênina.*

– Bobagem sentimental – murmurou ele.

Feliks arrependeu-se de ter falado, pois suas palavras romperam o encantamento. Ela pegou o livro e afastou-se. Ele viu então que havia uma criada junto com a mulher, a quem ela entregou o volume, saindo da loja em seguida. A criada pagou o livro. Olhando pela janela, Feliks viu a mulher entrar numa carruagem.

Perguntou ao livreiro quem ela era. Descobriu que se chamava Lydia e era filha do conde de Shatov.

Descobriu onde o conde morava e no dia seguinte se postou nas proximidades da casa, na esperança de tornar a vê-la. Lydia entrou na carruagem e saiu duas vezes, antes que um cavalariço viesse afugentar Feliks dali. Ele não se importou, pois a mulher olhara para ele diretamente na última vez em que a carruagem passara.

Ele foi à livraria no dia seguinte. Por horas a fio, leu *Federalismo, socialismo, antiteologismo*, de Mikhail Bakunin, sem compreender uma só palavra. Olhava pela janela cada vez que passava uma carruagem. O coração parava por um instante sempre que alguma pessoa entrava.

A jovem apareceu ao final da tarde.

Desta vez deixou a criada do lado de fora. Murmurou um cumprimento para o livreiro e foi para os fundos da loja, onde Feliks estava. Ficaram se olhando fixamente. Feliks pensou: Ela me ama. Por que outro motivo teria vindo?

Tinha a intenção de falar com ela, mas em vez disso a abraçou e beijou. Ela retribuiu o beijo sofregamente, abrindo a boca, apertando-o, cravando as unhas em suas costas.

Foi sempre assim com os dois: ao se encontrarem, lançavam-se um contra o outro como animais prestes a se engalfinharem numa luta.

Encontraram-se mais duas vezes na livraria e uma vez, depois do anoitecer, no jardim da casa dos Shatov. No encontro no jardim ela estava com as roupas de dormir. Feliks meteu as mãos por baixo da camisola de lã e acariciou-lhe o corpo todo, tão ousadamente como se ela fosse uma mulher da rua, apalpando, explorando, esfregando, fazendo-a gemer de prazer.

Ela lhe deu dinheiro para alugar um quarto e depois disso passou a encontrá-lo quase todos os dias, durante seis semanas maravilhosas.

A última vez foi num fim de tarde. Ele estava sentado à mesa, envolto numa manta por causa do frio, lendo *O que é a propriedade?*, de Proudhon, à luz de uma vela. Tirou as calças ao ouvir os passos dela na escada.

Lydia entrou correndo, usando uma velha capa marrom com capuz. Beijou-o, sugou-lhe os lábios, mordeu-lhe o queixo, cravou-lhe as unhas.

Virou-se e tirou o manto. Usava por baixo um vestido branco a rigor, que deveria ter custado centenas de rublos.

– Desate tudo! – ordenou. – Rápido!

Feliks começou a abrir os ganchos atrás do vestido.

– Estou indo a uma recepção na embaixada britânica – disse ela, ofegante. – Só tenho uma hora. Rápido, por favor.

Em sua pressa, Feliks arrancou um dos ganchos do tecido.

– Ai, merda! Arranquei um!

– Não tem importância!

Ela saiu do vestido, arrancou as anáguas, o chemise e o calção, ficando apenas de espartilho, meias e sapatos. Então jogou-se nos braços dele. Enquanto o beijava, tirou sua cueca e murmurou:

– Ah, meu Deus, como adoro o cheiro da sua coisa!

Feliks ficava doido quando ela falava assim. Ela tirou os seios do espartilho e implorou:

– Morda-os! Morda com força! Quero sentir os seus dentes a noite toda!

Um momento depois, Lydia se afastou dele e se deitou de costas na cama. Abaixo da barra do espartilho, a umidade fazia os esparsos pelos louros entre suas coxas brilharem.

Ela abriu as pernas e levantou-as, escancarando-se para ele. Feliks contemplou-a por um momento e depois caiu em cima dela.

Ela agarrou-lhe o pênis e conduziu-o para dentro de si avidamente.

– Olhe para mim – pediu. – Olhe para mim!

Feliks obedeceu, com uma expressão de adoração nos olhos.

O pânico tomou conta do rosto dela.

– Olhe para mim! Vou gozar!

E foi nesse momento que, ainda encarando-a, Lydia escancarou a boca e gritou.

~

– Acha que as outras pessoas são como nós? – perguntou ela.

– Como assim?

– Obscenas.

Feliks levantou a cabeça do colo dela e sorriu.

– Só as que têm sorte.

Lydia olhou para o corpo de Feliks, enroscado entre as suas pernas.

– Você é tão forte, tão compacto, tão perfeito... Olhe como a sua barriga é lisa, como a bunda é perfeita, como suas coxas são esguias e musculosas. – Ela fez uma pausa, passando um dedo pelo nariz de Feliks. – Você tem o rosto de um príncipe.

– Sou um camponês.

– Não quando está nu.

Lydia estava com um ânimo reflexivo.

– Antes de conhecê-lo, eu *tinha* interesse em corpos de homens e tudo o mais. Mas costumava fingir que não tinha, até para mim mesma. Então você apareceu e eu não pude mais fingir.

Feliks lambeu a parte interna da coxa dela.

Lydia estremeceu.

– Já fez isso com outra mulher?

– Não.

– Costumava fingir, também?

– Não.

– Acho que, de alguma forma, eu já sabia disso. Há algo diferente em você, alguma coisa selvagem e livre, como em um animal. Você nunca obedece a ninguém, faz apenas o que quer.

– Jamais conheci uma mulher que me deixasse fazer o que quisesse.

– Mas no fundo todas queriam. Qualquer mulher ia querer.

– Por quê? – perguntou ele, presunçoso.

– Porque seu rosto é tão cruel, enquanto seus olhos são tão gentis...

– Foi por isso que me deixou beijá-la na livraria?

– Não *deixei*... Simplesmente não tive escolha.

– Poderia ter gritado por socorro depois.

– Quando terminou, a única coisa que eu queria era que você me beijasse de novo.

– Eu devo ter adivinhado como você era de verdade.

Era a vez dela de ser presunçosa:

– E como eu sou de verdade?

– Fria como gelo na superfície, mas quente como brasa por baixo.

Ela deu uma risadinha.

– Sou uma grande atriz. Todo mundo em São Petersburgo pensa que sou *boa*. Sou apontada como um exemplo para as moças mais jovens, da mesma forma que Anna Kariênina. Agora que sei como sou má, tenho que fingir o dobro para parecer virginal como antes.

– É impossível parecer virginal depois da primeira vez.

– Fico imaginando se não estarão todos fingindo. Veja o caso de meu pai. Se ele soubesse que estou aqui, deste jeito, morreria de raiva. Mas devia sentir as mesmas coisas quando era jovem... não acha?

– Acho que nunca saberemos. Mas o que ele *faria*, se descobrisse o que existe entre nós?

– Iria açoitá-lo.

– Teria de me pegar primeiro. – Um pensamento ocorreu a Feliks. – Quantos anos você tem?

– Quase 18.

– Meu Deus! Eu poderia ir para a cadeia por seduzi-la!

– Eu obrigaria papai a tirá-lo da cadeia.

Feliks rolou na cama para ficar de frente e fitou-a.

– O que vamos fazer, Lydia?

– Quando?

– No longo prazo.

– Vamos continuar como amantes até eu atingir a maioridade, e depois nos casaremos.

Feliks a encarou.

– Está falando sério?

– *Claro* que estou. – Ela parecia genuinamente surpresa por ele ter alguma dúvida. – O que mais poderíamos fazer?

– Quer mesmo se casar comigo?

– Quero! Não é isso que você quer?

– *Claro* que é... – balbuciou ele. – É claro que é isso que eu quero.

Lydia sentou-se na cama com as pernas abertas e o rosto dele entre elas. Afagou-lhe os cabelos.

– Então é isso que vamos fazer.

– Você nunca me conta como consegue escapar para vir até aqui – disse Feliks.

– Não é muito interessante. Digo mentiras, suborno criadas e corro riscos. Como hoje, por exemplo. A recepção na embaixada começa às seis e meia. Saí de casa às seis e chegarei lá às 19h15. A carruagem está no parque; o cocheiro acha que estou lá, dando uma volta com minha criada. A criada está esperando na frente da casa, pensando em como vai gastar os 10 rublos que lhe darei para ficar de boca fechada.

– Faltam dez para as sete – falou Feliks.

– Ah, meu Deus! Rápido, me faça gozar com sua língua antes de eu ir embora.

~

Feliks estava dormindo naquela noite, sonhando com o pai de Lydia – que nunca vira – quando os homens irromperam no quarto, segurando lampiões. Despertou no mesmo instante e pulou da cama. A princípio pensou que fossem alunos da universidade pregando-lhe uma peça, mas logo um homem deu-lhe um soco na cara e um chute na barriga. Feliks compreendeu então que eram da polícia secreta.

Presumiu que o estavam prendendo por causa de Lydia e sentiu-se aterrorizado por ela. Será que Lydia cairia em desgraça publicamente? O pai seria maluco o suficiente para obrigá-la a prestar depoimento no tribunal contra seu amante?

Observou os policiais meterem todos os livros e um maço de cartas num saco. Os livros eram todos emprestados, mas nenhum dos donos era tolo o bastante para escrever seu nome em alguma página. As cartas eram do pai e da irmã, Natasha. Nunca recebera cartas de Lydia, e agora sentia-se grato por isso.

Foi levado para fora do prédio e jogado numa carruagem de quatro rodas.

Atravessaram a Chain Bridge e depois seguiram ao longo dos canais, como se quisessem evitar as ruas de maior movimento.

– Estou indo para a prisão de Litovsky? – perguntou Feliks.

Ninguém respondeu. Mas quando atravessaram a Palace Bridge, ele compreendeu que estava sendo levado para a famosa Fortaleza de São Pedro e São Paulo. Sentiu o coração parar.

A carruagem virou à esquerda no outro lado da ponte, entrou numa passagem coberta, inteiramente às escuras, e parou diante de um portão. Feliks foi conduzido a um saguão de entrada onde um oficial do Exército observou-o por um momento e depois escreveu alguma coisa num livro grande. Ele foi levado de volta à carruagem e então mais para o interior da fortaleza. Pararam diante de outro portão e esperaram por vários minutos, até que um soldado veio abri-lo por dentro. De lá, Feliks seguiu a pé por uma sucessão de corredores estreitos até um terceiro portão de ferro, que dava para uma sala grande e úmida.

O diretor da prisão estava sentado a uma mesa e foi logo dizendo:

– Você está sendo acusado de ser um anarquista. Confessa o crime?

Feliks sentiu-se exultante. Sua prisão não tinha nada a ver com Lydia.

– Confessar? Eu tenho orgulho disso!

Um dos guardas pegou um livro, que foi assinado pelo diretor. Feliks foi então ordenado a tirar todas as roupas. Entregaram-lhe um camisolão de flanela cinzenta, um par de meias grossas de lã e duas chinelas amarelas de feltro, grandes demais para seus pés.

Um guarda armado conduziu-o por mais corredores escuros até uma cela. Uma pesada porta de carvalho foi fechada atrás dele e Feliks ouviu o som de uma chave girando na fechadura.

A cela continha uma mesa, uma cama, um banco e um lavatório. A janela era quase uma seteira na parede muito grossa. O chão era coberto por feltro pintado e as paredes tinham sido revestidas com alguma espécie de estofamento amarelo.

Feliks sentou-se na cama.

Fora ali que Pedro I tinha torturado e matado o próprio filho. Fora ali que a princesa Tarakanova tinha sido mantida numa cela, que acabara por ser lentamente inundada, e os ratos subiram por seu corpo para se salvarem do afogamento. Era ali que Catarina II enterrava vivos seus inimigos.

Dostoiévski fora aprisionado ali, pensou Feliks, com orgulho. O mesmo acontecera com Bakunin, que passara dois anos acorrentado a uma parede. Nechayev morrera ali.

Feliks sentiu-se exultante por tão heroica companhia, ao mesmo tempo que ficou aterrorizado com a perspectiva de passar o resto da vida ali.

A chave girou na fechadura. Um homem pequeno e careca, de óculos, entrou na cela com uma pena, um vidro de tinta e algumas folhas de papel. Ajeitou-os na mesa e disse:

– Escreva os nomes de todos os subversivos que conhece.

Feliks sentou-se e escreveu: Karl Marx, Friedrich Engels, Peter Kropotkin, Jesus Cristo...

O homem arrancou o papel de sua mão. Foi até a porta da cela e bateu. Dois guardas corpulentos entraram. Amarraram Feliks na mesa, tiraram chinelos e meias e começaram a açoitar a sola de seus pés.

A tortura durou a noite toda.

Quando lhe arrancaram as unhas, ele começou a fornecer nomes e endereços falsos, mas eles lhe disseram que sabiam que eram falsos.

Quando queimaram a pele de seus testículos com a chama de uma vela, ele entregou todos os seus amigos estudantes. Ainda assim, lhe disseram que sabiam que eram nomes falsos.

Cada vez que desmaiava, os torturadores o reanimavam. Paravam às vezes, por algum tempo, deixando-o pensar que tudo tinha acabado, mas depois recomeçavam. Feliks suplicava que o matassem, para que a dor parasse, porém os torturadores ainda continuaram por muito tempo depois de Feliks já haver lhes contado tudo o que sabia.

Devia estar amanhecendo quando desmaiou pela última vez.

Estava estendido na cama quando voltou a si. Havia ataduras nos pés e nas mãos e ele sentia dores excruciantes. Queria se matar, mas estava fraco demais para se mexer.

O homem careca voltou à cela ao anoitecer. Quando o viu, Feliks começou a soluçar de horror. O homem limitou-se a sorrir e tornou a sair.

Nunca mais voltou.

Um médico ia ver Feliks todos os dias. Feliks tentou, em vão, extrair informações do homem. Alguém lá fora sabia que Feliks estava na prisão? Tinha havido alguma mensagem? Alguém tentara visitá-lo? O médico limitava-se a mudar os curativos e depois se retirava.

Feliks especulava. Lydia teria ido ao quarto e visto o caos em que se encontrava. Alguém na casa deveria tê-la informado que a polícia secreta o levara. O que ela faria em tal situação? Faria perguntas freneticamente, sem se preocupar com a própria reputação? Seria discreta e iria ao Ministério do Interior com alguma história sobre o namorado da criada que fora preso por engano?

Todos os dias tinha esperança de receber alguma notícia dela, mas isso nunca aconteceu.

Oito semanas depois, podia andar quase normalmente. Soltaram-no sem dar qualquer explicação.

Feliks voltou a seu quarto. Esperava encontrar um recado de Lydia, mas não havia nada, e o quarto fora alugado a outra pessoa. Ficou imaginando por que ela não continuara a pagar o aluguel.

Foi até a casa dela e bateu à porta da frente. Quando um criado atendeu, Feliks disse:

– Feliks Davidovich Kschessinsky apresenta seus cumprimentos a Lydia Shatova...

O criado bateu a porta.

Por fim, Feliks foi à livraria.

– Olá! Tenho um recado para você – disse o velho livreiro. – Foi entregue ontem, pela criada *dela*.

Feliks abriu o envelope com os dedos trêmulos. Fora escrito não por Lydia, mas pela criada, e dizia: "Fui despedida e não tenho mais emprego e tudo é culpa sua. Ela está casada e foi para a Inglaterra ontem, e agora você conhece o preço do pecado."

Feliks fitou o livreiro com lágrimas de angústia nos olhos.

– Isso é tudo? – gritou.

Não soube de mais nada por dezenove anos.

~

Os regulamentos normais estavam temporariamente suspensos na casa dos Waldens. Charlotte voltara a se sentar na cozinha, com os criados.

A cozinha estava impecável porque a família jantara fora. O fogão estava apagado e as janelas altas tinham sido totalmente abertas, para deixar entrar o ar fresco da noite. A louça usada para as refeições dos criados encontrava-se empilhada no armário. As facas e colheres de servir estavam penduradas em uma fileira de ganchos e as inúmeras terrinas e panelas haviam sido guardadas nos enormes armários de carvalho.

Charlotte não tivera tempo para ficar apavorada. A princípio, quando a carruagem parara abruptamente no meio do parque, ficara apenas perplexa; depois, sua preocupação fora impedir que a mãe gritasse. Ao voltarem para casa, descobrira-se um pouco abalada, mas agora, recordando os acontecimentos, estava achando tudo muito mais emocionante.

Os criados se sentiam da mesma forma. Era reconfortante se sentar à gigantesca mesa de madeira clara e conversar com pessoas que faziam parte tão intensamente de sua vida, pensou Charlotte: a cozinheira, que sempre a tratara de forma maternal; Pritchard, a quem Charlotte respeitava porque o pai o respeitava; a eficiente Sra. Mitchell, que tomava conta da casa e sempre encontrava uma solução para qualquer problema.

William, o cocheiro, era o herói do momento. Já descrevera várias vezes a expressão selvagem nos olhos do assaltante quando o ameaçara com o revólver. Deleitando-se com a expressão admirada de uma copeira, ele se recuperara bem depressa da indignidade de ter entrado na cozinha totalmente nu.

– É claro que presumi que o ladrão queria apenas as roupas de William – disse Pritchard. – Sabia que Charles estava no palácio e poderia conduzir a carruagem. Achei melhor não comunicar à polícia antes de falar com milorde.

– Imaginem como me senti quando descobri que a carruagem desaparecera – falou Charles, o criado. – Disse a mim mesmo que tinham me deixado ali, depois pensei que William tinha mudado de lugar. Corri de um lado para outro da The Mall, procurando em toda parte. Acabei voltando ao palácio. "Aconteceu alguma coisa", disse ao porteiro. "A carruagem do conde de Walden desapareceu." "Walden?", falou ele. O tom de voz não era muito respeitoso...

A Sra. Mitchell interveio:

– Os criados do palácio pensam que são melhores do que a nobreza...

– Ele me disse: "Walden já foi, amigo." Pensei: Por Deus, estou perdido! Saí correndo pelo parque e na metade do caminho para casa encontrei a carruagem, com milady tendo um ataque histérico e milorde com a espada suja de sangue!

– E, no fim das contas, nada foi roubado – comentou a Sra. Mitchell.

– Um lunático – disse Charles. – Um lunático bastante engenhoso.

Houve uma concordância geral.

A cozinheira pegou o chá e o serviu primeiro a Charlotte.

– Como está milady agora?

– Bem – respondeu Charlotte. – Foi para a cama e tomou uma dose de láudano. Já deve estar dormindo.

– E os cavalheiros?

– Papai e o príncipe Orlov estão na sala de estar, tomando um conhaque.

A cozinheira suspirou.

– Ladrões no parque e sufragistas na corte... não sei para onde estamos indo.

– Vai haver uma revolução socialista – disse Charles. – Escreva o que estou dizendo.

– Seremos todos assassinados durante o sono – resmungou a cozinheira, com a voz lúgubre.

– O que a sufragista estava querendo dizer ao falar que o rei tortura mulheres? – perguntou Charlotte, olhando para Pritchard, que às vezes se mostrava disposto a explicar-lhe o que ela ainda não deveria saber.

– Estava falando de alimentação forçada – respondeu Pritchard. – Ao que parece, é uma coisa dolorosa.

– Alimentação forçada?

– Quando elas não querem comer, são alimentadas à força.

Charlotte estava desconcertada.

– E como fazem?

– De várias maneiras – falou Pritchard, com uma expressão que indicava que não entraria em detalhes. – Uma delas é enfiando um tubo pelas narinas.

– Eu gostaria de saber o que dão para elas comerem – falou a copeira.

– Provavelmente sopa quente – opinou Charles.

– Não posso acreditar – murmurou Charlotte. – Por que elas se recusariam a comer?

– É uma forma de protesto – explicou Pritchard. – Cria dificuldades para as autoridades da prisão.

– Prisão? – Charlotte estava atônita. – E por que elas são presas?

– Por quebrarem janelas, fabricarem bombas, perturbarem a paz...

– Mas o que elas querem?

Houve um momento de silêncio, e os criados compreenderam que Charlotte não tinha a menor ideia do que era uma sufragista.

Pritchard finalmente respondeu:

– Elas querem que as mulheres tenham o direito de votar.

– Ah.

Charlotte pensou: Eu sabia que as mulheres não podiam votar? Ela não tinha certeza. Nunca pensara nessas coisas.

– Acho que já falamos demais sobre esse assunto – disse a Sra. Mitchell, com firmeza. – Vai se meter em problemas, Sr. Pritchard, por colocar ideias erradas na cabeça de milady.

Charlotte sabia que Pritchard nunca se metia em problemas, porque era praticamente amigo do pai dela.

– Por que elas se importam tanto com algo como votar? – falou.

Houve um toque de campainha e todos olharam instintivamente para o quadro de chamada.

– A porta da frente! – exclamou Pritchard. – A esta hora da noite!

Ele saiu, vestindo o casaco.

Charlotte tomou o chá. Sentia-se cansada. Concluiu que as sufragistas eram desconcertantes e um pouco assustadoras. Mesmo assim, queria saber mais a respeito delas. Pritchard voltou.

– Uma bandeja de sanduíches, por favor, cozinheira. Charles, leve mais bebidas para a sala de estar.

Em seguida, ele começou a arrumar pratos e guardanapos numa bandeja.

– Quem chegou? – perguntou Charlotte.

– Um cavalheiro da Scotland Yard – informou Pritchard.

~

Basil Thomson era um homem de cabeça pontuda, cabelos louros bem ralos, bigode grosso e olhar penetrante. Walden já ouvira falar dele. O pai de Thomson fora o arcebispo de York. Thomson estudara em Eton e Oxford, prestara serviços nas colônias inglesas como comissário nativo e como primeiro-ministro de Tonga. Voltara à Inglaterra para se tornar advogado, depois trabalhara no Serviço Britânico de Prisões e acabara como diretor da prisão de Dartmoor, adquirindo a reputação de saber dominar motins. Das prisões, passara para o serviço policial e se tornara um especialista nos círculos criminosos anarquistas do East End londrino. Essa experiência o levara ao Serviço Especial, a força de polícia política da Scotland Yard.

Walden convidou-o a se sentar e começou a relatar os acontecimentos da noite. Observava Aleks enquanto falava. O príncipe russo parecia calmo, mas seu rosto estava muito pálido, ele bebia sem parar o conhaque com soda e apertava freneticamente o braço da cadeira com a mão esquerda.

Em determinado momento, Thomson interrompeu Walden, perguntando:

– Quando a carruagem foi buscá-lo, o senhor notou se o criado estava ausente?

– Notei, sim. Perguntei onde ele estava, mas o cocheiro pareceu não ouvir. Como a entrada do palácio estava bastante movimentada e minha filha pediu para que me apressasse, resolvi deixar para esclarecer o mistério quando chegássemos em casa.

– O bandido contava com isso. Ele deve ter muito sangue-frio. Continue.

– A carruagem parou de repente, no parque, e a porta foi aberta pelo homem.

– Como ele era?

– Alto. Tinha um cachecol, ou algo assim, tapando o rosto. Cabelos escuros. Olhos arregalados.

– Todos os criminosos têm olhos arregalados. O cocheiro conseguiu dar uma olhada melhor nele antes?

– Não, porque ele estava de chapéu e estava bastante escuro no local.

– Hum. E depois?

Walden respirou fundo. Na ocasião, ficara mais furioso do que assustado. Agora, porém, reconstituindo os acontecimentos, foi dominado pelo medo do que poderia ter acontecido a Aleks, Lydia ou Charlotte. Continuou:

– Lady Walden gritou e isso pareceu desconcertar o bandido. Talvez ele não esperasse encontrar mulheres na carruagem. Seja como for, ele hesitou.

– E agradeço a Deus por isso, pensou Walden, antes de acrescentar: – Acertei-o com a espada e ele largou o revólver.

– Acha que o feriu gravemente?

– Duvido muito. Não consegui golpear direito no espaço restrito, e é claro que a espada não estava muito afiada. Mas deixei-o sangrando. Bem que gostaria de ter lhe cortado a maldita cabeça.

O mordomo entrou e a conversa cessou. Walden compreendeu que estava falando alto demais. Tentou acalmar-se. Pritchard serviu sanduíches e conhaque com soda para os três.

– É melhor você continuar a postos, Pritchard – disse Walden. – Mas pode mandar os outros se recolherem.

– Está bem, milorde.

Depois que o mordomo se retirou, Walden prosseguiu:

– É possível que tenha sido apenas uma tentativa de assalto. Deixei os criados pensarem isso, assim como lady Walden e Charlotte. Mas, na minha opinião, um assaltante não formularia um plano tão elaborado. Estou quase certo de que foi um atentado contra a vida de Aleks.

Thomson olhou para o russo.

– Infelizmente, tenho de concordar. Tem alguma ideia de como o homem soube onde encontrá-lo?

Aleks cruzou as pernas.

– Meus movimentos não estão sendo mantidos em segredo.

– Pois é preciso mudar isso. Sua vida já foi ameaçada antes, senhor?

– Vivo sob ameaças – respondeu Aleks. – Mas nunca havia sofrido um atentado.

– Há algum motivo para que o senhor seja alvo de niilistas ou revolucionários?

– Para eles, é suficiente que eu seja um príncipe.

Walden compreendeu que os problemas da aristocracia inglesa com sufragistas, liberais e sindicatos eram triviais em comparação com o que os russos tinham que enfrentar. Sentiu um ímpeto de compaixão por Aleks. Depois de um momento de silêncio, o russo continuou, em voz baixa e controlada:

– No entanto, pelos padrões russos, sou conhecido como uma espécie de reformista. Eles poderiam escolher uma vítima mais apropriada.

– Até mesmo em Londres – concordou Thomson. – Sempre há aristocratas russos em Londres, para a temporada.

– Onde está querendo chegar? – perguntou Walden.

– Estou imaginando se o homem sabe o que o príncipe Orlov está fazendo aqui e se o motivo do atentado pode ter sido uma tentativa de sabotar as negociações.

Walden fez uma expressão de dúvida.

– Como os revolucionários poderiam descobrir isso?

– Estou apenas especulando. Esse *seria* um meio eficaz de sabotar as negociações?

– Bastante eficaz, na verdade – admitiu Walden, sentindo um calafrio com este pensamento. – Se o czar fosse informado de que o sobrinho fora assassinado em Londres por um revolucionário... especialmente se fosse um revolucionário russo exilado... sem dúvida ficaria furioso. Sabe como os russos se sentem pelo fato de abrigarmos subversivos aqui, Thomson. Nossa política de portas abertas vem causando atritos diplomáticos há muitos anos. Algo assim poderia abalar as relações anglo-russas por vinte anos. Não haveria, então, a menor possibilidade de uma aliança.

Thomson assentiu.

– Era o que eu receava. Bem, não há mais nada que possamos fazer hoje. Vou colocar o meu departamento para trabalhar assim que amanhecer. Vasculharemos o parque à procura de pistas e interrogaremos todos os criados. Espero também deter alguns anarquistas no East End.

– Acha que conseguirá encontrá-lo? – perguntou Aleks.

Walden ansiava para que Thomson fornecesse uma resposta tranquilizadora, mas sabia que isso não aconteceria.

– Não será fácil – disse o homem. – Ele é obviamente um planejador e deve ter um esconderijo em algum lugar. Além disso, não temos uma boa descrição dele. A menos que os ferimentos o levem a um hospital, nossas chances são mínimas.

– Ele pode tentar me assassinar de novo – comentou Aleks.

– Por isso, temos que adotar ações evasivas. Proponho que saia desta casa amanhã. Faremos uma reserva para o senhor no último andar de um hotel, com um nome falso, e lhe designaremos um guarda-costas. Lorde Walden passará a encontrá-lo secretamente, e o senhor terá de suspender suas atividades sociais.

– Claro.

Thomson se levantou.

– Já é bastante tarde. Podem deixar que tomarei todas as providências necessárias.

Walden tocou a campainha, chamando Pritchard.

– Tem uma carruagem à sua espera, Thomson?

– Tenho, sim. Eu ligo para o senhor amanhã de manhã.

Pritchard acompanhou Thomson até a porta e Aleks foi se deitar. Walden mandou que Pritchard trancasse tudo e em seguida também se retirou.

Não estava com sono. Enquanto se despia, relaxou um pouco e libertou todas as emoções conflitantes que reprimira até aquele momento. Sentiu-se inicialmente orgulhoso – afinal, pensou, saquei uma espada e enfrentei e afugentei um bandido, o que não é nada mau para um homem de 50 anos com um problema de gota. Depois, ficou deprimido, ao recordar como haviam debatido friamente as consequências diplomáticas da morte de Aleks – o Aleks inteligente, alegre, tímido e lindo que Walden vira transformar-se num homem.

Enfiou-se na cama e ficou acordado, relembrando o momento em que a porta da carruagem fora aberta e o homem aparecera com um revólver. Agora se sentiu aterrorizado, não por si mesmo ou Aleks, mas por Lydia e Charlotte. Estremeceu ao pensar que elas poderiam ter morrido. Lembrou-se de quando segurava a filha no colo, com seus cabelos louros e nenhum dente, dezoito anos antes; lembrou-se dela caindo ao tentar dar os primeiros passos; lembrou-se da alegria que ela demonstrara quando Walden lhe dera um pônei e que fora a maior emoção da vida dele; lembrou-se, finalmente, de Charlotte poucas horas antes, encaminhando-se para a apresentação aos reis com a cabeça erguida, uma linda mulher adulta. Se ela morresse, pensou Walden, não sei se eu conseguiria suportar.

E Lydia... Se Lydia morrer, eu ficarei sozinho. O pensamento o fez se levantar e ir ao quarto da esposa. Havia uma luz fraca acesa ao lado da cama. Lydia estava num sono profundo, deitada de costas, a boca entreaberta, os cabelos louros espalhados no travesseiro. Parecia extremamente vulnerável. Nunca fui capaz de fazê-la compreender como a amo, pensou Walden. De repente, sentiu necessidade de tocá-la, de confirmar que ela estava quente e viva. Estendeu-se na cama a seu lado e beijou-a. Os lábios de Lydia retribuíram, mas ela não acordou. Eu não poderia viver sem você, Lydia, disse para si mesmo.

~

Lydia ficara acordada por um longo tempo, pensando no homem com o revólver. Fora um choque brutal, e ela gritara de puro terror, mas havia algo mais. Alguma coisa no homem – algo em sua atitude, em sua forma ou em suas roupas – lhe pareceu terrivelmente sinistra, como se ele fosse um fantasma. Ela gostaria de ter podido ver os olhos dele.

Depois de algum tempo, tomara outra dose de láudano e acabara adormecendo. Sonhou que o homem com o revólver entrava em seu quarto e deitava-se na cama com ela. Era sua cama, mas no sonho ela tinha novamente 18 anos. O homem pôs o revólver no travesseiro branco ao lado de sua cabeça. Ele ainda estava com o cachecol cobrindo o rosto. Ela compreendeu que o amava e beijou-lhe os lábios, através do pano.

Fizeram amor, e foi maravilhoso. Ela começou a pensar que talvez estivesse sonhando. Queria ver o rosto dele. Perguntou: Quem é você?, e uma voz respondeu: Stephen. Sabia que não podia ser, mas de alguma forma o revólver no travesseiro transformara-se na espada de seu marido, manchada de sangue. Lydia começou a ter dúvidas. Agarrou-se ao homem, com receio de que o sonho pudesse acabar antes que ela se satisfizesse. Depois, vagamente, começou a desconfiar de que estava fazendo na realidade o que estava acontecendo no sonho. Ainda assim, o sonho persistia. Ela foi dominada por um intenso prazer físico e começou a perder o controle. No momento em que atingiu o orgasmo, o homem no sonho tirou o cachecol do rosto. Foi então que Lydia abriu os olhos e deparou com o rosto de Stephen. Foi dominada pelo êxtase e pela primeira vez em dezenove anos gritou de prazer.

CAPÍTULO CINCO

CHARLOTTE AGUARDAVA O BAILE de debutante de Belinda com uma mistura de sentimentos. Jamais comparecera a um baile em Londres, embora tivesse participado de muitos no campo, vários deles em Walden Hall. Gostava de dançar e sabia que dançava muito bem, mas detestava o sistema de mercado de gado, em que as moças ficavam sentadas esperando que um rapaz as escolhesse e convidasse para uma dança. E se perguntava se isso não poderia ser feito de uma maneira mais civilizada.

Chegaram à casa de tio George e tia Clarissa, em Mayfair, às onze e meia da noite, que era o horário em que, segundo sua mãe, mais cedo se podia chegar decentemente a um baile em Londres. Um toldo listrado e um tapete vermelho estendiam-se da beira da calçada até o portão do jardim, que de alguma maneira fora transformado numa arcada triunfal romana.

Mas nem mesmo isso preparou Charlotte para o que ela viu quando passou pela arcada. O jardim inteiro fora transformado num átrio romano. Olhou ao redor, aturdida. Os gramados e canteiros de flores tinham sido cobertos por uma pista de dança de madeira, com quadrados pretos e brancos pintados, imitando placas de mármore. Colunas brancas com correntes de louros ligando umas às outras margeavam a pista de dança. Além das colunas, em uma espécie de claustro havia bancos armados para os espectadores. No meio da pista uma fonte – um menino com um golfinho – derramava água em uma banheira de mármore iluminada por lâmpadas coloridas. Na varanda de um quarto do segundo andar estava instalada uma banda de música, tocando ragtime. Grinaldas de rosas decoravam as paredes, cestos de begônias pendiam da varanda. Um imenso toldo de lona pintado de azul-celeste cobria toda a área, do beiral do telhado ao muro do jardim.

– É um milagre! – exclamou Charlotte.

Walden comentou com o irmão:

– Uma multidão e tanto, George.

– Convidamos oitocentas pessoas. Que diabo aconteceu com vocês no parque?

– Ah, não foi tão terrível quanto está parecendo – respondeu Walden, com um sorriso forçado, pegando o irmão pelo braço e levando-o para um lado, a fim de conversarem.

Charlotte contemplou os convidados. Todos os homens estavam vestidos a rigor, de gravata branca, colete da mesma cor e fraque. O traje ficava particularmente bem nos jovens, ou ao menos nos homens esguios, pensou Charlotte; fazia com que parecessem mais impetuosos enquanto dançavam. Observando os vestidos, concluiu que o seu e o da mãe, embora de bom gosto, eram um tanto antiquados, com as cinturas finas, franzidos e babados. Tia Clarissa usava um vestido comprido, a saia quase apertada demais para dançar. Belinda usava uma calça larga.

Charlotte constatou que não conhecia ninguém. Quem vai dançar comigo, pensou, além de papai e tio George? Mas o irmão mais novo de tia Clarissa, Jonathan, tirou-a para dançar e em seguida a apresentou a três rapazes, colegas seus de Oxford, e ela dançou com eles também. Charlotte, porém, achou a conversa dos jovens monótona demais. Todos eles limitaram-se a comentar que a pista de dança estava muito boa e que a orquestra, de Gottlieb, também era ótima, e depois o assunto morreu. Charlotte bem que tentou aprofundar a conversa.

– Acha que as mulheres deveriam votar? – perguntou.

Mas as respostas foram desanimadoras:

– Claro que não.

Ou então:

– Não tenho opinião a respeito.

E ainda:

– Você não é uma *delas*, não é mesmo?

O último, um rapaz chamado Freddie, levou-a ao interior da casa para a ceia. Era um jovem educado, com feições agradáveis – até mesmo bonito, pensou Charlotte – e cabelos louros. Estava no final do primeiro ano em Oxford. Gostava da universidade, mas confessou que não lia muitos livros e talvez não voltasse para lá em outubro.

O interior da casa estava enfeitado com flores e iluminado por lâmpadas elétricas. Para o jantar havia sopas quentes e frias, lagosta, perdiz, morangos, pêssegos e sorvetes.

– A mesma comida de sempre – comentou Freddie. – Todos usam o mesmo bufê.

– Você costuma ir a muitos bailes? – perguntou Charlotte.

– Infelizmente, sim. Para ser franco, vou a todos os bailes da temporada.

Charlotte tomou uma taça de champanhe, na esperança de que isso a deixasse mais alegre, então largou Freddie e vagou por diversos salões do lugar. Num deles havia várias partidas de bridge em andamento. Em outro, duas duquesas idosas estavam cercadas de pessoas. Num terceiro, homens mais velhos jogavam bilhar, enquanto outros mais jovens fumavam. Charlotte encontrou Belinda nesse cômodo, com um cigarro na mão. Charlotte nunca entendera o atrativo de fumar, a menos que a pessoa quisesse parecer sofisticada. E Belinda certamente parecia sofisticada.

– Adorei o seu vestido – comentou Belinda.

– Não adorou, não. Mas *você* está sensacional. Como convenceu sua madrasta a deixá-la se vestir assim?

– Ela bem que gostaria de se vestir como eu!

– Ela parece muito mais jovem do que mamãe. E, na verdade, ela é, mesmo.

– E ser uma madrasta faz uma grande diferença. O que aconteceu com você ontem à noite quando saiu do palácio?

– Ah, foi sensacional! Um doido apontou um revólver para nós!

– Sua mãe me contou. Você não ficou apavorada?

– Estava ocupada demais tentando acalmar mamãe. Só depois é que fiquei aterrorizada. Por que você disse, no palácio, que precisava ter uma longa conversa comigo?

– Ah, sim! – Belinda levou Charlotte para um lado, longe dos rapazes. – Descobri como eles saem.

– Eles quem?

– Os bebês.

– Ah! – Charlotte estava agora totalmente atenta. – Vamos, conte logo.

– Eles saem entre as pernas, por onde fazemos xixi – falou Belinda, baixando a voz.

– Mas é muito pequeno!

– Estica.

Que coisa horrível, pensou Charlotte.

– Mas não é só isso – acrescentou Belinda. – Descobri como os bebês são feitos.

– Como?

Belinda pegou a prima pelo cotovelo e levou-a para o outro lado da sala. Pararam diante de um espelho enfeitado com rosas. A voz de Belinda se transformou quase em um sussurro:

– Quando você se casar, você sabe que terá que ir para a cama com o seu marido, certo?

– É mesmo?

– É.

– Papai e mamãe dormem em quartos separados.

– Mas os quartos não são contíguos?

– São.

– E são dessa forma para eles poderem ficar juntos na mesma cama.

– Por quê?

– Porque, para formar um bebê, o marido tem que pôr a sua coisa naquele lugar... por onde os bebês saem.

– Que coisa?

– Shhh! A coisa que os homens têm entre as pernas... Nunca viu nenhuma ilustração do *Davi*, de Michelangelo?

– Não.

– Pois é uma coisa para fazer xixi. Parece um dedo.

– E isso é necessário para fazer bebês?

– É.

– Que coisa horrível. Quem lhe contou tudo isso?

– Viola Pontadarvy. Ela jurou que é verdade.

De alguma forma, Charlotte sabia que era mesmo verdade. Ouvir o que Belinda dissera tinha sido como se lembrar de algo que esquecera. Inexplicavelmente, parecia fazer sentido. Contudo, estava chocada. Era a mesma sensação ligeiramente nauseante que às vezes experimentava em sonhos, quando uma terrível suspeita era confirmada ou quando tinha medo de cair e de repente descobria que *estava* caindo.

– Fico contente que você tenha descoberto – murmurou ela. – Se alguém se casasse sem saber... seria muito constrangedor!

– Aparentemente é o que acontece com algumas garotas – disse Belinda. – A mãe sempre deve explicar tudo na noite anterior ao casamento. Mas se a mãe é inibida demais, a jovem só descobre... quando está acontecendo.

– Obrigada, Deus, por Viola Pontadarvy. – Um súbito pensamento ocorreu a Charlotte. – Tudo isso tem alguma relação com... sangrar, você sabe, todos os meses?

– Não sei.

– Imagino que tenha. Está tudo relacionado. Todas as coisas de que as pessoas não falam. Mas agora sabemos por que não falam: é nojento.

– A coisa que você tem que fazer na cama é chamada de intercurso sexual. Mas Viola disse que as pessoas vulgares chamam de fornicar.

– Ela sabe de uma porção de coisas.

– Viola tem irmãos. Eles lhe contaram há anos.

– E como descobriram?

– Com os colegas mais velhos na escola. Os rapazes estão sempre interessados nessas coisas.

– Bem, é preciso ter uma fascinação meio mórbida.

De repente, Charlotte percebeu pelo espelho a aproximação de tia Clarissa.

– O que vocês duas estão fazendo aí no canto? – perguntou a tia. Charlotte corou, mas aparentemente tia Clarissa não queria uma resposta, pois logo acrescentou: – Por favor, Belinda, trate de circular entre os convidados... é a sua festa.

Então ela se afastou e as duas jovens passaram a andar pelos salões de recepção. As entradas para os salões tinham sido construídas de modo a formar um círculo, tornando possível terminar a ronda no mesmo ponto onde se tinha começado, ao pé da escada.

– Acho que eu nunca teria coragem de fazer uma coisa dessa – disse Charlotte.

– Tem certeza? – perguntou Belinda, com um olhar estranho.

– O que quer dizer?

– Não sei. Tenho pensado muito nisso. Acho que pode ser bastante agradável.

Charlotte a encarou, e Belinda ficou envergonhada.

– Preciso ir dançar um pouco – murmurou ela. – Vejo-a mais tarde.

Ela desceu a escada. Charlotte ficou observando-a, imaginando que outros segredos chocantes a vida tinha a revelar.

Em seguida, voltou ao salão de jantar e serviu-se de outra taça de champanhe. Era uma maneira muito esquisita de a raça humana perpetuar-se, pensou. Imaginou que os animais deviam fazer algo parecido. E os pássaros? Não, os pássaros punham ovos. E que palavra mais estranha! *Fornicar*... Todas aquelas centenas de pessoas elegantes e refinadas ao seu redor conheciam palavras assim, mas jamais as mencionavam. E como nunca eram mencionadas, tais palavras se tornavam embaraçosas. E, por serem embaraçosas, nunca eram mencionadas. Havia algo *absurdo* em tudo aquilo. Se o Criador ordenara que as pessoas deviam fornicar, por que fingir que isso não acontecia?

Charlotte terminou de tomar o champanhe e foi para a pista de dança. O pai e a mãe estavam dançando uma polca, e muito bem. A mãe superara o incidente no parque, mas o atentado ainda preocupava o pai. Ele estava muito bem de gravata branca e fraque. Não costumava dançar quando a perna incomodava, mas era evidente que não estava sentindo dor alguma esta noite. Era surpreendentemente ágil para um homem tão grande. Sua mãe parecia estar se divertindo muitíssimo. Ela conseguia se soltar um pouco quando dançava – seu comportamento reservado de sempre se desvanecia e ela sorria de forma radiante, deixando os tornozelos aparecerem.

Quando a polca terminou, Walden viu Charlotte e se aproximou.

– Pode conceder-me a honra desta dança, lady Charlotte?

– Claro, milorde.

Era uma valsa. O pai parecia distraído, mas girava de forma experiente pela pista. Charlotte imaginava se estaria tão radiante quanto a mãe. Provavelmente não. De repente, pensou no pai e na mãe fornicando e descobriu que a ideia era terrivelmente constrangedora.

– Está gostando do seu primeiro grande baile? – perguntou o pai.

– Estou, obrigada.

– Parece pensativa.

– Estou ótima.

As luzes e cores brilhantes tornaram-se ligeiramente misturadas e Charlotte teve que se concentrar para manter a postura. Estava com medo de cair e parecer uma tola. O pai sentiu que ela estava meio trôpega e segurou-a com mais firmeza. A dança terminou um momento depois. O pai levou-a para fora da pista e perguntou:

– Está se sentindo bem?

– Sim, mas senti uma vertigem súbita.

– Andou fumando?

Charlotte riu.

– Claro que não.

– Costuma ser esse o motivo para as moças sentirem vertigens nos bailes. Aceite o meu conselho: quando quiser experimentar cigarros, faça-o em particular.

– Acho que não quero experimentar.

Charlotte ficou sentada durante a dança seguinte. Depois, Freddie tornou a aparecer. Enquanto dançava com ele, ocorreu-lhe que todos os rapazes e moças, inclusive ela e Freddie, deviam estar procurando uma esposa ou um marido durante a temporada, especialmente em bailes como aquele. Pela primeira vez, pensou em Freddie como um possível marido para si mesma. Era inconcebível.

Então que tipo de marido eu quero?, perguntou-se. Não tinha a menor ideia.

– Jonathan disse apenas “Freddie, esta é Charlotte” – falou ele. – Mas imagino que você seja chamada de lady Charlotte Walden.

– Sim. E você?

– Sou o marquês de Chalfont.

Então somos socialmente compatíveis, pensou Charlotte. Pouco depois, os dois começaram a conversar com Belinda e os amigos de Freddie. Falaram sobre uma nova peça chamada *Pigmalião*, que todos diziam ser engraçadíssima, mas também muito vulgar. Os rapazes falaram em ir assistir a uma luta de boxe, e Belinda comentou que também gostaria de ir, mas todos afirmaram que isso era inadmissível. Então passaram a falar sobre jazz. Um dos jovens era uma espécie de conhecedor, tendo vivido por algum tempo nos Estados Unidos. Mas Freddie não gostava desse tipo de música e preferiu falar, um tanto pomposamente, sobre a “negrificação da sociedade”. Todos tomaram café e Belinda fumou outro cigarro. Charlotte estava começando a se divertir.

Foi a mãe de Charlotte quem apareceu de repente e dispersou o grupo.

– Seu pai e eu estamos indo embora – disse. – Devemos mandar a carruagem buscá-la mais tarde?

Charlotte percebeu que estava bastante cansada.

– Não, eu vou com vocês. Que horas são?

– Quatro horas.

Elas foram buscar seus xales, e Lydia perguntou:

– Você se divertiu?

– Bastante. Obrigada, mamãe.

– Também me diverti. Quem eram aqueles rapazes?

– Eles conhecem Jonathan.

– Eram simpáticos?

– A conversa ficou bastante interessante, no final.

O pai já chamara a carruagem. Enquanto se afastavam das luzes brilhantes da festa, Charlotte lembrou o que acontecera na última vez em que saíram de uma festa e ficou imediatamente amedrontada.

O pai segurava a mão da mãe. Eles pareciam felizes. Charlotte sentiu-se excluída. Olhou pela janela. À claridade do amanhecer, viu quatro homens de chapéu de seda andando pela Park Lane, voltando para casa, talvez de algum clube noturno. Quando a carruagem contornou a Hyde Park Corner, Charlotte notou algo estranho.

– O que é aquilo?

A mãe olhou.
– Aquilo o quê, querida?
– Na calçada. Parece que são pessoas.
– E são mesmo.
– O que estão fazendo?
– Dormindo.
Charlotte ficou horrorizada. Havia umas dez pessoas encostadas num muro, envoltas por casacos, mantas e jornais. Ela não tinha como saber se eram homens ou mulheres, mas alguns dos volumes eram pequenos o suficiente para serem crianças.
– Por que essas pessoas estão dormindo aqui?
– Não sei, querida – respondeu a mãe.
– Porque elas não têm outro lugar onde dormir – falou o pai.
– Não têm casas?
– Não.
– Eu não sabia que havia pessoas tão pobres – murmurou Charlotte. – Que coisa horrível.
Ela pensou em todos os cômodos da casa de tio George, no jantar para oitocentas pessoas que já haviam comido, nos vestidos requintados que mudavam a cada temporada, enquanto havia pessoas que dormiam sob jornais.
– Nós devíamos fazer alguma coisa por essas pessoas – disse ela.
– Nós? – falou o pai. – O que *nós* deveríamos fazer?
– Construir casas para elas.
– Para todas?
– Quantas são?
O pai deu de ombros.
– Milhares.
– Milhares? Mas pensei que fossem apenas essas! – Charlotte estava arrasada. – O senhor não poderia construir casas pequenas?
– Não há lucro na construção de casas, especialmente desse tipo.
– Talvez o senhor devesse construí-las assim mesmo.
– Por quê?
– Porque os fortes devem cuidar dos fracos. Ouvi o senhor dizer isso ao Sr. Samson.
Samson era o intendente de Walden Hall e estava sempre tentando poupar dinheiro nos consertos dos chalés dos inquilinos.

– Já tomamos conta de uma porção de pessoas. Todos os criados cujos salários pagamos, todos os inquilinos que cultivam nossas terras e vivem em nossos chalés, todos os trabalhadores nas empresas em que investimos, todos os funcionários do governo que são pagos com nossos impostos...

– Não acho que isso seja uma desculpa – interrompeu Charlotte. – Aquelas pobres pessoas estão dormindo na rua. O que vão fazer no inverno?

– Seu pai não precisa de desculpas. Ele nasceu um aristocrata e administra com cuidado suas propriedades. Tem direito à riqueza. Aquelas pessoas na calçada são preguiçosas, criminosas, bêbadas, imprestáveis – disse a mãe, bruscamente.

– Até mesmo as crianças?

– Não seja impertinente. Lembre-se de que ainda tem muita coisa a aprender.

– Estou começando a perceber quanto...

Enquanto a carruagem entrava no pátio da casa, Charlotte vislumbrou uma pessoa dormindo ao lado do portão. Resolveu que daria uma olhada mais de perto.

A carruagem parou junto da porta da frente. Charles auxiliou Lydia a descer, e depois ajudou Charlotte. Ela saiu correndo pelo pátio enquanto William fechava o portão.

– Espere um instante! – gritou Charlotte.

Ela ouviu o pai dizer:

– Mas o que diabo...

Charlotte correu para a rua.

A pessoa que dormia ao lado do portão era uma mulher. Estava encolhida na calçada, os ombros encostados no muro. Usava botas de homem, meias de lã, um casaco azul sujo e um chapéu muito grande, antiquado, com um ramo de flores artificiais na aba. A cabeça estava meio caída para o lado, o rosto virado na direção de Charlotte.

Havia algo familiar no rosto redondo e na boca larga. A mulher era jovem... Charlotte gritou:

– Annie!

A mulher abriu os olhos.

Charlotte encarou-a horrorizada. Dois meses antes, Annie era uma criada em Walden Hall e usava um uniforme engomado impecável, com um chapeuzinho branco. Era uma moça bonita, de seios fartos e uma risada exuberante.

– Annie, o que aconteceu com você?

A mulher fez um esforço para se levantar e inclinou-se numa reverência patética.

– Ah, lady Charlotte, eu estava mesmo esperando tornar a vê-la. Sempre foi boa para mim. Eu não tinha outro lugar aonde ir...

– Mas como ficou assim?

– Fui despedida, milady, sem uma carta de recomendação, quando descobriram que estava esperando um bebê. Sei que agi errado...

– Mas você não é casada!

– Estava namorando Jimmy, o ajudante de jardineiro...

Charlotte lembrou-se das revelações de Belinda e compreendeu que, se tudo era verdade, então era bem possível que as moças tivessem filhos sem serem casadas.

– Onde está o bebê?

– Perdi.

– *Perdeu?*

– Quero dizer, o bebê chegou cedo demais, milady. Nasceu morto.

– Mas que coisa horrível. – Era mais uma informação que Charlotte desconhecia. – E por que Jimmy não está com você?

– Ele fugiu para o mar. Sei que me amava, mas estava amedrontado demais para se casar. Tinha apenas 17 anos...

Annie começou a chorar.

Charlotte ouviu a voz do pai:

– Volte aqui imediatamente, Charlotte!

Ela se virou para ele. Walden estava parado no portão, de traje a rigor, com o chapéu de seda na mão. De súbito, Charlotte viu-o como um velho presunçoso e cruel.

– Esta é uma das criadas de que o senhor cuida tão bem – disse.

O pai olhou para a moça.

– Annie! Mas o que aconteceu?

– Jimmy fugiu, milorde. Não pude me casar e não consegui arrumar outro emprego porque o senhor não me deu uma carta de recomendação. Estava envergonhada demais para voltar para casa. Por isso vim para Londres e...

– Veio a Londres para mendigar – disse ele, asperamente.

– Papai! – gritou Charlotte.

– Você não compreende, Charlotte...

– Compreendo muito bem.

Lydia se aproximou.
– Afaste-se dessa criatura, Charlotte!
– Não é uma *criatura*, mamãe. É Annie.
– Annie! – gritou Lydia, com a voz estridente. – Ela é uma mulher caída em desgraça!
– Já chega – disse Walden. – Esta família não mantém discussões na rua. Vamos entrar agora.
Charlotte passou um braço pelos ombros de Annie.
– Ela precisa de um banho, de roupas novas e uma refeição quente.
– Não seja ridícula! – exclamou a mãe.
A visão de Annie parecia tê-la deixado quase histérica.
– Está bem – disse Walden. – Leve-a para a cozinha. As criadas já devem estar de pé. Diga-lhes para cuidarem dela. E depois vá falar comigo, na sala de estar.
– Isso é um absurdo, Stephen... – protestou a mãe.
– *Vamos entrar!*
As mulheres obedeceram.
Charlotte levou Annie para a cozinha. Uma arrumadeira estava varrendo o aposento e uma copeira cortava bacon para o café da manhã. Passava um pouco das cinco horas. Charlotte não sabia que elas começavam a trabalhar tão cedo. As duas criadas fitaram-na aturdidas quando entrou, em vestido de baile, com Annie a seu lado.
– Esta é Annie – disse Charlotte. – Ela trabalhava em Walden Hall. Teve um pouco de azar, mas é uma boa moça. Precisa de um banho. Arrumem roupas limpas para ela e queimem estas. Depois, sirvam-lhe alguma coisa para comer.
Por um momento, as duas criadas continuaram tão atônitas que não reagiram. Mas, finalmente, a copeira balbuciou:
– Está bem, milady.
– Eu a verei mais tarde, Annie – falou Charlotte.
Annie pegou o braço dela.
– Muito obrigada, milady.
Charlotte saiu.
Agora vai haver encrenca, pensou, enquanto subia a escada. Não se importava tanto quanto deveria. Tinha a sensação de que os pais a haviam traído. De que valiam tantos anos de educação quando numa única noite descobria que não lhe haviam sido ensinadas as coisas mais importantes?

Claro que falavam em preservar as jovens, mas Charlotte achava que enganar era um termo mais apropriado. Quando pensava em como fora ignorante até aquela noite, sentia-se extremamente tola. E isso a deixava furiosa.

Entrou na sala de estar.

O pai estava de pé ao lado da lareira, segurando um copo. A mãe encontrava-se sentada ao piano, tocando alguns acordes, com uma expressão angustiada. Haviam aberto as cortinas. O aposento parecia estranho pela manhã, com as pontas dos charutos do dia anterior nos cinzeiros e a luz fria do amanhecer definindo todas as coisas. Era uma sala para ser usada à noite, com luz artificial, fervor, bebidas e criados, e com uma multidão de pessoas em trajes formais.

Agora tudo parecia diferente.

– E agora, vamos conversar, Charlotte – disse o pai. – Você não compreende que tipo de mulher Annie é. Nós a despedimos por um motivo. Ela fez uma coisa muito errada que não posso lhe explicar...

– Sei o que Annie fez – falou Charlotte, sentando-se. – E sei com quem ela fez. Um ajudante de jardineiro chamado Jimmy.

A mãe soltou um arquejo.

– Não acredito que você saiba do que está falando – disse o pai.

– E se eu não tiver, de quem é a culpa? – explodiu Charlotte. – Como pude chegar aos 18 anos sem saber que algumas pessoas são tão pobres que dormem na rua, que criadas que estão esperando bebês são despedidas e que... que os homens não são iguais às mulheres? Não fique parado aí me dizendo que não compreendo essas coisas e que ainda tenho muito o que aprender! Passei a vida inteira aprendendo e agora descubro que a maioria das coisas que aprendi era mentira! Como puderam fazer uma coisa dessas comigo? Como?

Ela desatou a chorar, odiando a si mesma por perder o controle. Ouviu a mãe dizer:

– Mas isso é um absurdo!

Walden sentou-se ao lado dela e pegou sua mão.

– Lamento que você se sinta assim, Charlotte. Todas as moças são mantidas na ignorância em relação a determinadas coisas. E isso é feito para o próprio bem delas. Nós nunca mentimos para você. Se não lhe contamos como o mundo é cruel e brutal, foi apenas porque queríamos que desfrutasse sua infância o máximo possível. Talvez tenhamos cometido um erro agindo dessa forma.

– Queríamos evitar que passasse pelo mesmo problema que Annie teve! – exclamou a mãe, bruscamente.

– Eu não colocaria as coisas dessa forma – retrucou o pai, com a voz branda.

A raiva de Charlotte se desvaneceu. Sentia-se de novo como uma criança. Tinha vontade de encostar a cabeça no ombro do pai, mas o orgulho não lhe permitia.

– Vamos nos perdoar e ser amigos outra vez? – propôs Walden.

Uma ideia que se estava formando na mente de Charlotte desabrochou naquele momento, e ela falou sem pensar:

– Posso ficar com Annie como minha criada pessoal?

– Bem... – murmurou ele.

– Nem pensar! – gritou a mãe, histericamente. – Isso está fora de questão! É inadmissível que uma moça de 18 anos, filha de um conde, tenha uma mulher promíscua como criada! Não, de jeito nenhum!

– Então o que ela vai fazer? – perguntou Charlotte, calmamente.

– Ela deveria ter pensado nisso quando... Ela deveria ter pensado nisso antes.

– Charlotte, não podemos ter uma mulher de caráter infame vivendo nesta casa – disse o pai. – Mesmo que eu permitisse, os criados ficariam escandalizados. E metade iria embora. Já vamos ouvir comentários só porque permitimos que ela entrasse na cozinha. Entenda, não somos apenas sua mãe e eu que repelimos esse tipo de gente. É toda a sociedade...

– Então vou comprar uma casa para ela – declarou Charlotte. – E vou lhe dar uma mesada e ser amiga dela.

– Você não tem dinheiro – lembrou a mãe.

– Meu avô russo me deixou algum dinheiro.

– Mas o dinheiro está sob a minha guarda até você completar 21 anos – disse o pai. – E não permitirei que seja usado para esse propósito.

– Então o que vai ser feito dela? – perguntou Charlotte, desesperada.

– Farei um acordo com você – propôs Walden. – Darei dinheiro a Annie para arrumar um lugar decente para morar e lhe arrumarei emprego numa fábrica.

– E qual seria a minha parte no acordo?

– Deve prometer que nunca mais tentará entrar em contato com ela.

Charlotte sentia-se muito cansada. O pai tinha todas as respostas. Não podia mais continuar a discutir e não tinha capacidade de insistir. Acabou suspirando.

– Está bem.

– Boa menina. Sugiro agora que vá falar com Annie, informe o que será feito e depois se despeça dela.

– Não sei se poderei encará-la.

O pai deu-lhe tapinhas carinhosos na mão.

– Vai ver como ela ficará profundamente grata. Vá se deitar depois de falar com ela. Eu cuidarei dos detalhes.

Charlotte não sabia se ganhara ou perdera, se o pai estava sendo cruel ou generoso, se Annie deveria sentir-se salva ou desprezada.

– Está certo – murmurou ela, extenuada.

Queria dizer ao pai que o amava, mas as palavras não saíram. Depois de um momento, levantou-se e saiu da sala.

~

No dia seguinte ao fracasso do seu plano, Feliks foi acordado ao meio-dia por Bridget. Sentia-se muito fraco. Ela estava parada ao lado da cama, com uma xícara grande na mão. Feliks sentou-se e pegou a xícara. A bebida estava deliciosa. Parecia ser leite quente, açúcar, manteiga derretida e pedaços de pão. Enquanto ele bebia, Bridget andava pelo quarto arrumando as coisas e entoando uma canção sentimental sobre rapazes que morriam pela Irlanda.

Ela se retirou e voltou pouco depois com outra irlandesa, de sua idade, que era enfermeira. A mulher deu alguns pontos na mão de Feliks e fez um curativo no ferimento do ombro. Ele entendeu, pela conversa, que era ela quem fazia os abortos no bairro. Bridget contou à mulher que Feliks se envolvera numa briga num pub. Ela cobrou 1 xelim pela visita e disse:

– Você não vai morrer. Se tivesse cuidado imediatamente dos ferimentos, não teria perdido tanto sangue. Agora vai se sentir fraco por alguns dias.

Depois que ela se foi, Bridget continuou no quarto, conversando com ele. Era uma mulher corpulenta, jovial, beirando os 60 anos. O marido se metera em alguma encrenca na Irlanda e eles fugiram para Londres em busca de anonimato, e lá ele acabara morrendo de tanto beber. Ela tinha dois filhos, que eram policiais em Nova York, e uma filha, que trabalhava em Belfast. Havia um vestígio de amargura nela que transparecia em comentários ocasionais e sarcásticos, em geral à custa dos ingleses.

Enquanto ela explicava por que a Irlanda devia ter autonomia política,

Feliks pegou no sono. Bridget o acordou ao cair da noite e lhe serviu uma sopa quente.

No dia seguinte, os ferimentos físicos começaram a cicatrizar, e Feliks passou a sentir a dor dos ferimentos emocionais. Todo o desespero e a autocensura que experimentara no parque, enquanto fugia, voltaram. Ele fugira! Como isso podia ter acontecido?

Lydia.

Ela era, agora, lady Walden.

Sentiu-se nauseado.

Fez um esforço para pensar clara e friamente. Soubera que ela se casara e fora para a Inglaterra. Obviamente o homem a quem ela se unira só podia ser um aristocrata e ter um forte interesse na Rússia. Também era óbvio que o homem que negociaria com Orlov seria um membro do establishment e um especialista em assuntos russos. Eu não poderia adivinhar que fosse ser o mesmo homem, pensou Feliks, mas devia ter considerado a possibilidade.

A coincidência não era tão extraordinária quanto parecera, mas nem por isso fora menos devastadora. Por duas vezes em sua vida, Feliks fora total, cega e delirantemente feliz. Na primeira ocasião tinha 4 anos – antes de sua mãe morrer – e ganhara uma bola vermelha. Na segunda, Lydia se apaixonara por ele. Mas a bola vermelha nunca lhe fora tomada.

Não podia imaginar felicidade maior do que a que experimentara com Lydia, nem uma decepção tão terrível como a que se seguiu. Desde então, Feliks não tivera altos e baixos na vida emocional. Depois que ela fora embora, ele começara a vagar sem rumo pelos campos da Rússia, vestido como um monge e pregando o evangelho anarquista. Dizia aos camponeses que a terra lhes pertencia, pois eram eles que a cultivavam; que a madeira na floresta pertencia a quem quer que derrubasse uma árvore; que ninguém tinha o direito de governá-los senão eles próprios; e, como o autogoverno não era governo, era chamado de anarquia. Era um pregador maravilhoso e fez muitos amigos, mas nunca mais tornara a se apaixonar e esperava que isso nunca mais acontecesse.

A fase de pregação terminara em 1899, durante a greve estudantil nacional, quando fora preso como agitador e enviado para a Sibéria. Os anos de andanças haviam-no imunizado contra o frio, a fome e a dor. No entanto, ao trabalhar preso a uma corrente, usando ferramentas de madeira para extrair ouro de uma mina, obrigado a continuar mesmo depois que o homem acorrentado a seu lado caíra morto, vendo crianças e mulheres serem açoitadas, Feliks passara a conhecer as trevas, a amargura, o desespero e, finalmente, o ódio. Na Sibéria, aprendera muito sobre a vida: roube ou passe fome, esconda-se ou seja espancado, lute ou morra. Lá, adquirira astúcia e brutalidade e passara a conhecer a suprema verdade sobre a opressão: que ela funciona quando se jogam as vítimas umas contra as outras em vez de jogá-las contra os opressores.

Fugira e iniciara a longa viagem para a loucura, que terminara quando matara o guarda, nos arredores de Omsk, e compreendera que não sentia mais medo.

Voltara à civilização como um revolucionário vigoroso e implacável. Parecia-lhe incrível que já tivesse sentido escrúpulos em lançar bombas contra os nobres que mantinham as minas siberianas de condenados. Sentia-se enfurecido pelos pogroms contra os judeus apoiados pelo governo no oeste e sul da Rússia. Ficara consternado com as brigas entre bolcheviques e mencheviques no segundo congresso do Partido Social Democrata. Sentiu-se inspirado por uma revista que vinha de Genebra, chamada *Pão e Liberdade*, com a citação de Bakunin na manchete: "O desejo de destruir também é um desejo criativo." Finalmente, odiando o governo, desencantado com os socialistas e convencido pelos anarquistas, fora para uma cidade industrial chamada Bialystock e fundara um grupo revolucionário chamado de Luta.

Haviam sido seus anos de glória. Jamais esqueceria o jovem Nisan Farber, que esfaqueara o dono de um moinho industrial na frente da sinagoga no Dia da Expiação. O próprio Feliks atirara no chefe de polícia. Depois, levara o Luta para São Petersburgo, onde fundara outro grupo também anarquista, Os Desautorizados, e planejara o assassinato bem-sucedido do grão-duque Sergei. Naquele ano, 1905, houve em São Petersburgo muitos assassinatos políticos, assaltos a bancos, greves e motins. A revolução parecia iminente. Então viera a repressão – mais forte, mais eficiente e muito mais sangrenta do que os revolucionários jamais haviam sido. A polícia secreta aparecia no meio da noite nas casas dos Desautorizados. Todos foram presos, à exceção de Feliks, que matara um guarda e aleijara outro, e fugira para a Suíça. Àquela altura, ninguém poderia detê-lo – ele era um homem totalmente determinado, poderoso, furioso e implacável.

Em todos aqueles anos, e mesmo nos anos tranquilos que se seguiram na Suíça, Feliks nunca amara ninguém. Houve pessoas a quem se afeiçoara: um cuidador de porcos na Geórgia, um velho judeu que fabricava bombas em Bialystock, Ulrich em Genebra... Mas todos tendiam a sair de sua vida em algum momento. Houve mulheres também. Muitas percebiam sua natureza violenta e afastavam-se, mas aquelas que se sentiam atraídas achavam-no irresistível. Ele cedera à tentação algumas vezes e sempre ficara mais ou menos desapontado. Os pais estavam mortos e Feliks não via a irmã havia mais de vinte anos. Olhando para trás, percebia que sua vida, desde Lydia, deslizara lentamente para a perda da sensibilidade. Sobrevivera por se tornar cada vez menos sensível, por meio das experiências de prisão, tortura, grilhões, a longa e brutal fuga da Sibéria. Não se importava mais com nada, nem consigo mesmo. E chegara à conclusão de que era esse o significado da ausência de medo, pois só se tem ter medo quando se é apegado a alguma coisa ou a alguém.

Ele gostava das coisas assim.

Seu amor não era pelas pessoas, mas pelo povo. Tinha compaixão pelos camponeses famintos em geral, as crianças doentes, soldados apavorados e mineiros aleijados. Não odiava ninguém em particular, apenas todos os príncipes, todos os donos de terras, todos os capitalistas e todos os generais.

Ao renunciar à sua personalidade por uma causa maior, sabia que era como um sacerdote, mais especificamente como um sacerdote em particular: seu próprio pai. Não se sentia mais diminuído por essa comparação. Respeitava o desprendimento do pai, mas desprezava a causa a que servira. Ele, Feliks, escolhera a causa certa. Sua vida não seria desperdiçada.

Era esse o Feliks que se formara ao longo dos anos, à medida que a personalidade amadurecida emergia da espontaneidade da juventude. O mais terrível no grito de Lydia, pensou, fora a recordação de que poderia ter existido um Feliks diferente, um homem afetuoso e apaixonado, um homem sexual, um homem capaz de sentir ciúme, ganância, vaidade e medo. Será que eu preferiria ser esse homem?, perguntou a si mesmo. Esse homem passaria muito tempo contemplando os imensos olhos acinzentados de Lydia, acariciando seus cabelos louros, vendo-a morrer de rir enquanto ele tentava aprender a assoviar, discutindo Tolstói com ela, comendo pão preto e arenque defumado em sua companhia, observando-a franzir a testa ao experimentar o primeiro gole de vodca. Esse homem seria *alegre*.

E também seria *preocupado*. Perguntava-se se Lydia era feliz. Hesitaria em puxar o gatilho com medo de que ela pudesse ser atingida por um ricochete. Podia ficar relutante em matar seu sobrinho, pois ela poderia gostar do rapaz. Esse homem seria um revolucionário medíocre.

Não, pensou, ao ir dormir naquela noite, eu não gostaria de ser esse homem. Ele nem mesmo é perigoso.

Durante a noite, sonhou que atirara em Lydia, mas, quando acordou, não conseguiu lembrar se isso o deixara triste.

Saiu no terceiro dia. Bridget deu-lhe uma camisa e um casaco que haviam pertencido a seu marido. Não serviram direito, porque o homem tinha sido mais baixo e mais largo que Feliks. A calça e os sapatos de Feliks ainda estavam em condições de serem usados, e Bridget lavara todo o sangue.

Ele consertou a bicicleta, que ficara avariada quando a largara nos degraus. Endireitou um pedal entortado, remendou um pneu furado e grudou o couro do selim. Então montou e pedalou por algumas centenas de metros, mas logo compreendeu que não estava forte o bastante para ir muito longe e começou a andar.

Era um glorioso dia de sol. Numa barraca de roupas usadas em Mornington Crescent, deu meio *penny* e mais o casaco do marido de Bridget por um casaco mais leve, que lhe servia melhor. Sentia-se estranhamente feliz andando pelas ruas de Londres num dia de verão. Não tenho motivo para estar feliz, pensou; meu plano de assassinato, tão inteligente, bem-planejado e ousado, deu errado porque uma mulher gritou e um homem de meia-idade sacou uma espada. Que coisa lamentável!

Concluiu que fora Bridget quem o reanimara. Ela entendera que ele estava metido numa encrenca e o ajudara sem pensar duas vezes. E isso o fez se lembrar da generosidade do povo em cujo nome disparava revólveres, arremessava bombas e era atingido por uma espada. Pensar nisso lhe deu forças.

Foi até o St. James Park e ocupou o posto já familiar diante da casa dos Waldens. Observou a alvenaria branca e as janelas altas e elegantes. Pode me derrubar, pensou ele, mas não pode me liquidar; se soubesse que estou aqui novamente, começaria a tremer em seus sapatos de couro envernizado.

Acomodou-se para vigiar. O problema com uma ação fracassada era que deixava a potencial vítima de sobreaviso. Agora seria muito mais difícil matar Orlov, porque ele tomaria precauções. Mas Feliks descobriria quais eram essas precauções e daria um jeito de contorná-las.

A carruagem saiu às onze horas, e Feliks teve a impressão de avistar por detrás do vidro uma barba pontuda e uma cartola: Walden. A carruagem voltou à uma da tarde. Tornou a sair às três, e dessa vez ele viu um chapéu feminino, que provavelmente pertencia a Lydia. Ou talvez à filha. Quem quer que fosse, voltou às cinco. À noite, apareceram diversos convidados e a família aparentemente jantou em casa. Não havia o menor sinal de Orlov. Parecia que ele deixara a casa.

Mas hei de encontrá-lo, pensou Feliks.

Comprou um jornal na volta para Camden Town. Quando chegou em casa, Bridget ofereceu-lhe um chá e ele pôde, assim, ler o jornal na sala dela. Não havia qualquer notícia a respeito de Orlov no noticiário da corte ou nas colunas sociais.

Bridget viu o que ele lia e comentou com sarcasmo:

– Leitura interessante para um homem como você. Tenho certeza de que vai conseguir escolher o baile a que vai comparecer hoje à noite.

Feliks sorriu e não disse nada. Bridget acrescentou:

– Sei quem você é. Um anarquista.

Feliks ficou completamente imóvel.

– Quem você vai matar? – perguntou ela. – Espero que seja o maldito rei. – Bridget tomou o chá ruidosamente. – Não fique me olhando desse jeito. Parece que está prestes a cortar minha garganta. Não precisa se preocupar, não vou contar a ninguém. Meu marido morreu por causa de alguns ingleses.

Feliks estava aturdido. Ela tinha adivinhado tudo – e aprovava! Ele não sabia o que dizer. Levantou-se, dobrando o jornal.

– Você é uma boa mulher.

– Eu lhe daria um beijo se tivesse vinte anos a menos. Saia daqui antes que eu me esqueça da minha idade.

– Obrigado pelo chá.

Feliks saiu e passou o resto da noite no quarto miserável do porão, olhando para a parede, pensando: É claro que Orlov estava escondido. Mas onde? Se não estava na casa de Walden, poderia estar na embaixada russa, ou na casa de um funcionário da embaixada, ou num hotel ou na casa dos amigos de Walden. Poderia até estar fora de Londres, numa casa no campo. Era impossível conferir todas as possibilidades.

Não ia ser fácil. Começou a se preocupar.

Considerou seguir Walden para todos os lugares. Talvez fosse a melhor medida, mas era insatisfatória. Era possível seguir uma carruagem em Londres montado em uma bicicleta, mas podia ser extenuante para o ciclista. Feliks sabia que não seria capaz de fazer isso por vários dias. Além disso, se, ao longo de três dias, Walden visitasse diversas casas residenciais, dois ou três escritórios, um ou dois hotéis e uma embaixada... como Feliks descobriria em qual desses lugares Orlov estava? Era possível, mas levaria tempo.

Enquanto isso, as negociações progrediriam e a guerra se aproximaria.

E se, após tudo isso, Orlov ainda estivesse na casa de Walden, tendo simplesmente decidido não sair mais?

Feliks foi dormir pensando no problema e despertou pela manhã com a solução.

Perguntaria a Lydia.

Ele engraxou as botas, lavou os cabelos, fez a barba. Pediu emprestado a Bridget um cachecol branco de algodão e o enrolou no pescoço para esconder o fato de que não estava usando nem uma camisa de colarinho nem uma gravata. Na barraca de roupas de segunda mão de Mornington Crescent, comprou um chapéu-coco que se ajustava à sua cabeça. Olhou-se no espelho rachado da barraca. Parecia perigosamente respeitável. Seguiu em frente.

Não tinha a menor ideia de como Lydia reagiria à sua presença. Estava convencido de que ela não o reconhecera na noite do fracasso. O rosto dele estava coberto e o grito dela fora uma reação à presença de um desconhecido mascarado e armado com um revólver. Presumindo que conseguiria vê-la, o que ela faria? Iria expulsá-lo? Começaria a arrancar as roupas imediatamente, como costumava fazer? Ou se mostraria indiferente, pensando nele como alguém que conhecera na juventude e com quem não se importava mais?

Queria que Lydia ficasse chocada e aturdida, que ainda estivesse apaixonada por ele, para conseguir obrigá-la a revelar um segredo.

De repente, Feliks não conseguia se lembrar dela, o que era muito estranho. Sabia sua altura, que não era gorda nem magra, que tinha cabelos louros e olhos acinzentados, mas não conseguia visualizar uma imagem precisa. Se pensasse apenas no nariz, por exemplo, conseguia vê-lo, ou visualizá-lo vagamente, sem contornos definidos, à luz difusa de um final de tarde em São Petersburgo. Mas quando tentava focalizar o rosto tudo se desvanecia.

Chegou ao parque e hesitou diante da casa. Eram dez da manhã. Será que os moradores já estariam de pé? De qualquer forma, achava que deveria esperar até que Walden saísse. Ocorreu-lhe que poderia até mesmo esbarrar com Orlov no saguão – num momento em que não teria arma alguma.

Se isso acontecer, vou estrangulá-lo com minhas próprias mãos, pensou Feliks, selvagemente.

Imaginou o que Lydia estaria fazendo naquele momento. Poderia estar se vestindo. Isso mesmo, pensou. Posso imaginá-la num robe, escovando os cabelos, na frente do espelho. Também poderia estar tomando o café da manhã. Haveria ovos, carne e peixe, mas ela comeria apenas um pãozinho e uma fatia de maçã.

A carruagem apareceu na entrada. Um ou dois minutos depois, alguém embarcou. A carruagem então encaminhou-se para o portão. Feliks estava parado no outro lado da rua quando o veículo surgiu. De repente, ele estava olhando diretamente para Walden, por trás da janela da carruagem. E Walden também o olhava. Feliks teve um impulso de gritar: "Ei, Walden, eu a fodi primeiro!" Em vez disso, sorriu e tirou o chapéu. Walden inclinou a cabeça em resposta, e a carruagem seguiu.

Feliks se perguntou por que estava tão exultante. Passou pelo portão e atravessou o pátio. Viu que havia flores em todas as janelas da casa e pensou: Ela sempre adorou flores. Subiu os degraus para a varanda e tocou a campainha.

Talvez ela chame a polícia, falou para si mesmo.

Um momento depois, um criado abriu a porta e Feliks entrou.

- Bom dia - disse.

- Bom dia, senhor.

Então *estou* parecendo respeitável.

- Eu gostaria de falar com a condessa de Walden. É uma questão de extrema urgência. Meu nome é Konstantin Dmitrich Levin. Tenho certeza de que ela se lembrará de mim, de São Petersburgo.

- Pois não, senhor. Konstantin...?

- Konstantin Dmitrich Levin. Vou lhe dar o meu cartão. - Feliks tateou o casaco. - Ora, não trouxe nenhum!

- Não há problema, senhor. Konstantin Dmitrich Levin.

- Isso mesmo.

- Se fizer a gentileza de esperar aqui por um momento, vou verificar se a condessa está.

Feliks assentiu, e o criado se retirou.

CAPÍTULO SEIS

A ESCRIVANINHA-ESTANTE RAINHA ANNE era uma das peças prediletas de Lydia na casa em Londres. Existia havia duzentos anos, era laqueada em preto com detalhes em ouro e tinha desenhos orientais de pagodes, salgueiros, ilhas e flores. A parte da frente se abria para baixo, formando uma mesa para escrever e revelando compartimentos para cartas e pequenas gavetas para papel e penas. Gavetas grandes ficavam na base do móvel e, na parte superior, havia uma estante com uma porta espelhada. O espelho antigo mostrava uma imagem nebulosa e distorcida da sala.

Em cima da mesa estava uma carta inacabada para sua irmã, a mãe de Aleks, em São Petersburgo. A letra de Lydia era pequena e descuidada. Ela havia escrito, em russo: "Não sei o que fazer em relação a Charlotte", e logo depois parara. Agora estava sentada, olhando para o espelho, pensando.

A temporada estava se tornando bastante tumultuada, e da pior maneira possível. Depois do protesto sufragista na corte e do louco no parque, Lydia pensara que não poderia haver mais catástrofes. Por alguns dias, a vida se mantivera calma. Charlotte fora apresentada à sociedade com pleno sucesso. Aleks não estava mais por perto para perturbar a tranquilidade de Lydia. Ele fora refugiar-se no hotel Savoy e não comparecia aos eventos sociais. O baile de Belinda havia sido um grande sucesso. Naquela noite, Lydia esquecera os seus problemas e se divertira imensamente. Dançara a valsa, a polca, o tango, até mesmo o *turkey trot*. Dançara com metade da Câmara dos Lordes, com muitos jovens vistosos e, principalmente, com seu marido. Não era muito chique dançar com o próprio marido tantas vezes, como ela fizera, mas Stephen estava elegante de gravata branca e fraque, e dançava tão bem, que ela se entregara ao prazer. Seu casamento estava, de fato, numa das fases mais felizes. Olhando para o passado, tinha a impressão de que era quase sempre assim, durante as temporadas. E então Annie aparecera para estragar tudo.

Lydia tinha apenas uma vaga recordação dela como criada em Walden Hall. Era impossível conhecer direito todos os criados de uma casa tão grande. Havia cerca de cinquenta só na casa, sem contar os jardineiros e cavalariços. E ela também não era conhecida por todos eles. Numa ocasião famosa, Lydia detivera uma criada que passava pelo corredor e perguntara se lorde Walden estava em seus aposentos. A condessa recebera a seguinte resposta: "Vou verificar, madame. A quem devo anunciar?"

No entanto, ela se lembrava do dia em que a Sra. Braithwaite, a governanta de Walden Hall, fora procurá-la com a notícia de que Annie teria de ir embora porque estava grávida. A Sra. Braithwaite não usara a palavra "grávida"; em vez disso, dissera que Annie "cometera uma transgressão moral". Ambas estavam constrangidas, mas nenhuma das duas ficara chocada. Já acontecera com outras criadas e tornaria a acontecer. Elas tinham de ser despedidas, pois era a única maneira de dirigir uma casa respeitável, e é claro que não poderiam receber referências em tais circunstâncias. Sem isso, não conseguiam obter outro emprego, mas normalmente não precisavam, pois se casavam com o pai da criança ou então voltavam para a casa da mãe. E anos depois, quando seus filhos já estavam criados, elas podiam até voltar à casa, para trabalhar na lavanderia ou na cozinha, ou em qualquer outro lugar que não as pusesse em contato direto com os patrões.

Lydia presumira que a vida de Annie seguiria esse curso. Lembrava que um jovem ajudante de jardineiro deixara Walden Hall, sem aviso prévio, e fugira para o mar. Soubera disso porque chegara a seu conhecimento a dificuldade de encontrar rapazes para trabalhar como jardineiros a salários razoáveis. Mas é claro que ninguém lhe dissera que havia uma ligação entre Annie e o rapaz.

Não somos insensíveis, pensou Lydia. Como patrões, somos relativamente generosos. Mas Charlotte reagiu como se a situação precária de Annie fosse culpa minha. Não sei de onde ela tira essas ideias. O que foi mesmo que ela disse? "Sei o que Annie fez e sei com quem ela fez." Por Deus, onde ela aprendeu a falar assim? Dediquei a vida a ensiná-la a ser pura, limpa e decente, não como eu. *Nem pense nisso...*

Mergulhou a pena no tinteiro. Gostaria de partilhar as preocupações com a irmã, mas era difícil fazê-lo numa carta. E mesmo pessoalmente era muito difícil, pensou. Na verdade, era com Charlotte que ela queria dividir seus pensamentos. Mas por que me torno estridente e tirânica quando tento?

Pritchard entrou na sala nesse momento.

– Um certo Sr. Konstantin Dmitrich Levin deseja vê-la, milady.

Lydia franziu a testa.

– Acho que não o conheço.

– O cavalheiro disse que era uma questão urgente, milady, e pareceu achar que se lembraria dele de São Petersburgo.

Pritchard mostrava-se visivelmente desconfiado.

Lydia hesitou. O nome era familiar. De vez em quando, russos que mal conhecia a visitavam em Londres. Em geral começavam por se oferecer para levar mensagens a São Petersburgo e quase sempre terminavam pedindo dinheiro emprestado para a passagem. Lydia não se importava em ajudá-los.

– Está bem – disse ela. – Pode deixá-lo entrar.

Pritchard saiu. Lydia tornou a mergulhar a pena no tinteiro e escreveu: "O que se pode fazer quando a criança tem 18 anos e possui vontade própria? Stephen diz que eu me preocupo demais. Quem me dera..."

Não posso nem conversar direito com Stephen, pensou. Ele não faz nada mais que murmurar palavras apaziguadoras.

A porta se abriu e Pritchard anunciou:

– O Sr. Konstantin Dmitrich Levin.

Lydia disse em inglês, por cima do ombro:

– Já vou recebê-lo, Sr. Levin.

Ouviu o mordomo fechar a porta, enquanto ela escrevia: "...poder acreditar nele." Largou a pena e se virou.

O homem falou em russo:

– Como vai, Lydia?

– *Ah, meu Deus* – balbuciou ela.

Era como se algo gelado e pesado tivesse lhe envolvido o coração, impedindo-a de respirar. Feliks estava parado diante dela: alto e magro como sempre, em um casaco puído, um cachecol enrolado no pescoço, um chapéu inglês ridículo na mão esquerda. Era tão familiar que parecia que o tinha visto no dia anterior. Lá estavam a pele branca, o nariz como uma lâmina curva, a boca larga, os olhos delicados e tristes.

– Lamento assustá-la assim, Lydia.

Ela não conseguia falar. Estava dominada por um turbilhão de emoções: perplexidade, medo, encantamento, horror, afeição, apreensão. Olhou-o com atenção. Estava mais velho. O rosto, cheio de linhas de expressão. Havia dois vincos profundos nas faces e rugas nos cantos da boca adorável. Pareciam linhas de angústia e sofrimento. Em sua expressão o vestígio de algo que não existia antes – talvez crueldade, talvez brutalidade, talvez apenas determinação. Parecia cansado.

Ele também a encarava.

– Você parece uma menina, Lydia – disse.

Ela desviou os olhos. Seu coração batia como um tambor. O temor tornou-se o sentimento predominante. Se Stephen voltasse mais cedo, pensou, entrasse aqui neste momento, me olhasse com uma expressão de "Quem é este homem?", e se eu corasse, começasse a gaguejar e...

– Queria que você dissesse alguma coisa – acrescentou Feliks.

Os olhos de Lydia voltaram a se fixar nele. Com um grande esforço, ela falou:

– Vá embora.

– Não.

Subitamente, ela compreendeu que não tinha força de vontade suficiente para fazê-lo ir. Olhou para a campainha que convocava Pritchard. Feliks sorriu, como se soubesse o que se passava na cabeça dela.

– Já se passaram dezenove anos – murmurou ele.

– Você envelheceu – disse Lydia, de forma abrupta.

– E você mudou.

– O que esperava?

– Esperava isto. Que você ficaria com medo de admitir para si mesma que está feliz em me ver.

Ele sempre fora capaz de enxergar a alma dela. De que adiantava fingir? Feliks sabia tudo sobre fingimento, lembrou Lydia. Compreendera como ela era desde o momento em que a vira pela primeira vez.

– E então, Lydia? Não está feliz?

– Também estou assustada – respondeu, compreendendo de repente que tinha acabado de admitir que estava feliz. – E você? – acrescentou, depressa. – Como se sente?

– Não sinto mais muita coisa.

O rosto dele contraiu-se num estranho sorriso de angústia. Era uma expressão que ela nunca vira. Sentiu intuitivamente que Feliks estava lhe dizendo a verdade naquele momento.

Ele puxou uma cadeira e se sentou perto dela. Lydia se afastou bruscamente.

– Não vou machucá-la, Lydia...

– Machucar-me? – Ela soltou uma risada inesperada de insegurança. – Você vai arruinar a minha vida!

– Você arruinou a minha.

Feliks franziu a testa, como se tivesse surpreendido a si mesmo.

– Ah, Feliks, eu não tinha essa intenção...

Ele ficou subitamente tenso. Houve um silêncio opressivo. Feliks tornou a exibir o sorriso magoado e perguntou:

– O que aconteceu?

Ela hesitou. Compreendeu que, por todos aqueles anos, estivera ansiosa para lhe explicar tudo. E começou:

– Naquela noite em que você rasgou meu vestido...

~

– O que vai fazer em relação a esse rasgão no vestido? – perguntou Feliks.

– A criada pode dar um ponto antes que eu chegue à embaixada – respondeu Lydia.

– Sua criada sempre anda com linha e agulha?

– Por que acha que alguém leva sua criada pessoal quando sai para jantar?

– Por quê?

Ele estava deitado na cama, observando-a se vestir. Lydia sabia que ele adorava vê-la se vestir. E certa ocasião, fizera uma imitação dela pondo os calções que a deixara doída de tanto rir. Tirou o vestido da mão dele e colocou-o.

– Todas as mulheres levam pelo menos uma hora para se vestir para uma festa – disse ela. – Até conhecê-lo, eu não sabia que era possível fazer isso em cinco minutos. Abotoe para mim.

Lydia se olhou no espelho e ajeitou os cabelos enquanto Feliks prendia os ganchos atrás do vestido. Ao terminar, ele beijou seu ombro. Lydia encolheu o pescoço, murmurando:

– Não comece de novo.

Pegou a velha capa marrom e entregou-a a Feliks, que a ajudou a vesti-la.

– Tudo perde a graça quando você vai embora – disse ele.

Lydia ficou comovida. Não era sempre que ele se mostrava sentimental.

– Entendo como se sente.

– Voltará amanhã?

– Voltarei.

Na porta, ela o beijou e disse:

– Obrigada.

– Eu te amo muito, Lydia.

Então ela se foi. Ao descer a escada, ouviu um barulho e virou a cabeça para olhar. O vizinho de Feliks a observava da porta do apartamento ao lado. Pareceu constrangido quando o olhar dos dois se cruzou. Lydia acenou com a cabeça educadamente e o homem voltou para dentro, fechando a porta em seguida. Ocorreu a ela que ele provavelmente podia ouvi-los através da parede, fazendo amor. Mas não se importava. Sabia que estava fazendo algo pecaminoso e vergonhoso, mas se recusava a pensar a respeito.

Saiu para a rua. A criada a esperava na esquina. Elas passaram pelo parque e seguiram até a carruagem. Era uma noite fria, mas Lydia se sentia aquecida. Muitas vezes se perguntava se as outras pessoas percebiam, só de olhar para ela, que acabara de fazer amor.

O cocheiro desceu o degrau da carruagem, evitando olhá-la. Ele sabe, pensou Lydia, um tanto surpresa. Mas logo concluiu que estava apenas fantasiando.

Na carruagem, a criada consertou apressadamente o vestido de Lydia. Ela tirou a capa marrom e colocou um abrigo de pele. A criada ajeitou-lhe os cabelos e Lydia deu-lhe 10 rublos por seu silêncio. Em pouco tempo, chegaram à embaixada britânica.

Lydia terminou de se ajeitar e entrou.

Descobrira que não era difícil assumir sua outra personalidade, tornando-se a recatada e virginal Lydia que a alta sociedade conhecia. Ao entrar no mundo real, sentia-se apavorada com a força bruta de sua paixão por Feliks e tornava-se genuinamente um trêmulo lírio. Não era uma representação. Na verdade, durante a maior parte do dia, ela sentia que aquela donzela bem-comportada era a sua verdadeira personalidade e que, quando estava com Feliks, era de alguma forma possuída. Mas, quando estava com ele ou sozinha na cama no meio da noite, Lydia tinha certeza de que sua personalidade de verdade é que era perniciosa, porque teria lhe negado a maior alegria que já conhecera.

Entrou no saguão da embaixada, toda vestida de branco, com uma aparência jovial, um pouco nervosa.

Encontrou o primo Kiril, que era o seu acompanhante oficial. Ele era um viúvo de 30 e poucos anos irritadiço, que trabalhava no Ministério do Exterior. Ele e Lydia não se davam muito bem, mas como a mulher dele tinha morrido e os pais de Lydia não gostavam de sair, Kiril e Lydia tinham dado a entender que deveriam ser convidados juntos. Lydia sempre lhe dizia que não precisava se dar o trabalho de ir buscá-la em casa. Era assim que ela conseguia encontrar-se clandestinamente com Feliks.

– Está atrasada – disse Kiril.

– Desculpe – respondeu Lydia, sem nenhuma sinceridade.

Kiril conduziu-a ao salão. Foram recebidos pelo embaixador e a esposa, depois apresentados a lorde Highcombe, o filho mais velho do conde de Walden. Era um homem alto e bonito, em torno dos 30 anos, que vestia roupas bem-cortadas, mas um tanto sóbrias. Parecia muito inglês, com os cabelos castanho-claros bem curtos e os olhos azuis. Tinha um rosto franco e sorridente, que Lydia achou ligeiramente atraente. Falava francês muito bem. Mantiveram uma conversa polida por alguns minutos, e então ele foi apresentado a outra pessoa.

– Parece um homem simpático – comentou Lydia para Kiril.

– Não se deixe enganar. O rumor é que ele é um boêmio.

– Você me surpreende com as coisas que sabe.

– Ele joga cartas com alguns oficiais que conheço. Disseram-me que bebe demais em algumas noites.

– Você sabe de tudo sobre as pessoas... e sempre as piores coisas.

Os lábios finos de Kiril se contraíram num sorriso.

– A culpa é minha ou delas?

– O que ele veio fazer aqui?

– Em São Petersburgo? Dizem que seu pai é muito rico e autoritário, e que Highcombe não consegue conviver com ele. Por isso está jogando e bebendo pelo mundo afora, enquanto aguarda o velho morrer.

Lydia não esperava tornar a falar com o sujeito. Mas a mulher do embaixador achara que ambos formavam um casal atraente de solteiros e os colocara lado a lado para o jantar. Ele tentou puxar conversa durante o segundo prato.

– Por acaso conhece o ministro das Finanças?

– Receio que não – disse Lydia, friamente.

É claro que ela sabia tudo a respeito do homem, um dos grandes favoritos do czar. Mas ele se casara com uma mulher não apenas divorciada, mas também judia, o que tornava bastante constrangedor para as pessoas convidarem-no. Lydia pensou de repente como Feliks se mostraria feroz diante de tais preconceitos. E logo o inglês estava falando novamente:

– Eu gostaria muito de conhecê-lo. Soube que se trata de um homem dinâmico e com os olhos voltados para o futuro. O projeto da ferrovia Transiberiana é maravilhoso. Mas as pessoas dizem que ele não é muito refinado.

– Tenho certeza de que Serguei Yulevich Witte é um leal servidor do nosso amado soberano – disse Lydia, educadamente.

– Não tenho a menor dúvida quanto a isso – murmurou Highcombe, virando-se para a mulher do outro lado.

Ele me acha entediante, pensou Lydia.

Pouco depois, perguntou-lhe:

– Costuma viajar muito?

– Durante a maior parte do tempo. Vou à África quase todos os anos, para caçar.

– Mas que coisa fascinante! O que costuma caçar?

– Leões, elefantes... Certa vez abati um rinoceronte.

– Na selva?

– A caçada é realizada nas savanas ao leste. Mas já desci até as florestas tropicais no sul, para conhecê-las.

– E são como os livros mostram?

– São, sim. Até mesmo os pigmeus negros nus.

Lydia sentiu que corava e desviou os olhos. Por que ele tinha de dizer isso?, pensou. Não tornou a falar com o inglês. Já haviam conversado o bastante para satisfazer os ditames da etiqueta e era evidente que nenhum dos dois estava muito ansioso em continuar o diálogo.

Depois do jantar, ela tocou por algum tempo o maravilhoso piano de cauda do embaixador, e em seguida Kiril levou-a para casa. Ela foi imediatamente para a cama, sonhar com Feliks.

No dia seguinte, depois do café da manhã, um criado chamou-a ao gabinete do pai.

O conde era um homem pequeno e magro, sempre exasperado, de 55 anos. Lydia era a mais nova de seus filhos – tinha ainda uma irmã e dois irmãos, todos casados. A mãe estava viva, mas sempre doente. O conde quase não via a família. Parecia passar a maior parte do tempo absorvido em leituras. Tinha um velho amigo que o visitava para jogarem xadrez. Lydia possuía uma vaga recordação de uma época em que as coisas eram diferentes e eles formavam uma família feliz, sempre reunida em torno da mesa de jantar. Mas isso mudara havia muito tempo. Agora, um chamado para ir ao gabinete só podia significar uma coisa: encrenca.

Quando Lydia entrou, o pai achava-se de pé diante da escrivaninha, as mãos cruzadas às costas, o rosto contraído de fúria. A criada de Lydia estava parada perto da porta, as lágrimas escorrendo pelas faces. Lydia compreendeu naquele instante qual era o problema e sentiu que tremia. Não houve preâmbulo. O pai foi logo gritando:

– Você anda encontrando-se secretamente com um rapaz!

Lydia cruzou os braços para controlar o tremor que a dominava.

– Como descobriu? – perguntou, lançando um olhar acusador para a criada.

O pai emitiu um grunhido de irritação.

– Não olhe para *ela*. O cocheiro falou-me de seus extraordinários passeios pelo parque, sempre muito longos. E ontem mandei segui-la. – A voz dele tornou a aumentar. – Como pôde portar-se assim... como se fosse uma camponesa?

Até que ponto ele saberia? Não tudo, certamente!

– Estou apaixonada – disse Lydia.

– Apaixonada? – berrou o pai. – Está querendo dizer que está no cio!

Lydia pensou que o pai fosse agredi-la. Ela deu vários passos para trás e preparou-se para fugir. Ele sabia de tudo. Era uma catástrofe completa. O que faria agora?

– O pior de tudo é que você não pode casar-se com ele.

Lydia ficou consternada. Estava preparada para ser expulsa de casa, ser humilhada, ficar sem nenhum dinheiro, mas o pai lhe estava reservando uma punição muito pior.

– Por que não posso casar-me com ele? – gritou.

– Porque ele é praticamente um servo, e um anarquista ainda por cima. Será que não compreende? Você está arruinada!

– Então, deixe-me casar com ele e viver na minha ruína.

– Não!

Houve um silêncio opressivo. A criada, ainda chorando, fungava a todo instante. Lydia ouvia um zumbido insistente nos ouvidos.

– Isso vai matar sua mãe – disse o conde.

– O que o senhor vai fazer? – sussurrou Lydia.

– Por enquanto vou confiná-la a seu quarto. E assim que eu providenciar tudo, você entrará para um convento.

Lydia fitou-o com uma expressão horrorizada. Era uma sentença de morte.

Saiu correndo do gabinete.

Nunca mais ver Feliks – o pensamento era insuportável. As lágrimas rolavam-lhe pelo rosto. Ela disparou para o quarto. Não poderia sofrer aquela punição. Vou morrer, pensou. Vou morrer.

Em vez de abandonar Feliks, ela deixaria a família para sempre. Assim que a ideia lhe ocorreu, Lydia compreendeu que era a única coisa a fazer – e o momento era aquele, antes que o pai mandasse alguém trancá-la no quarto.

Olhou dentro de sua bolsa. Dispunha apenas de poucos rublos. Abriu a caixa de joias. Pegou uma pulseira de diamantes, uma corrente de ouro e alguns anéis e enfiou-os na bolsa. Pôs o casaco e desceu correndo a escada. Saiu pela porta dos criados.

Saiu correndo pelas ruas. As pessoas olhavam para ela, tão bem-vestida, correndo com lágrimas no rosto. Lydia não se importava. Deixara a sociedade para sempre. Ia fugir com Feliks.

Logo ela ficou exausta e passou a andar. Subitamente, os acontecimentos já não pareciam tão desastrosos. Ela e Feliks poderiam ir para Moscou, ou para alguma cidade no campo, ou até para o exterior, talvez para a Alemanha. Feliks teria que encontrar trabalho. Era instruído, então poderia pelo menos arranjar emprego num escritório, possivelmente algo melhor. Ela poderia costurar para fora. Alugariam uma casa pequena e comprariam móveis baratos. Teriam filhos, meninos fortes e meninas lindas. As coisas que ela perderia não tinham a menor importância: vestidos de seda, fofocas da sociedade, criados onipresentes, casas imensas e comidas requintadas.

E como seria viver com Feliks? Iriam para a cama e realmente dormiriam juntos – como seria romântico! Passeariam de mãos dadas, sem se importar que os outros vissem que estavam apaixonados. Ficariam sentados ao lado do fogo durante a noite, jogando cartas, lendo ou conversando. A qualquer momento poderia tocá-lo, beijá-lo, despir-se para ele.

Lydia chegou à casa de Feliks e subiu a escada. Qual seria a reação dele? Ficaria chocado a princípio, depois exultante. E logo se tornaria pragmático. Teriam que partir imediatamente, diria ele, pois o pai dela poderia mandar pessoas para buscá-la. Feliks seria decisivo. "Vamos para tal lugar", diria ele. E falaria sobre passagens, uma mala e disfarces.

Ela tirou a chave da bolsa, mas descobriu que a porta estava entreaberta, meio torta nas dobradiças. Entrou no apartamento gritando:

– Feliks, sou eu... Ah!

Ela estacou abruptamente. O apartamento estava todo bagunçado. Parecia que fora assaltado, ou que ocorrera uma briga ali. Feliks não estava.

De repente, Lydia foi assaltada por um medo terrível.

Percorreu o pequeno apartamento, sentindo-se completamente atordoada, olhando atrás das cortinas e debaixo da cama. Todos os livros haviam desaparecido. O colchão fora retalhado. O espelho fora quebrado, o mesmo espelho em que haviam se contemplado enquanto faziam amor, numa tarde em que a neve caía lá fora.

Lydia começou a vagar sem rumo no corredor. O morador do apartamento ao lado estava parado na porta. Ela olhou para ele.

– O que aconteceu?

– Ele foi preso ontem à noite.

Então o mundo dela desmoronou.

Sentiu que ia desmaiar e encostou-se na parede, em busca de apoio. Preso! Por quê? Onde ele estava? Quem o prendera? Como ela poderia fugir com Feliks se ele estava na prisão?

– Parece que era um anarquista. – O vizinho sorriu sugestivamente e acrescentou: – Além de tudo o mais que ele podia ser.

Era de mais para suportar, logo no dia em que o pai...

– Papai... – sussurrou Lydia. – Papai é quem fez isso.

– Você não parece bem – disse o vizinho. – Não gostaria de entrar e sentar-se por um momento?

Lydia não gostou da expressão dele. Não tinha como lidar com aquele homem malicioso além de todo o resto. Tratou de se controlar e, sem responder, desceu lentamente a escada e saiu para a rua.

Foi andando devagar, sem destino certo, tentando decidir o que fazer. Tinha que encontrar um jeito de tirar Feliks da prisão, mas não sabia como. Deveria apelar ao ministro do Interior? Ao czar? Não tinha como encontrá-los, a não ser comparecendo aos eventos certos. Podia escrever para eles, mas precisava de Feliks *naquele* mesmo dia. Poderia visitá-lo na prisão? Pelo menos veria como ele estava e Feliks saberia que ela estava lutando para libertá-lo. Talvez, se chegasse em uma carruagem, usando suas melhores roupas, pudesse intimidar o carcereiro... Mas não sabia onde era a prisão – talvez houvesse mais de uma – e não dispunha de sua carruagem. E se voltasse para casa, o pai a trancaria no quarto e nunca mais tornaria a ver Feliks...

Fez um esforço para reprimir as lágrimas. Era totalmente ignorante no universo da polícia, das prisões e dos criminosos... A quem poderia recorrer? Os amigos anarquistas de Feliks deviam saber tudo a respeito dessas coisas, mas ela jamais os conhecera e não sabia onde encontrá-los.

Pensou em seus irmãos. Maks administrava as propriedades rurais da família e encararia Feliks da mesma maneira que o pai. Sem dúvida aprovaria o que o pai fizera. Dmitri – o efeminado, frívolo e irresponsável Dmitri – se compadeceria de Lydia, mas não poderia fazer nada.

Só havia uma solução: voltar para casa e suplicar ao pai que conseguisse a libertação de Feliks.

Cansada, Lydia virou-se e tomou o caminho de casa.

A raiva contra o pai aumentava a cada passo. Ele deveria amá-la, cuidar dela, assegurar sua felicidade... e o que fazia? Tentava arruinar a vida da filha. Ela sabia o que queria; sabia o que a faria feliz. De quem era a vida? Quem tinha o direito de decidir?

Chegou em casa furiosa.

Foi direto para o gabinete do pai e entrou sem bater.

– O senhor mandou prendê-lo.

– Mandei.

O ânimo do pai mudara. A máscara de fúria desaparecera, tendo sido substituída por uma expressão pensativa e calculista.

– Tem que mandar soltá-lo imediatamente.

– Ele está sendo torturado neste momento.

– Não... – murmurou Lydia. – Ah, não...

– Estão açoitando as solas dos pés...

Lydia gritou.

O pai levantou a voz:

– ...com varas finas e flexíveis...

Havia um abridor de cartas na escrivaninha.

– ...que cortam a pele macia...

Vou matá-lo, pensou Lydia.

– ...até que a pessoa sangra tanto que...

Lydia ficou louca de raiva.

Pegou o abridor de cartas e correu para o pai. Levantou o objeto bem alto e baixou com toda a força, mirando no pescoço magro, ao mesmo tempo que gritava sem parar:

– Eu o odeio! Eu o odeio! Eu o odeio!

O pai deu um passo para o lado, segurou-a pelo pulso, forçou-a a largar o abridor e empurrou-a para uma cadeira.

Ela irrompeu em lágrimas histéricas.

Depois de alguns minutos o pai recomeçou a falar, calmamente, como se nada tivesse acontecido:

– Eu posso mandar parar imediatamente. E posso providenciar a libertação dele no momento em que quiser.

– Por favor – balbuciou Lydia. – Farei qualquer coisa que mandar.

– Fará mesmo?

Lydia fitou-o em meio às lágrimas. Um acesso de esperança acalmou-a. Ele estaria falando sério? Iria providenciar a libertação de Feliks?

– Qualquer coisa – repetiu ela. – Qualquer coisa.

– Recebi uma visita enquanto você estava fora – disse o pai, ainda calmamente. – O conde de Walden. Ele pediu permissão para vê-la.

– Quem?

– O conde de Walden. Era lorde Highcombe quando você o conheceu, ontem à noite. Mas o pai morreu e agora ele é o conde.

Lydia olhava fixamente para o pai, sem compreender. Lembrava-se de ter conhecido o inglês, mas não entendia por que o pai estava falando a respeito dele, do nada.

– Não me torture – disse ela. – Fale logo o que devo fazer para conseguir a libertação de Feliks.

– Case-se com o conde de Walden – respondeu o pai, abruptamente.

Lydia parou de chorar. Ficou olhando para ele, atordoada. Será que estava mesmo dizendo aquilo? Parecia insano.

O pai continuou:

– Walden vai querer se casar logo. Você deixará a Rússia e irá para a Inglaterra. Essa história lamentável será esquecida e ninguém precisará saber. É a solução ideal.

– E Feliks?

– A tortura será interrompida hoje mesmo. O rapaz será libertado no momento em que você partir para a Inglaterra. Nunca mais tornará a vê-lo.

– Não... – balbuciou Lydia. – Pelo amor de Deus, não...

O casamento foi realizado oito semanas depois.

~

– Você tentou realmente apunhalar seu pai? – indagou Feliks, com uma mistura de respeito e diversão.

Lydia assentiu. E pensou: Graças a Deus ele não adivinhou o resto.

– Estou orgulhoso de você – disse Feliks.

– Foi terrível.

– Ele era um homem terrível.

– Não penso mais assim.

Houve uma pausa, e depois Feliks acrescentou, em voz baixa:

– Então, no final das contas, você nunca me traiu.

O impulso de abraçá-lo era quase irresistível. Lydia fez um tremendo esforço para permanecer imóvel. O momento passou.

– Seu pai cumpriu o que disse – contou Feliks. – A tortura acabou naquele dia. Eles me soltaram no dia seguinte à sua partida para a Inglaterra.

– Como soube para onde eu tinha ido?

– Recebi um recado da criada. Ela deixou na livraria. É claro que ela não sabia do acordo que você tinha feito.

As coisas que tinham a dizer eram muitas e tão importantes que os dois ficaram em silêncio. Lydia ainda estava com medo de se mexer. Notou que Feliks mantinha a mão direita no bolso do casaco durante todo o tempo. Não se lembrava de ele ter esse hábito antes.

– Ainda sabe assoviar? – perguntou Feliks, subitamente.

Ela não pôde deixar de rir.

– Nunca tive essa habilidade.

Voltaram a ficar em silêncio. Lydia queria que ele fosse embora e ao mesmo tempo, com igual desespero, queria que ficasse. Depois de algum tempo, disse:

– O que você tem feito desde então?

Feliks deu de ombros.

– Tenho viajado muito. E você?

– Tenho criado minha filha.

Os anos que tinham passado sem se ver pareciam ser um tópico constrangedor para ambos.

– O que o trouxe até aqui? – perguntou Lydia.

– Hã... – Feliks pareceu momentaneamente confuso com a pergunta. – Preciso falar com Orlov.

– Aleks? Por quê?

– Há um marinheiro anarquista na prisão, e tenho que convencer Orlov a libertá-lo... Sabe como são as coisas na Rússia. Não há justiça, apenas influência.

– Aleks não está mais aqui. Alguém tentou nos assaltar na nossa carruagem e ele ficou assustado.

– Onde posso encontrá-lo?

Feliks parecia subitamente tenso.

– No Hotel Savoy. Mas duvido muito que ele vá recebê-lo.

– Posso tentar.

– É muito importante para você, não é mesmo?

– É, sim.

– Você ainda é... político?

– É a minha vida.

– A maioria dos jovens perde o interesse quando fica mais velho.

Feliks sorriu tristemente.

– A maioria dos jovens se casa e constitui uma família.

Lydia estava morrendo de pena dele.

– Sinto muito, Feliks.

Ele se inclinou e pegou a mão dela.

Lydia retirou-a bruscamente e levantou-se.

– Não me toque.

Feliks fitou-a com uma expressão de surpresa.

– Eu aprendi minha lição – disse ela –, ao contrário do que parece ter acontecido com você. Fui criada para acreditar que o desejo é maléfico e destrói as pessoas. Por algum tempo, quando estávamos... juntos... deixei de acreditar nisso. Ou pelo menos fingi que não acreditava mais. E veja o que aconteceu... arruinei a mim mesma e a você. Meu pai estava certo... o desejo destrói. Nunca me esqueci disso e jamais esquecerei.

Ele a encarou com um ar triste.

– É o que diz a si mesma?

– É a verdade.

– A moralidade de Tolstoi. Fazer o bem não o torna feliz, mas fazer o mal certamente o deixará infeliz.

Lydia respirou fundo.

– Quero que vá embora agora e nunca mais volte.

Feliks ficou em silêncio por um longo momento, encarando-a, e depois se levantou:

– Está bem.

Lydia pensou que seu coração fosse bater até estourar.

Feliks deu um passo na direção dela. Lydia ficou imóvel, sabendo que deveria esquivar-se dele, mas incapaz de fazê-lo. Ele pôs as mãos nos ombros dela, fitou-a nos olhos, e então era tarde demais. Lydia recordou como era antes, quando se olhavam nos olhos, e soube que estava perdida. Feliks puxou-a para si e a beijou, envolvendo-a nos braços. Foi como sempre tinha sido, a boca ansiosa dele nos lábios macios dela, invadindo, acariciando gentilmente, e ela se derreteu nos braços dele. Pressionou o corpo contra o dele. Suas entranhas estavam em chamas, e ela estremeceu de prazer. Procurou as mãos dele com as suas e apertou-as, só para ter alguma coisa em que se segurar, uma parte do corpo dele para agarrar e comprimir com toda a sua força...

Feliks soltou um grito de dor.

Os dois se separaram. Ela o encarou, aturdida.

Ele levou a mão direita à boca. Lydia percebeu que havia ferido a mão dele ao enterrar as unhas nela. Adiantou-se para pegar a mão ferida e se desculpar, mas Feliks se afastou. Algo tinha mudado no comportamento nele, o encantamento havia se rompido. Ele se virou e se encaminhou para a porta. Horrorizada, Lydia observou-o sair. A porta bateu. Ela soltou um grito de desespero.

Ficou imóvel por um momento, olhando fixamente para o lugar em que ele estivera. Tinha a sensação de que fora destruída. Arriou numa cadeira, começando a tremer de forma incontrolável.

As emoções se misturaram dentro dela por vários minutos, e Lydia não conseguia pensar direito. Depois ela enfim se acalmou, e o sentimento predominante foi alívio por não ter cedido à tentação de contar a ele o último capítulo da história. Era um segredo alojado no fundo do coração, como um fragmento de granada num ferimento cicatrizado, e lá ficaria até o dia em que Lydia morresse, sendo enterrado com ela.

~

Feliks parou na entrada para pôr o chapéu. Olhou para si mesmo no espelho, o rosto contorcido num sorriso de triunfo selvagem. Controlou a expressão e saiu para o sol do meio-dia.

Ela era muito crédula. Acreditara na sua história inverossímil sobre um marinheiro anarquista e lhe dissera, sem a menor hesitação, onde encontrar Orlov. Estava exultante por constatar que Lydia ainda se encontrava sob seu poder. Casou-se com Walden para me salvar, pensou. E agora eu a fiz trair o marido.

Apesar disso, o encontro tivera momentos perigosos. Enquanto ela contava a história, Feliks observava seu rosto. Uma dor terrível aflorara dentro dele, uma tristeza enorme que lhe dera vontade de chorar. Mas fazia tanto tempo que derramara lágrimas pela última vez que o corpo parecia ter esquecido como fazê-lo. E os momentos perigosos passaram. Tornei-me mesmo imune aos sentimentos, disse Feliks a si mesmo. Menti para ela, traí a sua confiança em mim, beijei-a e fugi. Eu a *usei*.

O destino está do meu lado hoje. É um bom dia para uma missão perigosa.

Tinha jogado o revólver fora no parque, então precisava de uma nova arma. Uma bomba seria a escolha mais indicada para um assassinato num quarto de hotel. Não precisava ser lançada com precisão, pois, em qualquer cômodo em que caísse, mataria todos os presentes. Se Walden estivesse junto com Orlov na ocasião, melhor ainda, pensou Feliks. Ocorreu-lhe que, neste caso, Lydia o teria ajudado a matar o marido.

E daí?

Tratou de afastá-la dos pensamentos e começou a pensar em química.

Entrou numa loja de produtos químicos em Camden Town e comprou um ácido comum, concentrado. O ácido estava armazenado em dois frascos de mais ou menos 1 litro cada, e custou 4 xelins e 5 *pence*, incluindo as embalagens retornáveis.

Levou os frascos para casa e colocou-os no chão do quarto.

Tornou a sair e comprou mais 2 litros do mesmo ácido em outra loja. O químico perguntou como ele usaria a substância.

– Para limpeza – respondeu Feliks, e o homem pareceu satisfeito.

Numa terceira loja, Feliks comprou mais 2 litros de um ácido diferente. Por fim, comprou meio litro de glicerina pura e um bastão de vidro de 30 centímetros de comprimento.

Gastara 16 xelins e 8 *pence*, mas receberia de volta 4 xelins e 3 *pence*, quando devolvesse os frascos de vidro vazios. Isso o deixaria com pouco menos de 3 libras.

Como comprara os ingredientes em lojas diferentes, nenhum dos químicos tinha motivo para suspeitar que ele pretendia fazer explosivos.

Feliks subiu para a cozinha de Bridget e pediu emprestada a maior tigela que ela tivesse.

– Vai fazer um bolo? – perguntou ela.

– Isso mesmo.

– Tome cuidado para não explodir todos nós.

– Não se preocupe.

Assim mesmo, Bridget tomou a precaução de passar a tarde com uma vizinha.

Feliks desceu ao porão, tirou o paletó, enrolou as mangas da camisa e lavou as mãos.

Pôs a tigela na pia.

Olhou para a fileira de frascos marrons no chão, com suas tampas de vidro.

A primeira parte do trabalho era muito perigosa.

Misturou os dois tipos de ácido na tigela, esperou que a mistura esfriasse, depois colocou-a de volta em uma garrafa só.

Lavou a tigela, secou-a, tornou a colocá-la na pia, e despejou a glicerina dentro.

A pia tinha uma tampa de borracha presa numa corrente. Feliks colocou a tampa de lado no ralo, a fim de fechá-lo parcialmente, e abriu a torneira. Quando o nível da água na pia chegou quase à borda da tigela, ele fechou um pouco a torneira, mas não por completo, fazendo com que a água escorresse pelo ralo no mesmo ritmo em que caía na pia e o nível de água na pia permanecesse constante, sem transbordar para dentro da tigela.

O estágio seguinte já matara mais anarquistas do que a Ochrana.

Com muito cuidado, Feliks começou a acrescentar os ácidos à glicerina, mexendo delicadamente, mas de maneira constante, com a vareta de vidro.

O quarto estava bastante quente.

Às vezes, um pouco de fumaça marrom-avermelhada se desprendia da tigela, um sinal de que a reação química começava a escapar ao controle, então Feliks parava de acrescentar os ácidos, mas continuava a mexer, até que o fluxo de água que circulava na pia esfriasse a tigela e moderasse a reação. Quando os vapores se dissipavam, ele esperava mais um ou dois minutos e depois continuava a misturar.

Foi assim que Ilya morreu, lembrou ele. Parado à frente de uma pia, num porão, misturando ácidos e glicerina; talvez estivesse impaciente. Quando enfim removeram os escombros, nada restava de Ilya para enterrar.

A tarde transformou-se em noite. O ar ficou mais frio, mas Feliks continuava a suar. A mão estava pesada como se fosse de pedra. Podia ouvir crianças na rua lá fora, brincando e cantando: "Sal, mostarda, vinagre, pimenta, sal, mostarda, vinagre, pimenta..." Gostaria de ter gelo. Gostaria de ter luz elétrica. A sala estava cheia de vapores de ácido. Sentia a garganta dolorida. A mistura na tigela ficou clara.

Sonhava acordado com Lydia. Em seu devaneio, ela aparecia em seu quarto totalmente nua, sorrindo. E Feliks lhe dizia que fosse embora, pois estava ocupado.

– Sal, mostarda, vinagre, pimenta.

Despejou o último vidro de ácido, tão lenta e delicadamente quanto o primeiro.

Ainda mexendo, abriu a torneira um pouco mais, para que a água na pia transbordasse para dentro da tigela. Depois, meticulosamente, lavou os restos de ácidos.

Ao terminar, tinha uma tigela de nitroglicerina.

Era um explosivo líquido vinte vezes mais poderoso do que a pólvora. Podia ser detonado por uma estopilha, mas isso não era fundamental, já que também podia ser acionado por um fósforo aceso ou mesmo pelo calor de um fogo próximo. Feliks conhecera um homem tolo que pusera um frasco de nitroglicerina no bolso interno do paletó, e o calor de seu corpo o detonara, causando a morte dele e de mais três pessoas, além de um cavalo, numa rua de São Petersburgo. Um frasco de nitroglicerina explodia ao ser quebrado ou simplesmente agitado com mais força.

Com extremo cuidado, Feliks mergulhou um frasco limpo dentro da tigela e deixou que enchesse lentamente com o explosivo. Depois, fechou-o, certificando-se antes de que nenhum vestígio da substância ficara retido entre o gargalo e a tampa de vidro.

Restava um pouco de líquido na tigela. Claro que não poderia ser despejado pelo ralo.

Feliks foi até a cama e pegou o travesseiro. O enchimento parecia ser de restos de algodão. Ele abriu um pequeno buraco no travesseiro e tirou um pouco do enchimento. Era constituído de trapos rasgados, misturados com algumas plumas. Despejou uma parte sobre a nitroglicerina restante na tigela. O enchimento absorveu o líquido imediatamente. Feliks foi acrescentando mais trapos à tigela, até que todo o líquido tivesse sido absorvido. Depois enrolou tudo como uma bola e embrulhou num jornal. O explosivo estava agora muito mais estável, como dinamite – na verdade, *era* dinamite. Não detonava com a mesma facilidade que o explosivo líquido. Pôr fogo no jornal podia detonar a explosão, como também podia não provocar – o melhor seria usar um canudo de papel cheio de pólvora para garantir a detonação. Mas Feliks não planejava usar a dinamite, pois precisava de algo mais certo e imediato.

Tornou a lavar e secar a tigela em que preparara a mistura. Colocou a tampa no ralo, encheu a pia, depois colocou gentilmente o frasco de nitroglicerina na água, para mantê-lo frio.

Subiu e devolveu a tigela à cozinha de Bridget.

Tornou a descer e olhou para a bomba na pia. Pensou: Não senti medo. Durante a tarde inteira, não senti medo de morrer. Continuo não tendo medo.

Isso o deixou contente.

Saiu para fazer um reconhecimento do Hotel Savoy.

CAPÍTULO SETE

WALDEN OBSERVOU QUE TANTO Lydia como Charlotte estavam meio caladas durante o chá. A conversa foi superficial.

Depois de trocar de roupa para o jantar, ele se sentou na sala de estar para beber xerez enquanto esperava que a mulher e a filha descessem. Iam jantar fora, na casa dos Pontadarvies. Era outra noite agradável. Até o momento, fora um ótimo verão, no mínimo pelo clima que vinha fazendo.

Manter Aleks no Hotel Savoy não contribuíra em nada para apressar o ritmo lento das negociações com os russos. Aleks despertava afeição, como um filhote de gato – só que o gatinho tinha os dentes surpreendentemente afiados. Walden apresentara-lhe a contraproposta, uma passagem internacional do Mar Negro ao Mediterrâneo. Aleks afirmara que isso não era suficiente, pois, em tempo de guerra, quando o estreito se tornaria vital, nem a Inglaterra nem a Rússia, com a melhor boa vontade do mundo, poderiam impedir que os turcos fechassem o canal. A Rússia queria não apenas o direito de passagem, mas também o poder de impor esse direito.

Enquanto Walden e Aleks discutiam como tal poder seria concedido à Rússia, os alemães concluíram o alargamento do canal de Kiel, um projeto estrategicamente crucial, permitindo que seus encouraçados passassem da área de batalha do mar do Norte à segurança do Báltico. Além disso, as reservas de ouro da Alemanha estavam no auge, em decorrência das manobras financeiras que haviam motivado a visita de Churchill a Walden Hall, em maio. A Alemanha nunca estaria mais bem preparada para a guerra; a cada dia, a aliança anglo-russa tornava-se mais indispensável. Mas Aleks tinha nervos de aço, e não faria nenhuma concessão às pressas.

À medida que Walden ficava sabendo de mais informações sobre a Alemanha – sua indústria, governo, Exército, recursos naturais –, compreendia que ela tinha todas as chances de substituir a Inglaterra como a nação mais poderosa do mundo. Pessoalmente, Walden não se importava que a Inglaterra fosse a primeira, a segunda ou a nona, contanto que permanecesse livre. Amava seu país. Tinha orgulho dele. A indústria inglesa proporcionava trabalho a milhões de pessoas, e sua democracia era um modelo para o resto do mundo. A população estava se tornando mais instruída e, como consequência desse processo, mais pessoas tinham o direito ao voto. Até mesmo as mulheres o teriam, mais cedo ou mais tarde, sobretudo se parassem de quebrar janelas. Walden adorava os campos e as colinas, a ópera e o Music Hall, o esplendor frenético da metrópole e o ritmo lento e tranquilizante da vida rural. Tinha orgulho de seus inventores, escritores, homens de negócios e artífices. A Inglaterra era um lugar maravilhoso e não seria estragada pelos invasores prussianos; não se Walden pudesse evitar.

Ele estava preocupado porque não tinha certeza de que poderia evitá-lo. Tinha dúvidas sobre até que ponto realmente conhecia a Inglaterra moderna, com seus anarquistas e sufragistas, governada por jovens agitadores como Churchill e Lloyd George, abalada por forças ainda mais ameaçadoras como o Partido Trabalhista em franca expansão e os sindicatos cada vez mais poderosos. As pessoas do tipo de Walden ainda predominavam, mas o país não era mais tão dócil como antes. Às vezes ele tinha a impressão terrivelmente deprimente de que estava tudo escapando ao controle.

Charlotte entrou, lembrando-lhe que a política não era a única área da vida sobre a qual ele parecia estar perdendo o controle. Ela ainda usava o vestido de chá.

– Temos que sair em breve – disse Walden.

– Ficarei em casa, se puder. Estou com um pouco de dor de cabeça.

– Não haverá comida pronta para o jantar, a não ser que você avise a cozinheira agora.

– Não vou querer. Pedirei que levem uma bandeja com qualquer coisa para meu quarto.

– Parece um pouco pálida. Tome um copo de xerez. Vai abrir o apetite.

– Está bem.

Charlotte sentou-se, e o pai lhe serviu o xerez. Ao entregar-lhe a bebida, ele disse:

– Annie já tem um emprego e uma casa.

– Fico contente por isso – retrucou ela, friamente.

Walden respirou fundo.

– Devo dizer que tive culpa neste caso.

– Oh! – exclamou Charlotte, atônita.

Será que é tão raro assim eu admitir que estou errado?, pensou Walden. E continuou:

– Claro que eu não sabia que seu... que o rapaz havia fugido e que ela tinha ficado com vergonha de voltar para a casa da mãe. Mas devia ter procurado saber. Como você disse, com toda a razão, a moça estava sob a minha responsabilidade.

Charlotte não falou nada, mas foi sentar-se ao lado do pai no sofá e pegou-lhe a mão. Ele ficou comovido.

– Você possui um coração generoso, e espero que continue sempre assim – disse Walden. – E posso também acalentar a esperança de que aprenda a expressar seus sentimentos generosos com um pouco mais de... serenidade?

Charlotte encarou-o.

– Farei o melhor possível, papai.

– Às vezes me pergunto se não a resguardamos demais. Claro que foi sua mãe quem decidiu como você seria educada, mas devo reconhecer que concordei em quase todas as ocasiões. Há quem diga que as crianças não devem ser resguardadas de... do que se poderia chamar de fatos da vida. Mas essas pessoas são poucas e tendem a ser terrivelmente grosseiras.

Ficaram em silêncio por algum tempo. Como sempre, Lydia levava uma eternidade para se vestir para o jantar. Havia mais coisas que Walden queria dizer a Charlotte, mas não sabia se teria coragem. Ensaiou mentalmente várias aberturas, mas todas pareciam muito embaraçosas. A filha estava sentada a seu lado, num silêncio satisfeito. Walden imaginou se ela tinha alguma ideia do que se passava pela cabeça dele. Lydia ficaria pronta a qualquer momento. Tinha de ser naquele momento ou nunca. Limpou a garganta.

– Você vai casar-se com um bom homem e aprenderá, junto com ele, todas as coisas que agora são misteriosas e talvez um pouco preocupantes. – Isso pode ser suficiente, pensou. Essa era a oportunidade para recuar, se esquivar. Vamos, coragem! – Mas há uma coisa que você precisa saber de antemão. Sua mãe deveria dizer-lhe, mas acho que isso pode não acontecer, então eu terei de fazê-lo.

Walden acendeu um charuto apenas para ter o que fazer com as mãos. Já passara do ponto em que ainda poderia fugir. Teve um pouco de esperança de que Lydia entrasse naquele momento e interrompesse a conversa, mas isso não aconteceu.

– Você disse que sabe o que Annie e o jardineiro fizeram. Mas eles não eram casados, por isso estava errado. Mas quando se é casado, torna-se uma coisa muito boa.

Ele sentiu que seu rosto ficava vermelho e torceu para que a filha não olhasse para ele.

– É muito bom fisicamente. É impossível de descrever... Talvez seja um pouco como o calor de um fogo a carvão. Mas a coisa mais importante, que tenho certeza de que você ainda não compreende, é que se trata de algo maravilhoso espiritualmente. Exprimir toda a afeição, ternura, respeito e... bem, o amor que existe entre um homem e sua esposa. Não se compreende exatamente o que é isso quando se é jovem. As moças, sobretudo, tendem a só perceber o lado... mais grosseiro, digamos assim. E algumas pessoas jamais descobrem o lado bom. Mas se você quiser que isso aconteça e escolher um homem bom e sensível para ser seu marido, sem dúvida irá acontecer. Era isso que eu tinha para lhe falar. Deixei-a muito envergonhada?

Para surpresa dele, Charlotte virou a cabeça e beijou-o no rosto.

– Deixou, sim, mas não tanto quanto o senhor mesmo ficou.

Walden não pôde deixar de rir.

Pritchard entrou na sala nesse momento, anunciando:

– A carruagem está pronta, milorde. E milady está esperando no saguão.

Walden se levantou, murmurando para Charlotte:

– Não diga uma só palavra à sua mãe da nossa conversa.

– Estou começando a compreender por que todos dizem que o senhor é um bom homem, papai. Divirta-se.

– Até logo.

Enquanto seguia ao encontro da mulher, Walden pensou: Há ocasiões em que faço mesmo as coisas direito.

~

Depois disso, Charlotte quase mudou de ideia sobre ir à reunião das sufragistas.

Estava com um ânimo rebelde depois do incidente com Annie, quando vira o cartaz na vitrine de uma joalheria da Bond Street. O título *Voto para as mulheres* atraíra sua atenção, e ela notara que o local do encontro não era muito longe de sua casa. O cartaz não dizia os nomes das oradoras, mas Charlotte lera nos jornais que a notória Sra. Pankhurst muitas vezes aparecia em tais reuniões, sem aviso prévio. Charlotte parara para ler o cartaz, fingindo (por causa de Marya, que a acompanhava) que estava olhando uma prateleira de pulseiras. Enquanto lia, um rapaz saiu da loja e se pôs a raspar o cartaz colado na vitrine. Fora nesse momento que Charlotte decidira comparecer ao encontro.

Mas o pai abalara sua resolução. Era um choque descobrir que ele podia ser falível, vulnerável, até mesmo humilde. Uma revelação ainda maior era ouvi-lo falar do intercurso sexual como se fosse uma coisa bonita. Charlotte compreendeu que não estava mais fervendo de raiva porque o pai a deixara crescer na ignorância. De repente, conseguira compreender seu ponto de vista.

Mas nada alterava o fato de que era terrivelmente ignorante e não podia confiar nos pais para lhe revelarem tudo o que gostaria de saber, sobretudo sobre assuntos como o sufragismo. Irei à reunião, decidiu.

Tocou a campainha para chamar Pritchard. Pediu que lhe levassem uma salada no quarto e subiu em seguida. Uma das vantagens de ser mulher é que ninguém jamais duvidava quando se alegava estar com dor de cabeça. Afinal, se *esperava* que as mulheres sentissem dores de cabeça de vez em quando.

Assim que a bandeja chegou, Charlotte comeu um pouco e ficou esperando até o momento em que os criados estivessem jantando. Então pôs o chapéu, o casaco e saiu.

A noite estava quente, e ela andou rapidamente na direção de Knightsbridge. Experimentava uma sensação de liberdade e compreendeu que nunca tinha andado desacompanhada pelas ruas de uma cidade. Eu poderia fazer qualquer coisa, pensou. Não tenho compromisso nem uma acompanhante. Ninguém sabe onde estou. Posso jantar num restaurante. Posso pegar um trem para a Escócia. Posso ir para um quarto de hotel. Posso andar de ônibus. Posso comer uma maçã na rua e jogar o miolo na sarjeta.

Sentia que se sobressaía na multidão, mas ninguém olhava para ela. Sempre tivera a vaga impressão de que, se saísse sozinha, os homens iriam contrangê-la de maneiras inimagináveis. Mas, na verdade, eles não pareciam vê-la. Não estavam à espreita; todos estavam indo para algum lugar, em trajes noturnos. Como poderia haver algum perigo?, pensou Charlotte. Lembrou-se do louco no parque e apertou o passo.

Ao se aproximar do local da reunião, notou que havia mais e mais mulheres seguindo na mesma direção. Algumas estavam aos pares ou em grupos, mas muitas andavam sozinhas, como ela. Charlotte sentiu-se mais segura.

Do lado de fora do salão havia centenas de mulheres. Muitas usavam as cores das sufragistas: roxo, verde e branco. Algumas distribuíam folhetos ou vendiam um jornal chamado *Voto para as Mulheres*. Havia diversos guardas por ali, com expressões ao mesmo tempo de enfado e divertimento. Charlotte foi para a fila para entrar.

Quando chegou à porta, uma mulher com uma braçadeira pediu-lhe 6 *pence*. Charlotte virou-se automaticamente, depois lembrou que não estava com Marya, um lacaio ou uma criada para pagar pelas coisas. Estava sozinha e não tinha dinheiro. Não imaginara que teria que pagar para entrar no salão. E não tinha certeza se arrumaria os 6 *pence*, mesmo se tivesse pensado antes que poderia precisar.

– Desculpe – murmurou. – Não tenho dinheiro... Não sabia...

Virou-se para ir embora.

A mulher estendeu a mão para detê-la, e disse:

– Tudo bem. Se não tem dinheiro, pode entrar de graça.

A mulher tinha sotaque de classe média. Embora falasse gentilmente, Charlotte imaginou que estava pensando: Com roupas tão boas e não tem dinheiro!

– Obrigada – balbuciou Charlotte. – Mandarei um cheque...

Entrou, corando intensamente. Ainda bem que não tentei jantar num restaurante ou pegar um trem, pensou. Nunca precisara preocupar-se em andar com dinheiro. Sua acompanhante sempre tinha pequenas quantias e o pai mantinha uma conta em todas as lojas da Bond Street, e se ela quisesse almoçar no Claridge's ou tomar café da manhã no Café Royal, bastava deixar seu cartão na mesa e a conta seria enviada para ele. Mas aquela era uma conta que ele não iria pagar.

Ela ocupou seu lugar no auditório, quase na frente. Não queria perder nada, depois de tanto empenho. Se pretendia fazer esse tipo de coisa com frequência, teria de pensar num meio de arrumar dinheiro para as despesas.

Olhou ao redor. O salão quase repleto de mulheres, havendo apenas um punhado de homens. Eram quase todas de classe média, usando sarja e algodão em vez de caxemira e seda. Havia umas poucas que pareciam nitidamente mais bem-educadas do que a média. Falavam de maneira mais discreta e usavam menos joias. Essas, como Charlotte, usavam casacos que pareciam ser do ano anterior e chapéus simples, como se quisessem disfarçar-se. E pelo que Charlotte podia observar, não havia mulheres da classe trabalhadora na plateia.

No palco havia uma mesa coberta por um estandarte roxo, verde e branco, no qual se lia "Voto para as Mulheres". Havia seis cadeiras atrás da mesa.

Charlotte pensou: Todas essas mulheres... se rebelando contra os homens! Ela não sabia se devia ficar emocionada ou envergonhada.

A plateia aplaudiu quando cinco mulheres entraram no palco. Estavam todas impecavelmente vestidas, embora não muito na moda, pois não havia uma única saia do modelo *hobble* - comprida e estreita na bainha - ou um chapéu em forma de sino. Seriam realmente aquelas as mulheres que quebravam vitrines, danificavam quadros e jogavam bombas? Pareciam respeitáveis demais.

Os discursos começaram. Pouco significavam para Charlotte. Eram a respeito de organização, finanças, petições, multas, divisões e eleições extraordinárias. Ela deveria ler livros a respeito antes de comparecer a um comício, a fim de compreender o que se dizia? Depois de quase uma hora, estava com vontade de ir embora. E então a mulher que falava no momento foi interrompida de repente.

Duas mulheres apareceram ao lado do palco. Uma delas era uma jovem de aparência atlética, usando um capote para andar de automóvel. A seu lado, amparada nela, estava uma mulher pequena, vestindo um casaco verde-claro e um chapéu grande. A plateia começou a aplaudir. As mulheres no palco se levantaram. Os aplausos foram se tornando mais altos, com gritos e aclamações. Alguém perto de Charlotte se levantou e, segundos depois, mil mulheres estavam de pé.

A Sra. Pankhurst avançou lentamente pelo palco.

Charlotte podia vê-la com total clareza. Era o que as pessoas chamavam de uma mulher bonita. Tinha olhos pretos e bem marcadas com rímel, a boca larga e reta, e o queixo firme. Seria linda, se não fosse pelo nariz um tanto achatado. Os efeitos das prisões sucessivas e das greves de fome transpareciam na escassez de carne no rosto e nas mãos, na tonalidade amarelada da pele. Parecia fraca, muito magra e frágil.

Ela levantou as mãos e as aclamações cessaram quase no mesmo instante.

A Sra. Pankhurst começou a falar. A voz soava forte e clara, embora ela não parecesse gritar. Charlotte ficou surpresa ao perceber que seu sotaque era de Lancashire.

– Fui eleita em 1894 para o Conselho de Guardiães de Manchester, encarregada de administrar o abrigo para mulheres. Fiquei horrorizada na primeira vez em que entrei lá, ao ver meninas de 7 e 8 anos de joelhos, esfregando as lajes frias dos corredores intermináveis. No inverno e no verão, essas meninas usavam as mesmas batas de algodão, cavadas no pescoço e de mangas curtas. À noite não vestiam nada, pois se considerava que camisolas eram boas demais para indigentes. O fato de a bronquite ser epidêmica na maior parte do tempo não indicava aos guardiães a necessidade de mudar os trajes. E não preciso acrescentar que, até o momento da minha eleição, todos os guardiães eram homens.

A Sra. Pankhurst fez uma pausa, correndo os olhos pela multidão, e depois prosseguiu:

– Descobri que havia mulheres grávidas trabalhando, esfregando o chão, executando as mais árduas tarefas, quase até o momento em que seus filhos chegavam ao mundo. Muitas delas eram solteiras, muito, muito jovens, quase crianças. Essas pobres mães só tinham o direito de permanecer no hospital após o parto, e por apenas duas semanas. Depois tinham que escolher entre permanecer no abrigo e ganhar a vida esfregando o chão e fazendo outros trabalhos pesados, sendo separadas de seus filhos, ou serem despejadas. Podiam ficar e ser indigentes ou podiam ir embora... com um filho de duas semanas de idade nos braços, sem esperança, sem lar, sem dinheiro, sem ter para onde ir. O que acontecia com essas moças, o que acontecia a essas crianças infelizes?

Charlotte estava aturdida com a discussão pública de questões tão delicadas. Mães solteiras – ainda crianças – sem lar, sem dinheiro... E por que deveriam ser separadas dos filhos, se permanecessem no abrigo? Será que tudo isso era mesmo verdade?

Mas o pior ainda estava por vir.

A voz da Sra. Pankhurst se elevou um pouco:

– Pela lei, se um homem que arruína uma moça paga uma taxa única de 20 libras, a casa para onde o bebê vai fica a salvo de qualquer inspeção. Desde que as pessoas abriguem só um bebê de cada vez, e sendo pagas as 20 libras, os fiscais não podem inspecionar a casa.

Bebês em casas estranhas... um homem que arruína uma moça... as palavras eram desconhecidas para Charlotte, mas os significados eram terrivelmente claros.

– É claro que os bebês morrem com uma rapidez incrível e a pessoa se torna livre para aceitar outra vítima. Há anos que as mulheres tentam mudar a Lei dos Pobres, a fim de proteger todos os filhos ilegítimos e impedir que os patifes ricos escapem à responsabilidade pelas crianças que geram. Já se tentou isso inúmeras vezes, mas as tentativas sempre fracassaram... – Nesse momento a voz da Sra. Pankhurst adquiriu um tom veemente –, porque as únicas pessoas que realmente se importam com esses assuntos são as mulheres!

A audiência prorrompeu em aplausos, e uma mulher ao lado de Charlotte gritou:

– Apoiada! Apoiada!

Charlotte virou-se para a mulher e segurou-lhe o braço.

– Isso é verdade? – perguntou. – Isso é *verdade*?

Mas a Sra. Pankhurst estava falando novamente:

– Eu gostaria de ter tempo e forças para contar a vocês todas as tragédias que testemunhei quando trabalhava naquele conselho. Tive contato com viúvas que estavam lutando desesperadamente para manter suas casas de pé e sua família unida. A lei concedia a essas mulheres uma assistência bastante inadequada, mas para uma mulher sozinha, com um filho, a única ajuda era o trabalho num abrigo. Mesmo que a mulher estivesse amamentando o bebê, era considerada, por lei, como um homem fisicamente capaz. Dizem a nós, mulheres, que devemos ficar em casa e cuidar dos filhos. Eu costumava deixar meus colegas do sexo masculino perplexos ao declarar: "Quando as mulheres tiverem o direito ao voto, providenciarão para que as mães *possam* ficar em casa, cuidando de seus filhos!"

Ela parou apenas para respirar fundo e prosseguiu:

– Em 1899, fui designada para trabalhar no Registro de Nascimentos e Mortes de Manchester. Apesar da minha experiência no Conselho de Guardiães, fiquei chocada ao ser relembrada, incessantemente, do pouco respeito que existe no mundo por mulheres e crianças. Meninas de apenas 13 anos apareciam para registrar seus filhos, ilegítimos, é claro. E não havia nada que se pudesse fazer, na maioria dos casos. A idade de consentimento é 16 anos, mas um homem quase sempre pode alegar que achava que a moça tivesse mais de 16 anos. Durante o tempo em que servi no registro, conheci um caso de uma mãe muito jovem que abandonou o filho ilegítimo, e ele morreu. A moça foi julgada por assassinato e condenada à morte. O homem, que era, do ponto de vista de justiça, o verdadeiro assassino, não recebeu nenhuma punição.

"Naqueles dias, perguntei-me muitas vezes o que poderia ser feito. Eu ingressara no Partido Trabalhista, pensando que, através de suas assembleias, poderíamos alcançar algo vital, alguma exigência pela libertação das mulheres que os políticos não poderiam ignorar. Mas nada aconteceu.

"Ao longo de todos esses anos, minhas filhas estavam crescendo. Um dia, Christabel me surpreendeu com um comentário: 'As mulheres vêm tentando obter há muito tempo o direito ao voto. Da minha parte, planejo conseguir.' Desde então, passei a ter dois lemas. Um deles é 'Voto para as mulheres', e o outro é 'Da minha parte, planejo consegui-lo.'"

Uma mulher gritou:

– Eu também!

E houve nova explosão de aclamações. Charlotte sentia-se atordoada, como se ela, a exemplo da Alice na história, tivesse passado pelo espelho e se descobrisse num mundo em que nada era o que parecia. Quando lera nos jornais as notícias sobre as sufragistas, não encontrara qualquer referência à Lei dos Pobres, de mães de 13 anos (seria mesmo *possível*?) ou de meninas contraindo bronquite no abrigo. Charlotte não acreditaria em nada disso se não tivesse visto, com os próprios olhos, Annie, uma criada comum e boa de Norfolk, dormindo numa calçada de Londres depois de ter sido "arruinada" por um homem. Que importância tinham algumas janelas quebradas quando tais coisas estavam acontecendo?

– Muitos anos se passaram antes que acendêssemos a tocha da militância. Tínhamos tentado todos os outros meios possíveis, mas os anos de trabalho, sofrimento e sacrifício nos ensinaram que o governo não cederia ao direito e à justiça, mas cederia às pressões. Tínhamos que fazer com que todos os setores da vida inglesa se tornassem incertos e inseguros. Tínhamos que fazer com que as leis inglesas se tornassem um fracasso e os tribunais fossem teatros de farsa. Tínhamos que desacreditar o governo aos olhos do mundo. Tínhamos que estragar os esportes ingleses, prejudicar os negócios, destruir propriedades valiosas, desmoralizar o mundo da sociedade constituída, envergonhar as igrejas, abalar toda a vida organizada! E tínhamos que prosseguir nessa estratégia de guerrilha até o máximo que o povo da Inglaterra pudesse tolerar. Quando chegasse o momento em que o povo, como um todo, diria ao governo: 'Faça tudo isso parar da única maneira possível: concedendo a representação às mulheres da Inglaterra!', então apagaríamos a nossa tocha.

"Patrick Henry, o grande estadista americano, resumiu as causas que levaram à Revolução Americana da seguinte maneira: 'Pedimos, reclamamos, suplicamos, prostramo-nos diante do trono. Mas tudo foi em vão. Temos que lutar. Repito, senhor: temos que lutar.' Patrick Henry estava defendendo matar pessoas como meio de assegurar a liberdade política dos *homens*. As sufragistas não fizeram isso e jamais farão. O espírito que impregna a nossa militância é uma profunda e inabalável reverência pela vida humana.

Foi com esse espírito que nossas mulheres partiram para a guerra no ano passado. Em 31 de janeiro, diversos gramados de golfe foram queimados com ácido. Em 7 e 8 de fevereiro, fios de telégrafo e telefone foram cortados em vários lugares, interrompendo as comunicações entre Londres e Glasgow por algumas horas. Poucos dias depois, as janelas de alguns dos mais elegantes clubes de Londres foram quebradas. As estufas dos orquidários de Kew foram estilhaçadas e muitas flores valiosas, destruídas pelo frio. A sala de joias da Torre de Londres foi invadida, e um mostruário, quebrado. Em 18 de fevereiro, uma mansão de campo que estava sendo construída em Walton-on-the-Hill para o Sr. Lloyd George foi parcialmente destruída por uma bomba que explodiu ao amanhecer, antes da chegada dos trabalhadores.

"Mais de mil mulheres foram presas por causa dessas manifestações. Saíram da prisão com a saúde abalada, enfraquecidas no corpo, mas não no espírito. Nenhuma delas teria violado as leis se as mulheres fossem livres. São mulheres que acreditam sinceramente que o bem-estar da humanidade exige esse sacrifício; que acreditam que os males horríveis que assolam nossa civilização jamais serão extirpados enquanto as mulheres não obtiverem o direito ao voto. Só há um meio de acabar com essa agitação, só há um meio de pôr um fim às manifestações. E não será deportando todas nós!"

– Não será! – gritou uma mulher.

– E também não será nos trancando na prisão!

A plateia inteira se pôs a gritar:

– Não! Não!

– Será nos fazendo justiça!

– Apoiada! Apoiada!

Charlotte se viu gritando junto com as outras. A pequena mulher no palco parecia irradiar uma indignação virtuosa. Os olhos dela brilhavam, os punhos estavam cerrados. Ela empinou o queixo, e sua voz se elevava e abaixava de emoção:

– O fogo do sofrimento, cuja chama atinge nossas irmãs na prisão, também arde em nós. Pois sofremos com elas, partilhamos suas aflições e vamos comemorar juntas a vitória. Esse fogo vai sussurrar no ouvido de muitas mulheres que estão adormecidas: "Acorde!" E elas vão se levantar para participar da nossa luta. Ele vai conceder o dom da palavra a muitas mulheres que até hoje se mantiveram mudas, e elas vão se erguer para pregar a libertação. Sua luz há de ser vista de longe pelas muitas mulheres que sofrem, que estão desesperadas e oprimidas, iluminando suas vidas com uma nova esperança. Pois o espírito que existe nas mulheres hoje não pode ser extinto. É mais forte do que toda tirania, crueldade e opressão, é mais forte... até mesmo... do que a própria... morte!

~

Uma suspeita terrível despertou em Lydia durante o dia.

Depois do almoço, ela foi para seu quarto e se deitou. Não era capaz de pensar em outra coisa a não ser em Feliks. Ainda era vulnerável ao magnetismo dele. Seria uma tolice fingir o contrário. Mas não era mais uma mocinha desamparada. Tinha os próprios recursos, e estava determinada a não perder o controle, a não permitir que Feliks arruinasse a vida plácida que construíra com tanto cuidado.

Pensou em todas as perguntas que não fizera a Feliks. O que ele estava fazendo em Londres? Como ganhava a vida? Como soubera onde encontrá-la?

Ele dera um nome falso a Pritchard. Era evidente que receara que ela não o recebesse. Lydia compreendia agora por que "Konstantin Dmitrich Levin" lhe parecera familiar. Era o nome de um personagem de *Anna Kariênina*, o livro que ela comprara no dia em que conhecera Feliks. Era um pseudônimo com um duplo sentido, um mnemônico insinuante que evocava um punhado de recordações, como um sabor recordado da infância. Haviam discutido sobre o romance. Lydia dissera que era extraordinariamente real, pois sabia como era a paixão libertada na alma de uma mulher respeitável. Anna *era* Lydia. Mas Feliks argumentara que o livro não era sobre Anna, mas sobre Levin e sua busca pela resposta à pergunta: "Como devo viver?" A resposta de Tolstói era: "Em seu coração, você sabe o que é certo." Feliks alegara que era esse tipo de moralidade fútil, deliberadamente ignorante da história, da economia e da psicologia, que tinha levado à total incompetência e à degeneração da classe dominante russa. Isso acontecera na noite em que comeram cogumelos em conserva e Lydia provara vodca pela primeira vez. Ela usava um vestido turquesa, que fazia com que seus olhos castanhos parecessem azuis. Feliks lhe beijara os dedos dos pés e depois...

Sim, ele era muito astuto por fazê-la recordar tudo isso.

Será que Feliks estava em Londres havia muito tempo? Ou acabara de chegar, só para falar com Aleks? Presumivelmente, havia um motivo para procurar um almirante em Londres para falar sobre um marinheiro preso na Rússia. Pela primeira vez, ocorreu-lhe que Feliks talvez não tivesse lhe contado toda a verdade. Afinal, ainda era um anarquista. Em 1895, era inflexível a respeito da não violência. Mas podia ter mudado.

Se Stephen soubesse que informei a um anarquista onde poderia encontrar Aleks...

Preocupara-se com isso durante o chá. E preocupara-se enquanto a criada lhe arrumava os cabelos, o que levara a um penteado malfeito que a deixara com uma aparência horrorosa. Preocupara-se também durante o jantar, por isso não se mostrara muito animada com a marquesa de Quort, o Sr. Chamberlain e um rapaz chamado Freddie que a todo momento declarava em voz alta que não havia nada seriamente errado com Charlotte.

Ficou pensando na mão ferida de Feliks, que o levara a gritar quando a apertara. Vislumbrara o ferimento apenas de relance, mas tivera a impressão de que era profundo o bastante para precisar de pontos.

Apesar disso, foi só no final da noite, quando estava sentada no quarto escovando os cabelos, que lhe ocorreu que Feliks poderia ser o louco do parque.

O pensamento foi tão terrível que ela largou a escova de cabo de ouro na penteadeira, quebrando um vidro de perfume.

E se Feliks tivesse vindo a Londres para matar Aleks?

E se tivesse atacado a carruagem no parque não para assaltar, mas para matar Aleks? O homem no parque tinha a mesma altura e o mesmo tipo físico de Feliks? Tinha, sim. E Stephen o ferira com a espada...

Aleks fora embora da casa deles porque estava assustado (ou talvez, imaginou Lydia, porque sabia que o "roubo" fora na verdade uma tentativa de assassinato) e Feliks ficara sem saber onde encontrá-lo, resolvendo então perguntar a Lydia...

Ela se contemplou no espelho. A mulher que via tinha olhos castanhos, sobrancelhas claras, cabelos louros, um rosto bonito e o cérebro de um passarinho.

Seria verdade? Será que Feliks conseguira enganá-la a esse ponto? Sim, porque ele passara dezenove anos imaginando que ela o traíra.

Lydia recolheu os cacos de vidro e colocou-os num lenço, enxugando em seguida o perfume derramado. Não sabia o que fazer. Tinha que avisar Stephen, mas como? "A propósito, um anarquista veio me ver hoje de manhã e perguntou onde Aleks estava. E como ele já foi meu amante, eu lhe contei..." Ela teria que inventar uma história. Pensou a respeito por um tempo.

Houve uma época em que fora uma hábil mentirosa, mas agora estava sem prática. Acabou chegando à conclusão de que poderia escapar impune com uma combinação das mentiras que Feliks dissera a ela e a Pritchard.

Pôs um robe de caxemira sobre a camisola de seda e foi para o quarto de Stephen.

Ele estava sentado ao lado da janela, de pijama e robe, com um copo de conhaque numa das mãos e um charuto na outra, olhando para o parque enluarado. Ficou surpreso ao vê-la entrar, pois era ele quem sempre ia ao quarto dela à noite. Levantou-se com um sorriso de boas-vindas e abraçou--a. Lydia compreendeu que o marido interpretara erroneamente o motivo de sua visita. Ele pensava que ela fora ali para fazer amor.

– Preciso conversar com você, Stephen.

Ele a soltou. Parecia desapontado.

– A esta hora da noite?

– Acho que fiz uma tolice terrível.

– Pois então me conte o que aconteceu.

Sentaram-se em lados opostos da lareira apagada. Subitamente, Lydia desejou ter ido até ali para fazer amor.

– Um homem veio me procurar hoje de manhã, Stephen. Disse que me conheceu em São Petersburgo. O nome era familiar, e tive a impressão de que me lembrava vagamente dele... Sabe como é, às vezes a gen...

– Qual era o nome dele?

– Levin.

– Continue.

– Ele disse que queria falar com o príncipe Orlov.

De repente, Stephen ficou completamente alerta.

– Por quê?

– Queria conversar sobre um marinheiro que fora preso injustamente. Esse... Levin... queria fazer uma súplica pessoal pela libertação do homem.

– E o que você lhe disse?

– Falei que Aleks estava no Hotel Savoy.

– Mas que diabo! – praguejou Stephen, e em seguida se arrependeu. – Desculpe.

– Ocorreu-me depois que Levin podia estar mentindo. Ele estava com a mão ferida... e lembrei que você feriu aquele maluco no parque com a espada. Enfim, aos poucos fui chegando à conclusão... Fiz uma coisa horrível, não é mesmo?

– A culpa não é sua. Na verdade, é toda minha. Eu devia ter lhe contado a verdade a respeito do homem no parque, mas achei que seria melhor não a assustar. Eu estava enganado.

– Pobre Aleks... Pensar que alguém pode estar querendo matá-lo.... Ele é tão gentil...

– Como era esse tal de Levin?

A pergunta deixou Lydia perturbada. Por um momento, estivera pensando em "Levin" como um assassino desconhecido. Agora, tinha que descrever Feliks.

– Hã... Era alto, magro, cabelos escuros, mais ou menos da minha idade, obviamente russo. Um rosto simpático, mas bastante enrugado...

Ela não pôde continuar. Pensou apenas: E estou morrendo de desejo por ele.

Stephen se levantou.

– Vou falar com Pritchard. Ele pode levar-me ao hotel.

Lydia tinha vontade de dizer: Não, por favor. Em vez disso, leve-me para a cama. Preciso do seu calor e da sua ternura. Mas falou apenas:

– Lamento muito.

– Talvez seja melhor assim.

Ela ficou aturdida.

– Por quê?

– Porque assim poderei capturá-lo quando ele aparecer no Savoy para assassinar Aleks.

E foi nesse momento que Lydia compreendeu que, antes que tudo aquilo acabasse, um dos dois homens que amava mataria o outro.

~

Feliks tirou cuidadosamente o frasco de nitroglicerina da pia. Atravessou o quarto como se estivesse pisando em ovos. O travesseiro estava em cima do colchão. Ele aumentara o rasgo, deixando-o com 15 centímetros de comprimento. Enfiou o frasco pelo rasgo e acomodou-o dentro do travesseiro. Ajeitou o enchimento, para que o frasco ficasse envolto por um material antichoque. Então pegou o travesseiro e, aninhando-o como a um bebê, colocou-o em sua maleta aberta. Fechou-a e deixou escapar um suspiro de alívio.

Vestiu o casaco, pôs o cachecol e o chapéu respeitável. Virou cuidadosamente a maleta para a posição vertical, depois levantou-a e saiu.

A caminhada até o West End foi um verdadeiro pesadelo. Claro que não podia usar a bicicleta, pois até mesmo andar já era estressante. A cada segundo ele imaginava o frasco marrom dentro da maleta, acomodado no interior do travesseiro. Cada vez que o pé pisava na calçada, imaginava que o impacto podia subir pelo corpo e descer pelo braço, até a maleta. Em sua mente, via as moléculas de nitroglicerina vibrando cada vez mais depressa, abaixo de sua mão.

Passou por uma mulher que lavava a calçada de casa e achou melhor desviar e ir pela rua. Não queria correr o risco de escorregar nas pedras molhadas. A mulher escarneceu:

– Está com medo de ficar com os pezinhos molhados?

Na frente de uma fábrica em Euston, uma multidão de jovens operários saiu correndo pelos portões atrás de uma bola de futebol. Feliks ficou completamente imóvel enquanto os rapazes corriam a seu redor, empurrando-se e chocando-se na disputa pela bola. Então alguém chutou-a para longe e eles se foram, tão depressa quanto haviam chegado.

Atravessar a Euston Avenue foi uma dança com a morte. Ficou parado no meio-fio por cinco minutos, esperando um vácuo no tráfego longo o suficiente para que ele passasse, e depois teve que atravessar tão depressa que estava quase correndo.

Entrou numa papelaria elegante na Totteham Court Road. Estava tudo calmo e silencioso no interior da loja. Pôs a maleta em cima do balcão, cuidadosamente. Um funcionário uniformizado se aproximou.

– Como posso ajudá-lo, senhor?

– Preciso de um envelope, por favor.

O empregado ergueu as sobrancelhas.

– Só um, senhor?

– Isso mesmo.

– De algum tipo em particular?

– Um envelope simples, mas de boa qualidade.

– Temos marfim, azul, creme, bege...

– Branco.

– Está certo.

– E uma folha de papel.

– Uma folha de papel, senhor.

A compra lhe custou 3 *pence*. Feliks teria preferido fugir sem pagar, mas não podia correr com a bomba na maleta.

A Charing Cross Road estava apinhada de pessoas a caminho de lojas e escritórios para mais um dia de trabalho. Era impossível andar sem levar esbarrões. Feliks ficou parado por algum tempo num portal, tentando imaginar o que fazer. Por fim, decidiu segurar a maleta com os dois braços, a fim de protegê-la das hordas apressadas.

Na Leicester Square, refugiou-se num banco. Sentou-se a uma das mesas em que os clientes preenchiam seus cheques. Havia uma bandeja com penas e um tinteiro. Pôs a maleta no chão, entre os pés, e relaxou por um momento. Funcionários do banco passavam silenciosamente de um lado para outro, carregados de papéis. Feliks pegou uma caneta e escreveu no envelope que tinha comprado:

Príncipe A.A. Orlov
Hotel Savoy
Strand, Londres

Dobrou a folha de papel em branco e colocou-a dentro do envelope, apenas pelo peso – não queria que o envelope desse a impressão de estar vazio. Depois passou a língua pela aba gomada e fechou-o. Em seguida, com relutância, pegou a maleta e saiu do banco.

Na Trafalgar Squase, mergulhou seu lenço na fonte e molhou o rosto.

Passou pela Charing Cross Station e seguiu para leste ao longo do rio. Perto da Waterloo Bridge, havia um pequeno grupo de garotos junto ao parapeito, jogando pedras nas gaivotas. Feliks perguntou ao que parecia mais inteligente:

– Quer ganhar 1 *penny*?

– Claro que quero!

– Está com as mãos limpas?

– Claro! – exclamou o menino, mostrando as mãos imundas.

Vão ter de servir, pensou Feliks.

– Sabe onde fica o Hotel Savoy?

– Em frente!

Feliks assumiu a resposta como um sim. Entregou o envelope e 1 *penny* ao garoto.

– Conte até cem bem devagar e depois leve esta carta ao hotel. Entendido?

– Claro!

Feliks subiu os degraus para a ponte. Estava apinhada de homens de chapéu-coco atravessando o rio, vindos de Waterloo. Ele se juntou à procissão de transeuntes.

Entrou numa loja de jornais e comprou o *Times*. Quando estava saindo, um rapaz passou correndo pela porta. Feliks estendeu o braço e deteve o rapaz, gritando:

– Olhe para onde vai!

O jovem olhou para ele aturdido. Enquanto saía, Feliks ouviu-o dizer ao jornaleiro:

– Que sujeitinho nervoso, não é mesmo?

– Estrangeiro – respondeu o jornaleiro.

E então Feliks não ouviu mais nada, pois já estava na calçada. Logo saiu da Strand e entrou no hotel. Sentou-se numa poltrona no saguão e colocou a maleta no chão, entre os pés. Não falta muito, pensou.

De seu lugar, podia ver as duas portas e o balcão da recepção. Enfiou a mão no interior do casaco e consultou um relógio imaginário. Depois, abriu o jornal e recostou-se para esperar, como se tivesse marcado um encontro ali.

Puxou a maleta para mais perto da poltrona e estendeu as pernas pelos dois lados, protegendo-a de um eventual chute de algum distraído. O saguão estava apinhado: faltava pouco para as dez horas. Era ali que a classe dominante tomava seu café da manhã, pensou Feliks. Ele não comera – não estava com apetite nesse dia.

Olhando por cima do jornal, examinou as outras pessoas no saguão. Havia dois homens que podiam ser detetives. Feliks imaginou se eles poderiam impedir sua fuga. Mas, mesmo que ouvissem a explosão, pensou, como poderiam saber quem era o responsável entre as dezenas de pessoas que correriam pelo saguão? Ninguém sabe como eu sou. Só saberiam se estivessem atrás de mim. Terei que verificar se não estão me procurando.

Ficou pensando se o menino apareceria. Afinal, o pirralho já recebera seu *penny*. Talvez tivesse jogado o envelope no rio e saído para comprar balas. Se isso tivesse acontecido, Feliks teria que fazer tudo de novo, até encontrar um garoto honesto.

Começou a ler um artigo no jornal, levantando os olhos a intervalos de poucos segundos. O governo queria fazer com que as pessoas que davam dinheiro à União Política e Social das Mulheres fossem responsáveis pelo pagamento dos danos causados pelas sufragistas. Planejava-se uma legislação especial para possibilitar isso. Como os governos se tornam tolos ao ficar intransigentes, pensou Feliks; as pessoas simplesmente passarão a doar o dinheiro anonimamente.

Onde estava o garoto?

Ele se perguntou o que Orlov estaria fazendo naquele momento. Provavelmente estaria trancado num dos quartos do hotel, alguns metros acima da cabeça de Feliks, comendo, se barbeando, escrevendo uma carta ou negociando com Walden. Eu gostaria de matar Walden também, pensou ele.

Não era impossível que os dois passassem pelo saguão a qualquer momento. Mas isso seria sorte demais. O que eu faria?, perguntou-se Feliks.

Jogaria a bomba e morreria feliz.

Avistou o garoto através da porta de vidro.

Ele se aproximava pela rua estreita que levava à entrada do hotel. Feliks podia vê-lo com o envelope branco na mão. Segurava-o por uma ponta, quase com aversão, como se ele estivesse limpo e o envelope imundo. Encaminhou-se para a porta, mas foi detido por um porteiro. Os dois tiveram uma discussão de alguns segundos, inaudível para quem estava na parte de dentro, e finalmente o garoto foi embora. O porteiro entrou no saguão com o envelope na mão.

Feliks ficou tenso. Daria certo?

O homem entregou o envelope ao recepcionista, que olhou para ele em sua mão, pegou um lápis, escreveu alguma coisa no canto superior direito – o número do quarto? – e chamou um entregador.

Estava dando certo!

Feliks levantou-se, pegou a maleta cuidadosamente e encaminhou-se para a escada.

O entregador passou por ele no primeiro andar e continuou a subir.

Feliks foi atrás.

Estava quase fácil demais.

Permitiu que o entregador subisse mais um lance de escada à sua frente, depois acelerou o passo, para não perdê-lo de vista.

O rapaz avançou pelo corredor no quinto andar.

Feliks parou e ficou observando.

Então ele bateu a uma porta. Alguém veio abrir e Feliks viu uma mão estendida para pegar o envelope.

Peguei você, Orlov.

O entregador fez menção de se afastar e foi chamado de volta. Feliks não pôde ouvir as palavras. O rapaz recebeu uma gorjeta e disse:

– Muito obrigado, senhor. É muita bondade sua.

Em seguida, a porta foi fechada.

Feliks começou a avançar pelo corredor.

O rapaz viu a maleta e estendeu a mão, dizendo:

– Precisa de ajuda, senhor?

– Não! – disse Feliks, bruscamente.

– Está certo, senhor – disse o mocinho, seguindo adiante.

Feliks encaminhou-se para a porta do quarto de Orlov. Será que não havia outras medidas de precaução? Walden podia imaginar que um assassino não seria capaz de entrar num quarto de hotel de Londres, mas Orlov devia ser mais inteligente que isso. Por um momento, Feliks sentiu-se tentado a ir embora. Ou talvez devesse fazer mais algum reconhecimento. Mas agora estava perto demais de Orlov.

Colocou a maleta no capacho em frente à porta.

Abriu-a, enfiou a mão dentro do travesseiro e retirou o frasco marrom com extremo cuidado.

Empertigou-se lentamente. Bateu na porta.

CAPÍTULO OITO

WALDEN OLHOU PARA O ENVELOPE. Estava endereçado numa letra impecável e neutra, sem nada que a tornasse identificável. Fora escrito por um estrangeiro, pois um inglês teria posto *Príncipe Orlov* ou *Príncipe Aleksei*, mas não *Príncipe A.A. Orlov*. Walden gostaria de saber o que havia dentro, mas Aleks deixara o hotel de madrugada e ele não poderia abrir o envelope em sua ausência. Afinal, era a correspondência de outro homem.

Entregou o envelope a Basil Thomson, que não tinha tais escrúpulos.

O homem o abriu e tirou uma única folha de papel lá de dentro.

– Está em branco! – exclamou.

Nesse instante, bateram à porta.

Todos se moveram rapidamente. Walden afastou-se para as janelas, longe da porta e da linha de fogo, postando-se atrás de um sofá, pronto para abaixar-se. Os dois detetives colocaram-se dos lados da porta e sacaram as armas. Thomson ficou no meio do quarto, atrás de uma poltrona.

Tornaram a bater.

– Pode entrar! – gritou Thomson. – Está destrancada.

A porta se abriu e lá estava ele.

Walden apertou o encosto do sofá. Ele *parecia* assustador.

Era um homem alto, de chapéu-coco, com um casaco preto abotoado até o pescoço. Tinha um rosto comprido, pálido e esquelético. Segurava na mão esquerda um frasco marrom grande. Os olhos correram pela sala e ele compreendeu num relance que era uma armadilha.

Levantou o frasco e gritou:

– Nitro!

– Não atirem! – berrou Thomson aos dois detetives.

Walden sentiu um calafrio. Sabia o que era nitroglicerina e tinha consciência de que todos morreriam se o frasco caísse. Queria viver; não queria morrer num segundo de agonia intensa.

Houve um longo momento de silêncio. Ninguém se mexeu. Walden olhava fixamente para o assassino. Tinha um rosto duro, determinado, astuto. Todos os detalhes ficaram gravados na mente de Walden naquela curta e terrível pausa: o nariz curvo, a boca larga, os olhos tristes, os cabelos pretos aparecendo por baixo do chapéu. Ele é louco?, pensou Walden.

Amargurado? Cruel? Sádico? O rosto mostrava apenas que era um homem sem medo.

Thomson rompeu o silêncio:

– Entregue-se. Ponha esse frasco no chão. Pare de bancar o idiota.

Walden pensou: Se os detetives atirarem e ele cair, conseguirei alcançá-lo antes que o vidro se quebre?

Não.

O assassino permaneceu imóvel, com o frasco levantado. Ele está olhando para mim e não para Thomson, percebeu Walden. Está me estudando, como se me achasse fascinante, absorvendo todos os detalhes, imaginando como sou. É um olhar pessoal. Está interessado em mim, assim como eu nele.

Ele já notou que Aleks não está aqui – o que vai fazer agora?

O assassino dirigiu-se a Walden em russo:

– Você não é tão estúpido quanto parece.

Walden pensou: Será que ele é um suicida? Vai nos matar e depois suicidar-se? É melhor mantê-lo falando...

Então, de repente, o homem se foi.

Walden ouviu os passos afastando-se rapidamente pelo corredor.

Encaminhou-se para a porta, com os outros três à sua frente.

No corredor, os detetives se ajoelharam e fizeram mira com as armas. Walden viu o assassino afastar-se com um passo estranho, o braço esquerdo pendendo reto ao lado do corpo, segurando o frasco com o máximo de firmeza possível.

Se explodir agora, pensou Walden, será que vai matar todos nós, a essa distância? Provavelmente não.

Thomson estava pensando a mesma coisa, e ordenou aos detetives:

– Atirem!

Dois revólveres dispararam.

O assassino parou e virou-se.

Teria sido atingido?

Ele deu impulso com o braço para trás e atirou o frasco pelo ar na direção de seus perseguidores.

Thomson e os dois detetives se jogaram no chão. Walden compreendeu num relance que não adiantaria estar estendido no chão se a nitroglicerina explodisse em qualquer lugar perto deles.

O frasco girava no ar enquanto voava na direção deles. Ia cair no chão a 1,5 metro de Walden. E, se caísse, certamente explodiria.

Walden correu *na direção* do frasco.

A garrafa desceu num arco. Ele estendeu as mãos para o frasco e pegou-o, então o vidro pareceu escorregar por seus dedos e Walden ficou em pânico. Quase largou a garrafa, tornou a segurá-la com firmeza. Não escorregue, pelo amor de Deus, pensou. Como um goleiro pegando uma bola de futebol, puxou-a de encontro ao peito e girou na direção que a garrafa estava seguindo. Então perdeu o equilíbrio, caiu de joelhos e se firmou no chão, ainda segurando o frasco e pensando: Vou morrer.

Nada aconteceu.

Os outros o encaravam, aturdidos. Ele permaneceu de joelhos, com o frasco nos braços, como se fosse um bebê recém-nascido.

Um dos detetives desmaiou.

~

Feliks olhou espantado para Walden por mais uma fração de segundo, depois virou-se e desceu correndo a escada.

Walden era espantoso. Que coragem pegar aquele frasco!

Ele ouviu um grito distante:

– Sigam-no!

Está acontecendo de novo, pensou ele. Estou em fuga outra vez. O que há de errado comigo?

A escada era interminável. Ouviu passos em seu encalço. Um tiro foi disparado.

No patamar seguinte, ele esbarrou num garçom com uma bandeja. O garçom caiu, louça e comida voando em todas as direções.

O perseguidor estava a um ou dois lances de escada atrás dele. Feliks chegou ao pé da escada. Controlou-se e atravessou o saguão.

Ainda estava cheio de gente.

Ele tinha a sensação de que andava em uma corda bamba.

Pelo canto dos olhos, observou os dois homens que identificara como possíveis detetives. Estavam absorvidos em uma conversa, parecendo preocupados; deviam ter ouvido os estampidos distantes.

Feliks atravessou o saguão devagar, fazendo um esforço tremendo para resistir ao impulso de correr. Tinha a impressão de que todos o observavam. Seguiu olhando fixamente para a frente.

Chegou à porta e saiu.

– Precisa de uma carruagem, senhor? – perguntou o porteiro.

Feliks embarcou num veículo de aluguel à espera e afastou-se.

Ao virar na Strand, olhou para o hotel. Um dos detetives que o perseguira saía correndo pela porta, acompanhado pelos dois homens de vigia no saguão. Falaram algo com o porteiro, que apontou o veículo em que Feliks estava. Os homens sacaram as armas e correram atrás da carruagem.

O tráfego era intenso. A carruagem parou na Strand.

Feliks saltou.

– Ei, o que diabo está fazendo? – gritou o cocheiro.

Feliks esquivou-se pelo tráfego para o outro lado da rua e correu para o norte.

Olhou para trás. Os detetives ainda o perseguiam. Tinha que manter distância até conseguir se livrar deles num labirinto de vielas ou numa estação ferroviária.

Um guarda uniformizado do outro lado da rua viu-o correndo e ficou desconfiado. Logo depois, os detetives também viram o guarda, gritaram para lhe chamar atenção e ele também se juntou à perseguição.

Feliks apertou o passo. O coração estava descompassado, a respiração ofegante.

Virou uma esquina e descobriu-se no mercado de frutas e legumes de Covent Garden.

As ruas calçadas de pedras estavam entupidas de caminhões e carroças puxadas por cavalos. Por toda parte havia carregadores com imensas bandejas de madeira na cabeça ou empurrando carrinhos de mão. Barris de maçãs estavam sendo descarregados de carroças por homens musculosos de camiseta. Caixas de alface, tomates e morangos eram vendidas por homens de chapéu-coco, e carregadas por homens de gorro. O barulho era tremendo.

Feliks embrenhou-se pelo coração do mercado.

Escondeu-se atrás de uma pilha de engradados vazios e espiou. Depois de um momento, avistou os perseguidores. Estavam parados, olhando ao redor. Falaram alguma coisa rápida entre si e depois os quatro se separaram para retornar as buscas.

Lydia me traiu, pensou Feliks, enquanto recuperava o fôlego. Será que ela já sabia que eu estava pretendendo matar Orlov? Não, não podia saber. Ela não estava representando naquela manhã; não estava fingindo quando me beijou. Mas, se tivesse acreditado na história de tirar um marinheiro da prisão, sem dúvida não teria contado nada a Walden. Talvez depois tivesse compreendido que eu menti e por isso avisou ao marido, pois não queria ter qualquer participação no assassinato de Orlov. Não me traiu, exatamente.

Ela não vai me beijar na próxima vez.

Não haverá próxima vez.

O guarda aproximava-se do lugar em que ele estava escondido. Feliks contornou a pilha de engradados e descobriu-se sozinho numa área cercada por caixotes.

Escapei da armadilha, pensou. Agradeço aos céus pela nitroglicerina.

Mas *eles* é que deveriam estar com medo de mim.

Eu sou o caçador. *Eu* faço as armadilhas.

O problema é Walden. Ele é o perigo. Escapou por duas vezes. Quem poderia imaginar que um aristocrata de cabelos grisalhos tivesse tanta coragem?

Ele se perguntou onde estaria o guarda. Deu uma espiada para fora e ficou frente a frente com o homem.

O rosto do guarda estava assumindo uma expressão de surpresa quando Feliks o agarrou pelo casaco e o puxou.

O guarda cambaleou.

Feliks terminou de derrubá-lo e ele caiu no chão. Feliks se jogou por cima dele, agarrou-o pelo pescoço e começou a apertar.

Odiava guardas.

Lembrou-se de Bialystock, quando os fura-greves, armados com barras de ferro, haviam espancado os operários enquanto a polícia olhava sem fazer nada. Lembrou-se do pogrom, quando os arruaceiros corriam à solta pelo bairro judeu ateando fogo às casas, espancando velhos, estuprando moças, enquanto os guardas observavam tudo às risadas. Lembrou-se do Domingo Sangrento, dos soldados atirando contra a multidão pacífica diante do Palácio de Inverno, enquanto a polícia observava e aplaudia. Lembrou-se dos policiais que o haviam levado à fortaleza de São Pedro e São Paulo para ser torturado, dos policiais que o haviam escoltado à Sibéria e roubado seu capote, dos policiais que haviam invadido a reunião de greve em São Petersburgo com seus cassetetes, batendo nas cabeças das mulheres – eles sempre batiam nas mulheres.

Um guarda era um trabalhador que tinha vendido sua alma.

Feliks apertou com mais força.

Os olhos do guarda se fecharam e ele parou de se debater.

Feliks aumentou a pressão.

Ouviu um som.

Virou a cabeça.

Um menino que deveria ter 3 anos estava parado ali, comendo uma maçã, observando-o estrangular o guarda.

Feliks pensou: O que estou esperando?

Largou o guarda.

O menino se aproximou e olhou para o homem inconsciente.

Feliks esquadrinhou o espaço ao redor. Não viu nenhum dos detetives.

– Ele está dormindo? – perguntou o menino.

Feliks se afastou.

Deixou o mercado sem ver nenhum de seus perseguidores.

Encaminhou-se para a Strand.

Começou a sentir-se seguro.

Pegou um ônibus na Trafalgar Square.

~

Quase morri, Walden não parava de pensar. Quase morri.

Estava sentado na suíte do hotel, enquanto Thomson se reunia com sua equipe de detetives. Alguém lhe entregou um copo com conhaque e soda e foi só nesse momento que percebeu que suas mãos tremiam. Não conseguia afastar dos pensamentos a imagem do frasco de nitroglicerina em suas mãos.

Tentou concentrar-se em Thomson. O policial mudou visivelmente ao falar a seus homens: tirou as mãos dos bolsos, sentou-se na beirada de uma cadeira e sua voz passou de um sotaque arrastado para um tom incisivo e seco.

Walden começou a acalmar-se, enquanto ouvia Thomson.

– O homem escapuliu entre nossos dedos. Não vai acontecer de novo. Agora sabemos alguma coisa a respeito dele e vamos descobrir ainda mais. Sabemos que estava em São Petersburgo, em 1895, porque lady Walden se lembra dele. Sabemos que esteve na Suíça, porque a maleta em que carregava a bomba era suíça. E sabemos como ele é.

Aquele rosto, pensou Walden. Cerrou os punhos.

Thomson continuou:

– Watts, quero que você e seus rapazes gastem algum dinheiro no East End. O homem é, quase com certeza, russo, provavelmente um anarquista e judeu, mas não contem com isso. Vamos ver se conseguimos descobrir seu nome. Se conseguirem, telegrafem para Zurique e São Petersburgo, pedindo informações. Richards, você começará pelo envelope. É provável que ele tenha comprado um só, e o vendedor deverá se lembrar. Woods, você trabalhará na garrafa. É um frasco Winchester, com uma tampa de vidro. Descubra quem é o fornecedor em Londres. Mande seus homens percorrerem as lojas para verificar se algum químico se lembra de um cliente parecido com o nosso homem. Claro que ele deve ter comprado os ingredientes para a nitroglicerina em lojas diferentes, e, se conseguirmos descobrir quais são, saberemos em que lugar de Londres procurar.

Walden estava impressionado. Não imaginara que o assassino pudesse deixar tantas pistas. Começou a sentir-se melhor.

Thomson virou-se para um rapaz de chapéu de feltro e colarinho mole.

– Taylor, o seu trabalho será o mais importante. Lorde Walden e eu vimos o assassino rapidamente, mas lady Walden teve a oportunidade de observá-lo por algum tempo. Você irá conosco, portanto, e fará um retrato falado dele, com a ajuda dela. Quero que o retrato seja impresso hoje à noite e distribuído a todas as delegacias de polícia de Londres até o meio-dia de amanhã.

O homem não vai conseguir escapar, pensou Walden. Depois, lembrou que pensara a mesma coisa quando prepararam a armadilha no hotel. Recomeçou a tremer.

~

Feliks contemplou-se no espelho. Cortara os cabelos bem curtos, como um prussiano, arrancara as sobrancelhas até se transformarem em linhas finas. Deixaria de imediato de fazer a barba. Em uma semana, a barba e o bigode cobririam por completo a boca e o queixo, que tanto chamavam atenção. Infelizmente, não havia nada que pudesse fazer em relação ao nariz. Comprara óculos de segunda mão, com aros finos de metal. As lentes eram pequenas, para que pudesse ver por cima delas. Trocara o chapéu-coco e o casaco preto por um jaquetão azul de marinheiro e um gorro de tweed com pala.

Um olhar atento ainda o revelaria como o mesmo homem, mas estava agora completamente diferente a quem o olhasse de relance.

Sabia que tinha que deixar a casa de Bridget. Comprara todos os ingredientes químicos naquela região, e quando a polícia descobrisse isso, começaria uma busca de casa em casa. Mais cedo ou mais tarde, os policiais apareceriam naquela rua e um vizinho diria: "Eu o conheço. Ele está no porão de Bridget."

Estava em fuga. Era humilhante e deprimente. Já estivera nessa condição outras vezes, mas sempre depois de matar alguém, nunca antes.

Pegou a navalha, as roupas de baixo de reserva, a dinamite que fizera, o livro de contos de Pushkin, e enrolou tudo na camisa limpa. Foi até a sala de visitas de Bridget.

- Santo Deus, o que fez com as sobrancelhas? - perguntou ela. - Era um homem tão bonito.

- Tenho que ir embora.

Ela olhou para o embrulho.

- Estou vendo.

- Se a polícia aparecer, não precisa mentir.

- Direi que o expulsei daqui, porque desconfiei que era um anarquista.

- Adeus, Bridget.

- Tire esses óculos ridículos e me dê um beijo.

Feliks beijou-a no rosto e saiu.

- Boa sorte, rapaz - gritou ela às suas costas.

Feliks pegou a bicicleta e, pela terceira vez desde que chegara a Londres, saiu à procura de um lugar para ficar.

Foi pedalando lentamente. Já não se sentia fraco por causa dos ferimentos de espada, mas seu ânimo tinha sido minado pelo sentimento de fracasso. Passou pela North London e City, em seguida atravessou o rio pela London Bridge. Dirigiu-se depois para sudeste, passando por um pub chamado The Elephant and Castle.

Na região de Old Kent Road encontrou o tipo de acomodação que procurava: barata e sem perguntas. Alugou um espaço no quarto andar de um prédio pertencente à Igreja Anglicana, conforme lhe informou o zelador em uma voz lúgubre. Não poderia fabricar nitroglicerina ali, já que não havia água no quarto - nem no prédio, na verdade -, apenas uma bica e uma privada no pátio.

O quarto era desolador. Havia uma expressiva ratoeira no canto e a única janela estava coberta por jornal. A tinta descascava, o colchão fedia. O zelador, um homem gordo e encurvado calçado com chinelos e tossindo a todo instante, disse:

- Se quiser consertar a janela, posso arrumar o vidro bem barato.

- Onde posso guardar minha bicicleta?

– Eu a traria aqui para cima, se fosse você. Se deixar em qualquer outro lugar, com certeza ela será roubada.

Com a bicicleta no quarto, quase não haveria espaço para passar entre a cama e a porta.

– Fico com o quarto – disse Feliks.

– Doze xelins.

– Você disse que o aluguel era de 3 xelins por semana.

– Quatro semanas adiantadas.

Feliks pagou. Depois de comprar os óculos e trocar as roupas, restava-lhe agora 1 libra e 19 xelins. O zelador disse:

– Se quiser pintar o quarto, posso arrumar a tinta pela metade do preço.

– Qualquer coisa eu falo com você.

O quarto era sórdido, mas esse era o menor de seus problemas.

No dia seguinte teria que recomeçar a procurar Orlov.

~

– Stephen! – exclamou Lydia. – Graças a Deus você está bem!

Ele passou o braço pelos ombros dela.

– Claro que estou bem.

– O que aconteceu?

– Infelizmente não conseguimos colocar as mãos em nosso homem.

Lydia quase desmaiou de alívio. Desde que Stephen dissera que iria pegar o sujeito, Lydia estava duplamente apavorada, com medo de que Feliks matasse Stephen e com medo de que, se isso não acontecesse, ela fosse responsável, pela segunda vez, por levá-lo à prisão. Sabia o que ele sofrera na primeira vez, e o pensamento a deixava desesperada.

– Creio que já conheça Basil Thomson – disse Stephen. – E esse é o Sr. Taylor, o retratista da polícia. Vamos todos ajudá-lo a desenhar o rosto do assassino.

Lydia sentiu um aperto no coração. Teria que passar horas visualizando a imagem do amante, na presença do marido. Quando tudo isso vai terminar?, pensou ela.

– Aliás, onde está Charlotte? – acrescentou Stephen.

– Saiu para fazer compras – respondeu Lydia.

– Ótimo. Não quero que ela saiba o que está acontecendo. Especialmente, não quero que saiba onde Aleks está.

– Não diga a mim também – pediu Lydia. – Prefiro não saber. Assim, não poderei cometer o mesmo erro de novo.

Sentaram-se e o desenhista ajeitou o bloco.

Traçou as linhas do rosto várias vezes. Lydia poderia tê-lo desenhado em cinco minutos. A princípio, tentou levar o desenhista por um caminho errado, dizendo que não era bem assim, quando alguma coisa estava certa, e que ele estava no caminho certo quando algo estava claramente errado. Mas Stephen e Thomson tinham visto Feliks nitidamente, ainda que depressa, e trataram de corrigi-la. Enfim, com receio de ser descoberta, ela cooperou da maneira apropriada, pensando durante todo o tempo que poderia estar ajudando a pôr Feliks na prisão outra vez. Terminaram com um retrato bastante semelhante ao rosto que Lydia amava.

Depois disso, ainda muito abalada, ela tomou uma dose de láudano e foi dormir. Sonhou que ia a São Petersburgo para se encontrar com Feliks. Com a lógica devastadora dos sonhos, ela foi até o porto para pegar o navio em uma carruagem com duas duquesas que, na vida real, a expulsariam da alta sociedade se conhecessem seu passado. Contudo, as três cometeram um erro e foram parar em Bournemouth em vez de Southampton. Aliás, pararam para descansar, embora fossem cinco horas e o navio partisse às sete. As duquesas disseram a Lydia que dormiriam juntas à noite e se acariciariam de maneira pervertida. De alguma forma isso não soou nem um pouco surpreendente, embora as duas fossem muito velhas. Lydia dizia a todo instante: "Temos que ir agora", mas não lhe davam a menor atenção. Um homem apareceu com uma mensagem para Lydia, assinada por "Seu amante anarquista". Lydia disse ao mensageiro: "Avise a meu amante anarquista que estou *tentando* pegar o navio das sete." Pronto, o segredo estava revelado. As duquesas trocaram olhares maliciosos. Quando faltavam vinte minutos para as sete, ainda em Bournemouth, Lydia percebeu que ainda não arrumara a bagagem. Começou a jogar roupas nas malas, mas não conseguia encontrar quase nada que procurava. Os segundos iam passando, ela estava cada vez mais atrasada e continuava sem conseguir fazer as malas. Em pânico, saiu sem a bagagem, subiu na carruagem para conduzi-la com as próprias mãos e se perdeu à beira do mar em Bournemouth. Não sabia sair da cidade e, quando acordou, ainda estava muito longe de Southampton.

Permaneceu deitada na cama, o coração batendo descompassado, os olhos arregalados, fixados no teto. Pensou: Foi apenas um sonho. Graças a Deus. Graças a Deus!

~

Feliks deitou-se desesperado e acordou com muita raiva.

Estava furioso consigo mesmo. O assassinato de Orlov não era uma missão sobre-humana. O homem podia estar protegido, mas não era possível trancá-lo num cofre subterrâneo, como se fosse dinheiro no banco. Além do mais, até mesmo os cofres de banco podiam ser arrombados. Feliks era inteligente e determinado. Com paciência e perseverança, encontraria um meio de contornar todos os obstáculos que surgiam em seu caminho.

Estava sendo caçado. Bem, não deixaria que o apanhassem. Andaria por ruas menos movimentadas, evitaria os vizinhos e se manteria constantemente alerta aos uniformes azuis da polícia. Já fora caçado muitas vezes desde que começara sua carreira de violência, mas nunca fora capturado.

Levantou-se e foi se lavar na bica no pátio. Lembrou-se de não fazer a barba, pôs o gorro de tweed, o casaco de marinheiro e os óculos, tomou café da manhã numa barraca de chá e seguiu de bicicleta para o parque St. James, evitando as ruas de maior movimento.

A primeira coisa que viu foi um guarda de uniforme, andando de um lado para outro na frente da casa de Walden.

Isso significava que não poderia ocupar seu posto habitual para vigiar a casa. Teria que ficar muito mais longe no parque e observar a uma distância enorme. Também não poderia permanecer no mesmo lugar por muito tempo, pois o guarda poderia vê-lo e ficar desconfiado.

Por volta de meio-dia, um automóvel saiu da casa. Feliks correu para sua bicicleta.

Não vira o carro entrar, então presumiu que pertencia a Walden. Antes a família sempre andara de carruagem, mas não havia motivo para que não tivessem também um automóvel. Feliks estava longe demais para ver quem viajava dentro do veículo. Esperava que fosse Walden.

O carro seguiu para a Trafalgar Square e Feliks cortou o parque pelo gramado para interceptá-lo.

O automóvel estava alguns metros à sua frente quando Feliks chegou à rua. Acompanhou-o sem a menor dificuldade em torno da praça, mas depois o carro se distanciou um pouco e seguiu para o norte pela Charing Cross.

Feliks pedalava depressa, mas não desesperadamente. Primeiro, porque não queria atrair atenção, e depois porque queria conservar as forças. Mas acabou sendo cauteloso demais, pois quando chegou à Oxford Street o automóvel havia desaparecido. Amaldiçoou-se por ser um tolo. Em que direção o veículo teria seguido? Havia quatro possibilidades: à esquerda, em frente, à direita, à direita numa curva fechada.

Obedecendo à intuição, Feliks seguiu em frente.

Tornou a avistar o automóvel num engarrafamento na Tottenham Court Road. Deixou escapar um suspiro de alívio. Alcançou-o enquanto ele virava para leste. Arriscou-se a chegar perto o bastante para dar uma olhada no interior. Na frente havia um homem com um quepe de motorista e no banco traseiro um sujeito de cabelos grisalhos e barba: Walden!

Vou matá-lo, pensou Feliks. Por Deus, vou matá-lo.

Ultrapassou o automóvel no engarrafamento nas proximidades da Euston Station, para evitar que Walden o visse quando o veículo recomeçasse a andar. Permaneceu na frente por toda a Euston Road, olhando para trás a todo instante, a fim de verificar se o carro ainda seguia atrás. Esperou no cruzamento da King's Cross, com a respiração pesada, até o veículo passar por ele e virar para o norte. Feliks desviou o rosto durante a ultrapassagem e depois foi atrás.

O tráfego estava intenso e ele conseguia acompanhar o carro, embora estivesse ficando cansado. Começou a torcer para que Walden estivesse indo encontrar-se com Orlov. Uma casa discreta em North London, no subúrbio, poderia ser um bom esconderijo. O entusiasmo de Feliks foi aumentando. Poderia matar os dois.

Depois de cerca de um quilômetro, o tráfego foi se tornando menos intenso. O carro era grande e potente. Feliks tinha que pedalar cada vez mais depressa para acompanhá-lo. Estava suando profusamente. Pensou: Por quanto tempo mais isso vai continuar?

Um tráfego intenso na Holloway Road proporcionou-lhe a oportunidade de descansar um pouco. Depois, tornou a acelerar ao longo da Seven Sisters Road. Feliks seguia tão depressa quanto podia. A qualquer momento o carro podia sair da via principal; podia estar a poucos minutos de seu destino. Tudo o que quero é um pouco de sorte!, pensou Feliks. Recorreu às últimas reservas de energia. As pernas já doíam, a respiração era ofegante. O carro afastava-se dele implacavelmente. Quando o automóvel já estava 100 metros à sua frente e ainda acelerando, Feliks enfim desistiu.

Ficou sentado na bicicleta junto à calçada, inclinado sobre o guidom, recuperando o fôlego. Sentia-se tonto.

Era sempre assim, pensou ele com amargura: a classe dominante lutava com todo o conforto. Lá estava Walden, sentado confortavelmente num automóvel grande, fumando um charuto, sem ter ao menos o trabalho de dirigir.

Era evidente que Walden estava saindo da cidade. Orlov poderia estar em qualquer lugar ao norte de Londres, a meio dia de viagem num veículo motorizado. Feliks fora totalmente derrotado – de novo.

Por falta de ideia melhor, fez a volta e seguiu de novo para o parque St. James.

~

Charlotte ainda estava emocionada com o discurso da Sra. Pankhurst.

Claro que continuaria havendo miséria e sofrimento enquanto todo o poder estivesse nas mãos de uma metade do mundo, e essa metade não tivesse a menor compreensão dos problemas que afetavam a outra. Os homens aceitavam um mundo brutal e injusto porque não era brutal e injusto para eles, mas sim para as mulheres. Se estas também tivessem poder, não restaria mais ninguém para ser oprimido.

No dia seguinte ao comício das sufragistas, sua mente fervilhava de especulações. Via todas as mulheres a seu redor – criadas, funcionárias de lojas, babás no parque, até mesmo a mãe – sob uma nova luz. Sentia que começava a compreender como o mundo funcionava. Não estava mais ressentida com os pais por terem mentido. Não haviam realmente mentido, a não ser por omissão. Além do mais, eles enganavam a si mesmos quase tanto quanto a haviam enganado. E o pai lhe falara com sinceridade, apesar de suas inclinações evidentes. Mesmo assim, Charlotte ainda queria descobrir as coisas por si mesma, para ter certeza da verdade.

Pela manhã, conseguiu algum dinheiro usando a simples justificativa de sair para fazer compras em companhia de um lacaio.

– Dê-me 1 xelim – dissera a ele.

Mais tarde, enquanto o lacaio esperava com a carruagem na entrada principal da Liberty's, na Regent Street, Charlotte saiu por uma porta lateral e foi a pé até a Oxford Street, onde encontrou uma mulher vendendo o jornal sufragista *Voto para as Mulheres*. O periódico custou 1 *penny*. Charlotte voltou então à Liberty's, foi ao banheiro feminino e escondeu o jornal por baixo do vestido. Depois, voltou à carruagem.

Leu o jornal em seu quarto, depois do almoço. Soube que o incidente do palácio, durante sua apresentação à corte, não tinha sido a primeira vez que a situação terrível das mulheres fora levada à atenção do rei e da rainha. Em dezembro, três sufragistas em lindos vestidos de baile haviam feito uma barricada num camarote em Covent Garden. Estava ocorrendo uma apresentação de gala de *Joana d'Arc*, de Raymond Roze, com a presença dos soberanos, e a plateia estava lotada. No final do primeiro ato, uma das sufragistas se levantou e começou a falar com o rei através de um megafone. Foi necessária meia hora para arrombar a porta do camarote e retirar as três mulheres. Nesse momento, mais quarenta sufragistas, nas primeiras filas da galeria, levantaram-se, jogaram panfletos por toda a parte e retiraram-se em massa.

Antes e depois desse incidente, o rei se recusara a conceder uma audiência à Sra. Pankhurst. Alegando que todos os súditos tinham o direito de apresentar suas queixas ao rei, as sufragistas anunciaram que uma comissão iria marchar até o palácio, acompanhada por milhares de mulheres.

Charlotte viu que a marcha seria realizada naquele dia... naquela tarde... naquele instante.

Queria estar presente.

Disse a si mesma que nada adiantava compreender o que estava errado se não se fazia nada para corrigir a situação. E o discurso da Sra. Pankhurst ainda ressoava em seus ouvidos: "O espírito que existe nas mulheres hoje não pode ser reprimido..."

Seu pai tinha saído de carro com Pritchard e a mãe estava em seu descanso habitual depois do almoço. Não havia ninguém para impedi-la.

Pôs um vestido velho e o casaco menos elegante que possuía. Desceu silenciosamente a escada e saiu de casa.

~

Feliks estava andando pelo parque sem perder a casa de vista, procurando decidir o que fazer.

Precisava descobrir para onde Walden fora de carro, mas como conseguiria isso? Poderia tentar novamente arrancar a informação de Lydia? Era possível, com algum risco, passar pelo guarda e entrar na casa, mas conseguiria sair? Lydia não daria o alarme? Mesmo que ela o deixasse partir, dificilmente revelaria o segredo do esconderijo de Orlov agora que sabia por que ele queria a informação. Talvez pudesse seduzi-la – mas onde e quando?

Não podia seguir o automóvel de Walden em uma bicicleta. Seria possível ir atrás dele em outro carro? Poderia roubar um, mas não sabia dirigir. Poderia aprender? E depois de tudo isso, o motorista de Walden não perceberia que estavam sendo seguidos?

Se ele pudesse esconder-se no carro de Walden... Isso implicava entrar na garagem, abrir o porta-malas do automóvel, passar várias horas lá dentro... E sempre na esperança de que ninguém o abrisse para guardar alguma coisa antes de sair com o carro. As chances de fracassar eram grandes demais para que arriscasse tudo.

O motorista devia saber o destino, é claro. Ele poderia ser subornado? Embriagado? Sequestrado? Feliks especulava sobre essas possibilidades quando viu a garota saindo de casa.

Não sabia quem era. Podia ser uma criada, pois a família sempre entrava e saía de carruagem. Mas ela saíra pela entrada principal, e Feliks nunca vira as criadas fazerem isso. Talvez fosse a filha de Lydia. Ela devia saber onde Orlov se encontrava.

Feliks decidiu segui-la.

A jovem seguiu na direção da Trafalgar Square. Feliks deixou a bicicleta nas moitas, foi atrás dela e pôde observá-la melhor. As roupas da moça não pareciam de uma criada. Ele lembrou que havia uma jovem na carruagem na noite em que tentara matar Orlov pela primeira vez. Não a vira direito, pois toda a sua atenção estava desastrosamente concentrada em Lydia. Durante os muitos dias que passara observando a casa, vislumbrara uma moça na carruagem em diversas ocasiões. Era provável que fosse aquela, concluiu Feliks. Ela estava saindo de casa de maneira furtiva, com algum objetivo clandestino, enquanto o pai estava ausente e a mãe, ocupada.

Havia algo vagamente familiar na jovem, pensou Feliks, enquanto a seguia pela Trafalgar Square. Ele tinha certeza de que nunca a vira mais detidamente, mas continuava com aquela forte impressão de déjà-vu enquanto contemplava o vulto esguio, as costas empertigadas, os passos apressados e determinados. Ocasionalmente, ele a via de perfil, quando ela se virava para atravessar a rua. A inclinação do queixo, talvez alguma coisa nos olhos, parecia despertar-lhe uma recordação profunda. Será que ela o fazia se lembrar da jovem Lydia? Não, não era isso, concluiu Feliks. Lydia sempre parecera pequena e frágil, com as feições delicadas. Aquela moça tinha um rosto anguloso, de aparência forte. Charlotte fazia Feliks recordar um quadro de um pintor italiano que vira numa galeria em Genebra. Depois de um momento, ocorreu-lhe o nome do artista: Modigliani.

Feliks chegou ainda mais perto e, logo depois, viu claramente o rosto da moça. Sentiu que o coração parou por uma fração de segundo e pensou: Ela é linda!

Aonde ela estaria indo? Encontrar o namorado, talvez? Comprar algo proibido? Fazer alguma coisa que os pais desaprovavam, como ir a um cinema ou a uma casa de música?

A teoria do namorado era a mais provável. E também a mais promissora, do ponto de vista de Feliks. Ele podia descobrir quem era o sujeito e ameaçar contar o segredo da jovem, a menos que ela lhe dissesse onde estava Orlov. Claro que ela não contaria de imediato, especialmente se soubesse que havia um assassino atrás de Orlov. Mas tendo que escolher entre o amor de um rapaz e a segurança de um primo russo, Feliks estava convencido de que ela haveria de preferir o romance.

Ouviu um barulho distante. Virou uma esquina para continuar a segui-la e de repente se viu numa rua totalmente ocupada por mulheres marchando. Muitas usavam as cores das sufragistas – verde, branco e roxo. Outras levavam estandartes. Havia *milhares* de mulheres. Em algum lugar, uma banda tocava.

A jovem juntou-se à manifestação e pôs-se a marchar com as outras.

Feliks pensou: Sensacional!

A rua estava apinhada de guardas, mas quase todos olhavam para as mulheres, então Feliks podia seguir tranquilamente pela calçada, pelas costas deles. Acompanhou a marcha, sem perder a moça de vista. Ela era uma sufragista em segredo! Era vulnerável à chantagem, mas podia haver meios mais sutis de manipulá-la.

De um jeito ou de outro, pensou Feliks, arrancarei dela o que estou querendo.

~

Charlotte estava emocionada. A marcha era ordeira, com algumas mulheres mantendo as outras em formação. Quase todas que participavam da manifestação estavam bem-vestidas e tinham um ar respeitável. A banda tocava uma música animada. Havia até alguns homens carregando uma faixa que dizia: "Lutem contra o governo que se recusa a conceder o direito de voto às mulheres." Charlotte não se sentia mais uma desajustada com ideias heréticas. Ora, pensou, todos esses milhares de mulheres pensam e se sentem como eu! Algumas vezes, nas últimas 24 horas, chegara a se perguntar se os homens não estariam certos ao dizer que as mulheres eram fracas, estúpidas e ignorantes. É que muitas vezes ela se *sentia* fraca e estúpida, além de ser realmente ignorante. Agora, pensou: Se estudarmos, não seremos ignorantes; se pensarmos por nós mesmas, não seremos estúpidas; e se lutarmos juntas, não seremos fracas.

A banda começou a tocar o hino *Jerusalém* e as mulheres puseram-se a cantar. Charlotte acompanhou, com o maior entusiasmo:

Não abandonarei a luta mental
A espada não dormirá em minha mão

Não me importo se alguém me vir neste momento, pensou ela, desafiadoramente – nem mesmo as duquesas!

Até construirmos Jerusalém
Nas terras verdes e aprazíveis da Inglaterra.

A marcha atravessou a Trafalgar Square e entrou na The Mall. De repente, havia muito mais guardas, observando as mulheres atentamente. Havia também muitos homens assistindo à manifestação nos dois lados da rua. Eles gritavam e assoviavam com desdém. Charlotte ouviu um deles dizer:

– Tudo o que vocês precisam é de uma boa trepada!

Ela ficou intensamente ruborizada. Notou que muitas mulheres levavam um bastão com uma flecha de prata presa em cima. Perguntou à mulher a seu lado o que aquilo simbolizava.

– As flechas nos trajes da prisão – explicou ela. – Todas as mulheres que levam um bastão deste já estiveram na prisão.

– Na prisão!

Charlotte estava atordoada. Soubera que algumas sufragistas já tinham sido presas. Mas agora, olhando ao redor, viu que havia centenas de mulheres com o objeto. Pela primeira vez, ocorreu-lhe que poderia terminar o dia encarcerada. O pensamento a fez ficar tonta. Não vou continuar, pensou. Minha casa fica no outro lado do parque. Posso chegar lá em cinco minutos. Prisão! Eu morreria! Olhou para trás e depois pensou: Não fiz nada errado! Por que estou com medo de ir para a prisão? Por que não devo apresentar minhas queixas ao rei? A menos que lutemos, as mulheres serão sempre fracas, estúpidas e ignorantes. A banda recomeçou a tocar e ela empinou os ombros, marchando no ritmo.

A fachada do Palácio de Buckingham assomava ao final da The Mall. Uma fileira de guardas, muitos a cavalo, estendia-se à frente da construção. Charlotte estava próxima ao início da procissão. Tentou imaginar o que as líderes pretendiam fazer quando chegassem aos portões.

Lembrou-se da tarde em que saíra da Derry & Toms e vira um bêbado cambaleando pela calçada em sua direção. Um cavalheiro de cartola empurrara o bêbado com a bengala, enquanto o lacaio rapidamente a ajudava a embarcar na carruagem, encostada no meio-fio.

Mas hoje ninguém a protegeria de empurrões e esbarrões.

Estavam agora na frente dos portões do palácio.

Na última vez em que estive aqui, pensou Charlotte, fui convidada.

A parte da frente da procissão alcançou a fileira de guardas. Por um momento, houve um entrave, as pessoas atrás empurrando as da frente. Charlotte avistou a Sra. Pankhurst. Ela usava casaco e saia roxos, blusa branca de gola alta e colete verde. O chapéu era roxo, com uma imensa pena branca de avestruz e um véu. Tinha se afastado da massa de manifestantes e conseguira chegar, sem ser notada, ao portão mais distante que dava para o pátio do palácio. Que mulher mais corajosa, marchando de cabeça erguida até os portões do rei!

Foi detida por um inspetor de polícia usando uma boina. Era um homem alto e corpulento, que parecia pelo menos dois palmos maior do que a Sra. Pankhurst. Seguiu-se um breve diálogo entre eles. Ela deu um passo à frente e o inspetor barrou o seu caminho. Ela tentou contorná-lo e, nesse momento, para horror de Charlotte, o policial segurou a Sra. Pankhurst num abraço firme, levantando-a e levando-a para longe.

Charlotte ficou furiosa – assim como todas as mulheres a seu redor. As manifestantes se comprimiram vigorosamente contra a fileira de guardas. Charlotte viu uma ou duas passarem e correrem em direção ao palácio, sendo perseguidas por guardas. Os cavalos bateram com os cascos com ferraduras, fazendo um barulho ameaçador no calçamento. A linha de guardas começou a se romper. Várias mulheres se engalfinharam com eles e foram derrubadas no chão. Charlotte ficou apavorada com a perspectiva de ser maltratada. Alguns dos homens que observavam a cena das calçadas correram em auxílio aos guardas, e os empurrões transformaram-se numa briga séria. Uma mulher de meia-idade perto de Charlotte foi agarrada pelas coxas.

– Tire as mãos de mim, senhor! – protestou ela, indignada.

– Hoje eu posso segurá-la onde bem entender! – retrucou o guarda.

Alguns homens de chapéu de palha avançaram pela multidão, empurrando e esmurrando as mulheres. Charlotte gritou. Subitamente, algumas sufragistas contra-atacaram, manejando os cajados. Chapéus de palha voaram por toda parte. Não havia mais espectadores: todos estavam envolvidos na confusão. Charlotte queria fugir dali, mas havia violência em todas as partes para onde se virava. Um homem de chapéu-coco agarrou uma jovem por trás, passando um braço pelos seios dela e enfiando a outra mão entre suas coxas. Charlotte ouviu-o dizer:

– Era isso que você estava querendo há muito tempo, não é mesmo?

A brutalidade de tudo aquilo horrorizou Charlotte: era como um daqueles quadros medievais do Purgatório em que todas as pessoas sofriam torturas terríveis. Só que aquilo era real e ela estava envolvida na confusão. Foi empurrada por trás e caiu, esfolando as mãos e os joelhos. Alguém pisou em sua mão. Ela tentou levantar e foi novamente derrubada. Compreendeu que podia ser pisoteada por um cavalo e morrer. Desesperada, segurou-se no casaco de uma mulher e conseguiu ficar de pé.

Algumas mulheres estavam jogando pimenta nos olhos dos homens, mas era impossível fazê-lo com precisão, e acabavam atingindo também outras mulheres. A luta ficava cada vez mais terrível. Charlotte viu uma mulher caída com sangue esguichando do nariz. Quis ajudá-la, mas não conseguia se mexer. Todo o seu esforço se concentrava em se manter de pé. Começou a ficar furiosa, além de assustada. Os homens, tanto os guardas como os civis, esmurravam e chutavam as mulheres com a maior satisfação. Charlotte pensou, histericamente: Por que eles sorriem assim? Para seu horror, sentiu uma mão imensa lhe agarrar o seio, e depois apertar e torcer. Ela se virou, repelindo o braço desajeitadamente, e deu de cara com um homem de cerca de 20 anos, bem-vestido num terno de tweed. Ele estendeu as mãos e agarrou os seios dela, comprimindo os dedos com força. Ninguém *jamais* a tocara ali! Charlotte lutou com o homem, vendo em seu rosto uma expressão desvairada, em que se misturavam ódio e desejo. Ele gritou:

– É disso que você precisa, não é?

Então ele desferiu um soco na barriga de Charlotte. O punho pareceu afundar em sua carne. O choque foi terrível, e a dor pior ainda, mas o que a deixou em pânico foi o fato de não conseguir respirar. Inclinou-se para a frente, com a boca escancarada. Queria puxar um pouco de ar, queria gritar, mas não conseguia fazer nada. Percebeu vagamente quando um homem muito alto passou por ela, abrindo caminho pela multidão, como se estivesse num trigal. O sujeito agarrou a lapela do homem de terno de tweed e acertou-lhe um soco no queixo. O golpe chegou a tirar o rapaz do chão. A expressão de surpresa dele era quase cômica. Charlotte enfim conseguiu voltar a respirar e aspirou o ar sofregamente. O homem alto passou o braço com firmeza pelos ombros dela e disse em seu ouvido:

- Venha comigo.

Charlotte compreendeu que estava sendo salva e a sensação de estar nas mãos de alguém forte e protetor era um alívio tão grande que ela quase desmaiou.

O homem conduziu-a para fora da multidão. Um sargento da polícia atacou-a com um cassetete. O protetor de Charlotte levantou o braço para salvá-la da agressão e deu um grito de dor quando o porrete de madeira acertou seu antebraço. Largou-a e seguiu-se uma breve confusão de golpes. Um momento depois o sargento estava caído no chão, sangrando, enquanto o homem alto mais uma vez conduzia Charlotte através do aglomerado de pessoas.

De repente, estavam fora da confusão. Ao compreender que estava a salvo, Charlotte começou a chorar baixinho, as lágrimas inundando-lhe as faces. O homem obrigou-a a continuar andando.

- Vamos sair daqui - disse ele.

Tinha um sotaque estrangeiro. Charlotte estava totalmente destituída de vontade própria e se deixou levar pelo homem.

Depois de algum tempo, começou a recuperar o controle. Percebeu que estavam na área de Victoria. O homem parou diante de uma Lyons Corner House e perguntou:

- Não quer tomar uma xícara de chá?

Ela assentiu e os dois entraram.

Ele a conduziu a uma cadeira e se sentou diante dela. Charlotte fitou-o pela primeira vez. Por um instante, sentiu-se novamente apavorada. Ele tinha um rosto comprido, com um nariz curvo. Os cabelos eram curtos, mas as faces não estavam barbeadas. Parecia perigoso, ameaçador. No entanto Charlotte logo percebeu que não havia nada além de compaixão em seus olhos.

Ela respirou fundo.

– Como posso agradecer?

Ele ignorou a pergunta.

– Quer comer alguma coisa?

– Apenas chá. – Charlotte reconheceu o sotaque e passou a falar em russo. – De onde você é?

Ele pareceu satisfeito por descobrir que ela falava sua língua.

– Nasci na província de Tambov. Você fala russo muito bem.

– Minha mãe é russa, e minha aia também.

A garçonete se aproximou.

– Dois chás, por favor, meu bem.

Charlotte se deu conta de que ele devia estar aprendendo inglês com o povo do East End.

– Nem mesmo sei o seu nome. Sou Charlotte Walden – disse em russo.

– Feliks Kschessinsky. Foi muito corajosa ao entrar naquela marcha.

Charlotte balançou a cabeça.

– Coragem não teve nada a ver com isso. Eu simplesmente não sabia que seria assim.

Ela estava pensando: Quem é esse homem? De onde veio? Ele é *fascinante*, mas visivelmente cauteloso. Eu gostaria de saber mais a seu respeito.

– O que esperava? – perguntou ele.

– Da marcha? Não sei... Por que aqueles homens *gostam* de atacar as mulheres?

– É uma pergunta interessante. – Ele ficou subitamente animado, e Charlotte viu que tinha um rosto atraente e expressivo. – Colocamos as mulheres num pedestal e fingimos que todas elas são puras e indefesas. Assim, ao menos na sociedade educada, os homens devem dizer a si mesmos que não sentem qualquer hostilidade em relação às mulheres, nem qualquer desejo pelos seus corpos. Agora, eis que surgem algumas mulheres, as sufragistas, que obviamente não são indefesas, não precisam ser idolatradas e, ainda por cima, violam as leis. Elas negam os mitos nos quais os homens se forçaram a acreditar, e por isso podem ser agredidas impunemente. Os homens se sentem traídos e dão vazão a todo o desejo e à raiva que fingiam não sentir. É uma ótima válvula de escape para a tensão, e eles adoram.

Charlotte ficou aturdida. Era uma explicação completa e fantástica, apresentada com a maior clareza. Gosto desse homem, pensou ela.

– O que faz para viver? – perguntou a ele.

O homem mostrou-se novamente cauteloso.

– Sou um filósofo desempregado.

O chá foi servido. Era forte e muito doce, e restaurou um pouco as forças de Charlotte. Sentia-se intrigada por aquele estranho russo e queria saber mais a seu respeito.

– Você parece pensar que tudo isso... a posição das mulheres na sociedade e o resto... é tão terrível para os homens quanto para as mulheres.

– Tenho certeza de que é.

– Por quê?

O homem hesitou.

– Homens e mulheres são felizes quando se amam. – Uma sombra se insinuou pelo rosto dele, mas logo se desvaneceu. – A relação de amor não é igual à relação de idolatria. Idolatra-se um deus. Só os seres humanos podem ser amados. Quando idolatramos uma mulher, não podemos amá-la. E então, quando descobrimos que ela não é uma deusa, passamos a odiá-la. Isso é lamentável.

– Eu nunca tinha pensado nisso – murmurou Charlotte, com evidente admiração.

– Além do mais, não podemos esquecer que todas as religiões possuem deuses bons e maus. O Senhor e o Demônio. Da mesma forma, temos mulheres boas e mulheres más. E pode-se fazer qualquer coisa com as mulheres más, como as sufragistas e prostitutas.

– O que são prostitutas?

Ele ficou surpreso.

– Mulheres que se vendem para...

O homem usou uma palavra russa que Charlotte não conhecia.

– Pode traduzir isso?

– Fornicar – respondeu ele, em inglês.

Charlotte corou e desviou os olhos.

– É uma palavra grosseira? – perguntou ele. – Me desculpe. Não conheço outra.

Charlotte reuniu coragem e disse, em voz baixa:

– Intercurso sexual.

O homem voltou a falar em russo:

– Acho que *você* foi colocada em um pedestal.

– Não pode imaginar como isso é horrível – disse Charlotte, com veemência. – Ser tão ignorante! As mulheres realmente se vendem assim?

– Ah, sim. As mulheres casadas respeitáveis devem fingir que não gostam do intercurso sexual. Isso às vezes estraga o prazer para os homens, então eles procuram as prostitutas. Elas, por sua vez, fingem gostar muito daquilo, embora, por fazerem tantas vezes, e com tantos homens diferentes, não apreciem de fato. No final das contas, todas acabam fingindo.

Mas são *justamente* essas coisas que preciso saber!, pensou Charlotte. Tinha vontade de levar aquele homem para casa e mantê-lo em seu quarto, a fim de que lhe explicasse todas as coisas, dia e noite.

– Como nos tornamos assim... reduzidos a essa farsa? – perguntou ela.

– A resposta é uma vida inteira de estudo. No mínimo. Mas tenho certeza de que está tudo relacionado com o poder. Os homens têm poder sobre as mulheres, os ricos têm poder sobre os pobres. São necessárias muitas fantasias para legitimar esse sistema. Fantasias sobre monarquia, capitalismo, procriação e sexo. Essas fantasias nos deixam infelizes, mas sem elas alguém perderia seu poder, e os homens não estão dispostos a renunciar ao poder, mesmo que isso os deixe angustiados.

– Mas o que pode ser feito?

– Uma pergunta famosa. Deve-se tirar o poder dos homens que não estão dispostos a renunciar. Uma transferência de poder de uma facção para outra, *dentro da mesma classe*, é chamada de golpe e não muda nada. Uma transferência de poder *de uma classe para outra* é chamada de revolução, e essa, sim, muda as coisas. – Hesitou por um instante, antes de acrescentar: – Embora as mudanças não sejam necessariamente as que os revolucionários desejam. As revoluções só ocorrem quando o povo se levanta em massa contra seus opressores. Como as sufragistas estão fazendo, por exemplo. As revoluções são sempre violentas, pois as pessoas não hesitam em matar para manter o poder. Apesar disso, elas acontecem, pois as pessoas estão sempre dispostas a sacrificar a vida pela causa da liberdade.

– Você é um revolucionário?

– Você tem três chances de adivinhar – respondeu ele, em inglês.

Charlotte riu.

~

Foi a risada que ela deu.

Enquanto Feliks falava, uma parte de sua mente se concentrara no rosto de Charlotte, avaliando suas reações. Estava gostando dela, e a afeição que experimentava era de certa forma familiar. Pensou: Eu deveria estar seduzindo-a, mas é ela quem me seduz.

E foi então que ela riu.

Rugas apareceram nos cantos de seus olhos castanhos ao mesmo tempo que ela inclinava a cabeça para trás e o queixo apontava para a frente. Levantou as mãos, as palmas para a frente, num gesto quase defensivo, enquanto ria aberta e efusivamente.

Feliks foi transportado para o passado, para 25 anos antes. Viu uma cabana de três cômodos colada a uma igreja de madeira. Um menino e uma menina estavam sentados lá dentro, em lados opostos de uma mesa tosca de madeira. Havia um caldeirão de ferro no fogo, com repolho, um pedaço pequeno de bacon e muita água. Estava quase escuro lá fora e o pai chegaria em casa em breve, para o jantar. Feliks, aos 15 anos, acabara de contar à irmã, Natasha, de 18, a piada sobre o viajante e a filha do fazendeiro. Ela inclinou a cabeça para trás e riu.

Feliks olhava fixamente para Charlotte. Ela era muito parecida com Natasha.

- Quantos anos você tem? - perguntou a ela.

- Dezoito.

Ocorreu a Feliks um pensamento tão espantoso, tão inacreditável e tão devastador que ele sentiu o coração parar. Engoliu em seco e murmurou:

- Quando faz aniversário?

- No dia 2 de janeiro.

Ele ficou completamente atordoado. A jovem nascera exatamente sete meses depois do casamento de Lydia com Walden, e nove meses depois que Feliks fizera amor com ela pela última vez.

Charlotte era igualzinha a Natasha, irmã de Feliks.

Agora ele sabia a verdade.

Ela era sua filha.

CAPÍTULO NOVE

— O QUE FOI? – PERGUNTOU Charlotte.

– Hã?

– Parece que viu um fantasma.

– É que você me fez lembrar de uma pessoa. Me fale mais sobre você.

Charlotte franziu a testa. Ele parecia ter um bolo na garganta, pensou.

– Você vai pegar um resfriado.

– Nunca fico resfriado. Qual é sua recordação mais antiga?

Ela pensou por um momento.

– Fui criada em Norfolk, no campo, numa mansão chamada Walden Hall. É uma bela construção, de pedras cinzentas, com um lindo jardim. No verão tomávamos chá ao ar livre, debaixo de um castanheiro. Eu devia ter 4 anos quando tive autorização para tomar chá com papai e mamãe pela primeira vez. Era muito chato. Não havia nada para descobrir no gramado. Estava sempre querendo voltar para casa e ir aos estábulos. Um dia selaram um burro e me deixaram montar. Eu já tinha visto muitas pessoas andarem a cavalo, é claro, e achei que não houvesse segredo. Me falaram para ficar parada, para não cair, mas não acreditei. Primeiro alguém pegou as rédeas e levou o burro de um lado para outro. Depois me deixaram segurá-las. Tudo parecia tão fácil que dei um chute na lateral do burro, como já tinha visto as pessoas fazerem com os cavalos para eles trotarem. No instante seguinte eu estava caída no chão, aos pratos. E simplesmente não conseguia *acreditar* que tivesse caído!

Riu da recordação, e Feliks comentou:

– Parece que foi uma infância feliz.

– Não diria isso se conhecesse a minha aia. O nome dela é Marya e ela é uma megera russa. "As pequenas damas estão *sempre* com as mãos limpas." Ela ainda está comigo. É minha dama de companhia, agora.

– Mesmo assim, você teve boa comida, boas roupas, nunca sentiu frio, havia um médico para tratá-la quando ficava doente.

– E isso é suficiente para fazer uma pessoa feliz?

– Eu teria me contentado com isso. Qual é a sua *melhor* recordação?

– Quando papai me deu um pônei de presente – respondeu Charlotte, no mesmo instante. – Eu queria tanto um pônei que foi como um sonho se tornando realidade. Jamais esquecerei aquele dia.

– Como ele é?

– Quem?

Feliks hesitou.

– Lorde Walden.

– Papai? Bem...

Era uma boa pergunta, pensou Charlotte. Para um total estranho, Feliks mostrava-se realmente interessado nela. Mas ela estava ainda mais interessada nele. Parecia haver uma profunda melancolia por trás das perguntas, algo que não existia poucos minutos antes. Talvez fosse porque ele tivera uma infância infeliz, e a dela parecia ter sido muito melhor.

– Acho que papai é um homem maravilhoso...

– Mas...?

– Ele me trata como uma criança. Sei que provavelmente sou muito ingênua, mas isso nunca mudará se eu não aprender as coisas. Ele não vai me explicar as coisas da maneira... da maneira como você fez. Papai fica constrangido quando fala sobre... homens e mulheres... e quando fala de política suas opiniões parecem um pouco... não sei... presunçosas.

– O que é perfeitamente natural. Durante toda a vida, ele sempre conseguiu tudo o que queria, sem a menor dificuldade. Claro que acha o mundo maravilhoso do jeito que é, a não ser por alguns pequenos problemas, que serão resolvidos com o tempo. Você o ama?

– Amo, sim... a não ser nos momentos em que o odeio.

A intensidade do olhar de Feliks começava a deixar Charlotte constrangida. Ele parecia absorver sofregamente suas palavras e tentar gravar suas feições na mente.

– A verdade é que papai é um homem adorável. Mas por que está tão interessado nele?

Feliks exibiu um sorriso estranho.

– Luto contra a classe dominante durante toda a minha vida, mas é raro ter a oportunidade de falar com alguém pertencente a ela.

Charlotte podia perceber que não era esse o verdadeiro motivo e imaginou vagamente por que ele estaria mentindo. Talvez estivesse com vergonha de alguma coisa... o que era o motivo habitual para que as pessoas escondessem alguma coisa.

– Pertenço à classe dominante tanto quanto os cachorros do meu pai.

– Me fale sobre sua mãe – pediu Feliks, sorrindo.

– Ela está sempre com os nervos à flor da pele. Toma láudano às vezes.

– O que é láudano?

– Um medicamento com ópio.

Ele ergueu as sobrancelhas.

– Parece algo nocivo.

– Por quê?

– Sempre achei que consumir ópio fosse considerado uma coisa degradante.

– Não se for por motivo de saúde.

– Ah.

– Você parece cético.

– Sempre sou.

– Vamos, diga-me o que está pensando.

– Se sua mãe precisa de ópio, desconfio que isso acontece porque ela é infeliz, não doente.

– Por que ela seria infeliz?

– Diga-me você. Afinal, é sua mãe.

Charlotte pensou por um momento. Será que a mãe era infeliz? Certamente não parecia *contente* como o pai. Ela se preocupava demais e sempre perdia o controle à menor provocação.

– Ela não é uma pessoa descontraída – disse Charlotte, finalmente. – Mas não consigo pensar em nenhum motivo para que seja infeliz. Será que isso tem alguma relação com o fato de ter deixado sua terra natal?

– É possível. – Mas Feliks não parecia convencido. – Você tem irmãos?

– Não. Minha melhor amiga é minha prima Belinda, que tem a mesma idade que eu.

– E que outros amigos você tem?

– Nenhum. Só conhecidos.

– E primos?

– Dois meninos gêmeos de 6 anos. Claro que tenho uma porção de primos na Rússia, mas nunca conheci nenhum além de Aleks, que é muito mais velho do que eu.

– E o que pretende fazer da vida?

– Mas que pergunta!

– Não sabe?

– Ainda não me decidi.

– Quais são as alternativas?

– Na verdade, essa é a grande questão. Esperam que me case com um rapaz da mesma classe que eu e tenha filhos. Acho que é o que terei que fazer.

– Por quê?

– Bem, Walden Hall não ficará para mim quando papai morrer.

– Por que não?

– Walden Hall acompanha o título, e não posso ser o conde de Walden. Então, a propriedade ficará para Peter, o mais velho dos gêmeos.

– Sei.

– E eu não seria capaz de me sustentar sozinha.

– Claro que seria.

– Nunca me ensinaram a fazer nada.

– Pois então aprenda sozinha.

– O que eu poderia fazer?

Feliks deu de ombros.

– Criar cavalos. Ser comerciante. Ingressar no serviço público. Tornar-se professora de matemática. Escrever uma peça.

– Você fala como se eu pudesse fazer qualquer coisa que quisesse.

– E acho que pode mesmo. Mas tenho uma ótima ideia. Seu russo é perfeito. Poderia traduzir romances russos para o inglês.

– Acha mesmo que eu teria capacidade?

– Não tenho a menor dúvida.

Charlotte mordeu o lábio.

– Por que você acredita tanto em mim, e minha própria família não acredita?

Ele pensou por um momento e sorriu.

– Se você tivesse sido criada por mim, se queixaria de ser obrigada a estudar o tempo todo, sem jamais poder ir a bailes.

– Você não tem filhos?

Feliks desviou os olhos.

– Nunca me casei.

Charlotte estava fascinada.

– E você quis se casar?

– Quis.

Ela sabia que não devia continuar, mas não conseguia resistir: queria saber como aquele homem estranho era quando fora apaixonado por alguém.

– O que aconteceu?

– A moça se casou com outro homem.
– Qual era o nome dela?
– Lydia.
– É o nome da minha mãe.
– É mesmo?
– Ela era Lydia Shatova. Se já passou algum tempo em São Petersburgo, você deve ter ouvido falar do conde de Shatov.
– Ouvi, sim. Você tem relógio?
– O quê? Não, não tenho.
– Nem eu.
Feliks olhou ao redor e viu um relógio na parede.
Charlotte acompanhou o olhar dele.
– Meu Deus, são cinco da tarde! – exclamou. – Eu planejava chegar em casa antes de mamãe descer para o chá!
Ela se levantou.
– Ficará encrencada por causa disso? – perguntou Feliks, também se levantando.
– Acho que sim.
Ela se virou para ir embora.
– Hã... Charlotte... – chamou ele.
– O quê?
– Será que poderia pagar o chá? Sou um homem muito pobre.
– Não sei se tenho dinheiro. Ah, sim! Veja, tenho 11 pence. Será que é suficiente?
– Claro que é.
Ele pegou 6 pence da mão dela e foi ao balcão para pagar. É engraçado, pensou Charlotte, como temos que nos lembrar de certas coisas quando não estamos na esfera da alta sociedade. O que Marya pensaria de mim se soubesse que paguei um chá para um estranho? Ela ficaria apoplética.
Feliks deu-lhe o troco e segurou a porta para que saísse.
– Vou acompanhá-la por uma parte do caminho.
– Obrigada.
Ele tomou o braço dela enquanto seguiam pela rua. O sol ainda estava forte. Um guarda aproximou-se e Feliks fez Charlotte parar para olhar uma vitrine enquanto o homem passava.
– Por que não quer que ele nos veja? – perguntou ela.
– Eles podem estar procurando as pessoas que foram vistas na marcha.

Charlotte franziu a testa. Parecia um pouco improvável, mas ele devia saber dessas coisas melhor que ela.

Continuaram andando. Charlotte comentou:

– Adoro o mês de junho.

– O clima aqui na Inglaterra é maravilhoso.

– Acha mesmo? Então nunca esteve no Sul da França.

– Você já, é claro.

– Vamos para lá em todos os invernos. Temos uma *villa* em Monte Carlo. – Então um pensamento ocorreu a Charlotte. – Espero que não pense que estou me gabando.

– Claro que não. – Ele sorriu. – A esta altura, já deve ter percebido que considero as grandes riquezas algo de que se envergonhar, não um motivo de orgulho.

– Acho que eu deveria ter percebido, mas não percebi. Então você me despreza?

– Não. Afinal, a riqueza não é sua.

– Você é a pessoa mais interessante que já conheci – disse Charlotte, num impulso. – Podemos nos ver de novo?

– Claro que podemos. Você tem um lenço?

Ela tirou um lenço do bolso do casaco e entregou-lhe. Feliks assoou o nariz.

– Você *está* pegando um resfriado – disse Charlotte. – Seus olhos estão até lacrimejando.

– Acho que tem razão. – Feliks enxugou os olhos. – Vamos nos encontrar de novo nesse mesmo café?

– Não é um lugar muito atraente, não acha? Vamos pensar em outro. Ah, já sei! Podemos nos encontrar na Galeria Nacional. E se eu vir alguém conhecido, podemos fingir que não estamos juntos.

– Está certo.

– Gosta de pintura?

– Você pode me ensinar a gostar.

– Então está combinado. Que tal depois de amanhã, às duas da tarde?

– Está bem.

Ocorreu a Charlotte que talvez não conseguisse sair de casa.

– Se algo der errado e eu precisar cancelar, posso lhe mandar um bilhete?

– Bem... hã... Eu estou sempre me mudando... – De repente ele teve uma ideia. – Mas você pode deixar um recado com a Sra. Bridget Callahan, na Cork Street, 19, em Camden Town.

Ela repetiu o endereço.

– Vou anotar assim que chegar em casa. Moro perto daqui. – Hesitou. – Espero que não fique ofendido, mas acho melhor que ninguém nos veja juntos.

– Ofendido? – repetiu ele, com seu sorriso estranho. – Não, claro que não.

Charlotte estendeu-lhe a mão.

– Até.

– Até.

Feliks apertou a mão dela com firmeza.

Charlotte deu-lhe as costas e se afastou. Terei problemas quando chegar em casa, pensou. Vão ter descoberto que não estou em meu quarto e haverá um interrogatório. Direi que fui dar uma volta pelo parque. Eles não vão gostar.

Mas ela não se importava. Encontrara um amigo de verdade e estava muito feliz.

Quando chegou ao portão, ela se virou e olhou para trás. O homem estava parado no lugar em que o deixara, observando-a. Charlotte acenou discretamente e Feliks acenou de volta. Por algum motivo, ele parecia vulnerável e triste, parado ali, sozinho. Que bobagem, pensou ela, lembrando a maneira como a salvara durante a confusão. Muito pelo contrário: era um homem dos mais fortes.

Atravessou o jardim e subiu os degraus da frente.

~

Walden chegou a Walden Hall sofrendo de indigestão nervosa. Saíra correndo de Londres antes do almoço, assim que o retratista da polícia acabara de desenhar o rosto do assassino. Comera qualquer coisa no caminho, dentro do carro mesmo, junto com uma garrafa de Chablis. Sim, ele estava muito nervoso.

Teria outra reunião com Aleks. Imaginava que o príncipe tivesse uma contraproposta e esperasse um telegrama de aprovação do czar para aquele mesmo dia. Estava torcendo para que a embaixada russa tivesse o bom senso de encaminhar para Walden Hall todos os telegramas destinados a Aleks. Torcia, também, para que a contraproposta fosse razoável, algo que Walden pudesse apresentar a Churchill como uma vitória.

Estava impaciente para tratar de negócios com Aleks, mas sabia que alguns minutos a mais não fariam a menor diferença. Era sempre um erro parecer ansioso demais numa negociação. Então, parou por um instante na entrada para se controlar antes de seguir para o salão octogonal.

Aleks estava sentado junto à janela, pensativo, com uma bandeja grande a seu lado, com chá e bolos intactos. Levantou os olhos ansiosamente e perguntou:

– O que aconteceu?

– O homem apareceu, mas infelizmente não conseguimos agarrá-lo.

Aleks desviou os olhos.

– Ele foi me matar...

Walden sentiu um súbito ímpeto de compaixão por ele. Aleks era jovem, tinha uma grande missão sob sua responsabilidade e estava num país estrangeiro, com um assassino a persegui-lo. Mas não fazia sentido deixá-lo remoer a terrível situação. Walden então falou, em um tom mais animado:

– Agora nós temos a descrição do homem. Na verdade, um desenhista da polícia fez até um retrato dele. Thomson vai capturá-lo em mais um ou dois dias. E você está seguro aqui. Ele jamais conseguirá saber onde encontrá-lo.

– Pensávamos que eu estava seguro no hotel, mas ele acabou descobrindo.

– Isso não vai acontecer novamente. – Era um mau começo para uma sessão de negociações, pensou Walden. Ele tinha de encontrar um meio de desviar os pensamentos de Aleks para assuntos mais amenos. – Já tomou o chá?

– Não estou com fome.

– Vamos dar uma volta. Vai despertar seu apetite para o jantar.

– Está bem – concordou Aleks, e então se levantou.

Walden pegou uma espingarda – para os coelhos, disse a Aleks – e os dois saíram pela propriedade. Um dos dois guarda-costas destacados por Basil Thomson seguia-os 10 metros atrás.

Walden mostrou a Aleks sua porca campeã, a princesa de Walden.

– Ela ganhou o primeiro prêmio na Mostra Agrícola de East Anglia nos dois últimos anos.

Aleks admirou os chalés de tijolos dos inquilinos, os celeiros altos pintados de branco e os magníficos garanhões.

– Não ganho dinheiro com nada disso, é claro – comentou Walden. – Todo o lucro é investido em novos animais, drenagem, construções, cercas... Mas estabelece um padrão para as fazendas de rendeiros. Este lugar valerá muito mais quando eu morrer do que na época em que o herdei.

– Não podemos fazer algo assim na Rússia – comentou Aleks.

Ótimo, pensou Walden. Ele está pensando em outras coisas.

Aleks continuou:

– Nossos camponeses não usam métodos novos, não tocam em máquinas, não conservam as construções e as boas ferramentas. Psicologicamente ainda são servos, embora não o sejam mais legalmente. Quando há uma colheita desfavorável e passam fome, sabe o que fazem? Queimam os celeiros vazios.

Os homens juntavam feno na parte sul. Uma dezena de trabalhadores formava uma linha irregular pelo campo, inclinados sobre as foices. Havia um zumbido constante no ar enquanto os talos de feno caíam como dominós.

Samuel Jones, o mais antigo dos trabalhadores, terminou primeiro a sua fileira. Aproximou-se com a foice na mão e tocou no gorro, cumprimentando Walden. O conde apertou-lhe a mão calosa. Era como segurar uma pedra.

– Milorde teve tempo de ir à exposição em Lunnun? – perguntou Jones.

– Tive, sim.

– Viu a tal máquina de ceifar de que falou?

Walden exibiu uma expressão de dúvida.

– É uma linda obra de engenharia, Sam, mas não sei...

O homem assentiu.

– As máquinas nunca fazem o trabalho tão bem quanto um trabalhador.

– Por outro lado, poderíamos colher o feno em três dias, em vez de levarmos duas semanas, assim correríamos menos o risco de uma chuva imprevista. E também poderíamos alugar a máquina para as fazendas dos rendeiros.

– Mas também precisaríamos de menos trabalhadores.

Walden fingiu ficar desapontado.

– Não, eu não conseguiria mandar ninguém embora. Só significaria que não precisaríamos mais contratar os ciganos para nos ajudar na época da colheita.

– Neste caso, não faria muita diferença.

– Não, não faria. Mas estou um pouco preocupado com a reação dos homens. O jovem Peter Dawkins, por exemplo, aproveita qualquer pretexto para criar encrenca.

Sam emitiu um grunhido evasivo.

– Seja como for – continuou Walden –, o Sr. Samson vai dar uma olhada na máquina na próxima semana.

Samson era o intendente. Walden fez uma breve pausa, antes de acrescentar abruptamente, como se a ideia tivesse acabado de lhe ocorrer.

- Não gostaria de ir com ele, Sam?

Sam fingiu indiferença.

- A Lunnun? Já estive lá em 1888. Não gostei.

- Poderia ir de trem com o Sr. Samson. Talvez levar o jovem Dawkins com você... Poderiam ver a máquina, almoçar em Londres, voltar no final da tarde.

- Não sei se minha mulher vai gostar.

- Mas eu gostaria que você visse a máquina e desse sua opinião.

- Bem, eu também gostaria de ver.

- Então está combinado. Direi a Samson para tomar as providências. - Walden deu um sorriso conspiratório. - Pode dizer à Sra. Jones que eu praticamente o forcei a ir.

- É o que farei, milorde - disse Sam, sorrindo.

A colheita estava quase terminada, e os homens pararam. Podia haver coelhos escondidos nos últimos metros de feno. Walden chamou Dawkins e entregou-lhe a espingarda.

- Você é um bom atirador, Peter. Veja se consegue pegar um coelho para você e um para a casa.

Eles todos ficaram parados à beira do campo, fora da linha de fogo. O resto do feno foi cortado pelo lado, para impelir os coelhos para o campo aberto. Quatro saíram e Dawkins acertou dois com o primeiro disparo e um com o segundo. Os estampidos fizeram Aleks se encolher.

Walden pegou a arma e um dos coelhos e voltou para casa com Aleks. O russo balançou a cabeça com uma expressão de admiração.

- Você tem um jeito maravilhoso com os homens - comentou. - Eu não consigo encontrar o equilíbrio entre disciplina e generosidade.

- Exige prática. - Walden suspendeu o coelho. - Não precisamos realmente disso na casa, mas peguei-o para lembrar-lhes que os coelhos são meus, e que todos os que eles pegarem são um presente meu, e não lhes pertencem por direito.

Se eu tivesse um filho, pensou Walden, seria assim que lhe explicaria as coisas.

- O segredo, então, é recorrer a conversa e consentimento - comentou Aleks.

- É o melhor método... mesmo que você tenha de renunciar a alguma coisa.

- O que nos leva de volta aos Bálcãs - disse Aleks, sorrindo.

Graças a Deus. Finalmente, pensou Walden.

– Vamos fazer um resumo da situação – continuou Aleks. – Nós estamos dispostos a lutar do seu lado contra a Alemanha, e vocês estão dispostos a reconhecer nosso direito de passagem pelo Bósforo e pelo estreito de Dardanelos. No entanto, nós não queremos apenas o direito, mas também o poder. Nossa sugestão para que reconheçam toda a península Balcânica, da Romênia a Creta, como uma esfera de influência russa, não foi aprovada. Sem dúvida vocês acharam que seria nos dar de mais. Assim, minha tarefa era formular uma exigência menor, que garantisse nossa passagem marítima, mas não comprometesse a Inglaterra numa política balcânica incondicionalmente pró-russa.

– Isso mesmo.

Walden pensou: Ele tem uma mente cirúrgica. Há poucos minutos, eu lhe dava conselhos paternais. Agora, de repente, ele parece no mínimo meu igual. Imagino que seja assim quando um filho se torna um homem.

– Lamento ter demorado tanto – desculpou-se Aleks. – Enviei telegramas codificados para São Petersburgo por meio da embaixada russa, e conversas a essa distância não são tão rápidas quanto eu gostaria.

– Eu compreendo.

Walden pensou: Vamos, fale logo de uma vez!

– Há uma área de aproximadamente 15 mil quilômetros quadrados, de Constantinopla a Adrianópolis, equivalente a metade da Trácia, que atualmente pertence à Turquia. A costa começa no Mar Negro, prolonga-se pelo Bósforo, pelo Mar de Mármara e pelo estreito de Dardanelos, terminando no Mar Egeu. Em outras palavras, estende-se por toda a passagem do Mar Negro ao Mediterrâneo. – Aleks fez uma pausa. – Dê-nos isso, e estaremos do seu lado.

Walden fez um esforço para disfarçar sua animação. Ali estava uma base concreta para negociações.

– Persiste o problema de que a região não nos pertence para entregá-la a vocês.

– Considere as possibilidades se a guerra eclodir. Um: se a Turquia estiver do nosso lado, teremos o direito de passagem de qualquer maneira. Só que isso é bastante improvável. Dois: se a Turquia se mantiver neutra, esperaríamos que a Inglaterra insistisse em nosso direito de passagem como um sinal de que a neutralidade da Turquia é genuína. Se isso não acontecer, então a Inglaterra deveria apoiar nossa invasão da Trácia. Três: se a Turquia ficar do lado dos alemães, o que é a mais provável das três possibilidades, então a Inglaterra reconheceria que a Trácia é nossa assim que conseguirmos conquistá-la.

Walden disse, em tom de dúvida:

– Fico imaginando o que os trácios pensam de tudo isso.

– Eles preferem pertencer à Rússia do que à Turquia.

– Sempre imaginei que gostariam de ser independentes.

Aleks exibiu um sorriso jovial.

– Nem eu nem você, nem os nossos respectivos governos, diga-se de passagem, estamos absolutamente preocupados com o que os habitantes da Trácia preferem.

– Tem razão.

Walden não podia deixar de concordar. Era a combinação de charme juvenil e cérebro de adulto de Aleks que deixava Walden desnorteado. Ele sempre achava que estava dominando a situação, até que Aleks aparecia com alguma coisa que provava que era *ele* quem estava no controle o tempo todo.

Subiram a encosta que levava aos fundos de Walden Hall. Walden notou que o guarda-costas esquadrinhava os bosques nos dois lados. A poeira grudava em seus sapatos marrons pesados. O terreno estava muito seco. Não chovia havia quase três meses. Walden estava bastante animado com a contraproposta de Aleks. O que Churchill diria? Claro que os russos podiam ficar com uma parte da Trácia. Afinal, quem se importava com a Trácia?

Atravessaram a horta. Um ajudante de jardineiro estava regando os pés de alface. Levou a mão ao gorro, cumprimentando-os. Walden rebuscou a memória à procura do nome do sujeito, mas Aleks foi mais rápido:

– Um dia agradável, Stanley.

– Bem que uma chuva seria bem-vinda, Vossa Alteza.

– Mas não em excesso, não é?

– Tem toda a razão, Vossa Alteza.

Aleks está aprendendo, pensou Walden.

Entraram na casa. Walden tocou uma campainha para chamar um lacaio.

– Vou enviar um telegrama a Churchill, marcando um encontro para amanhã de manhã. Voltarei de carro para Londres ao amanhecer.

– Ótimo. O tempo está se esgotando.

~

Charlotte viu, pela reação do criado que abriu a porta, que já a esperavam havia algum tempo:

– Graças a Deus que está em casa, lady Charlotte!

A jovem entregou-lhe o casaco.

– Não sei por que deveria dar graças a Deus, William.

– Lady Walden estava muito preocupada. Pediu que fosse vê-la assim que chegasse.

– Vou me arrumar primeiro.

– Lady Walden falou "imediatamente".

– E estou falando que vou me arrumar primeiro.

Então Charlotte subiu para seu quarto.

Lavou o rosto e soltou os cabelos. Estava com dor na barriga do soco que levara mais cedo. As mãos estavam esfoladas, mas nada muito grave. Os joelhos tinham ficado ralados, mas ninguém podia vê-los. Foi para trás do biombo e tirou o vestido. Parecia intacto. Não *aparento* ter estado naquela confusão, pensou Charlotte. Ouviu a porta do quarto se abrir.

– Charlotte!

Era a mãe. Charlotte pôs um robe, pensando: Ah, meu Deus, ela deve estar histérica. Saiu de detrás do biombo.

– Estávamos mortos de preocupação! – exclamou Lydia.

Marya entrou no quarto em seguida com um olhar fulminante de indignação.

– Bem, pois estou aqui, mamãe, sã e salva. Pode parar de se preocupar agora.

Lydia ficou vermelha e gritou estridentemente:

– Mas que criança atrevida!

Então avançou e deu-lhe uma bofetada. Charlottte cambaleou e caiu sentada na cama, completamente atordoada, não pelo tapa, mas pelo que ele representava. A mãe nunca lhe batera antes. De certa forma, doeu mais do que todos os golpes que recebera durante o tumulto na rua. Olhou para Marya e percebeu uma estranha expressão de satisfação em seu rosto.

Charlotte recuperou a compostura.

– Nunca a perdoarei por isso – murmurou.

– *Você* não me perdoará? – No acesso de raiva, a mãe falava em russo. – E como *eu* vou perdoá-la por se juntar a um bando de mulheres na frente do Palácio de Buckingham?

Charlotte ficou espantada.

– Como soube?

– Marya a viu marchando pela The Mall com aquelas... aquelas sufragistas. Estou *tão* envergonhada... Só Deus sabe quem mais a viu. Se o rei algum dia descobrir, você será banida para sempre da corte.

– Agora eu entendi. – Charlotte ainda estava revoltada com a bofetada, e acrescentou com a voz cortante: – Não estava preocupada com a minha segurança, mas com a reputação da família.

Lydia pareceu magoada. Marya interveio:

– Estávamos preocupadas com as duas coisas.

– Cale-se, Marya – ordenou Charlotte. – Já causou mal suficiente com sua língua.

– Marya fez o que era certo! – gritou Lydia. – Como ela poderia deixar de me contar?

– Não acha que as mulheres devem ter direito ao voto, mamãe?

– Claro que não. E você também deveria achar que não.

– Só que eu acho que sim.

– Você não sabe de nada. Ainda é uma criança.

– Sempre acabamos nisso, não é? Sou uma criança e não sei nada. Mas quem é responsável por minha ignorância? Marya está a cargo da minha educação há quinze anos. Quanto a ser uma criança, sabe perfeitamente que há muito já deixei a infância. Você ficaria muito feliz se eu me casasse até o Natal. E algumas moças já são mães aos 13 anos, casadas ou não.

A mãe estava chocada.

– Quem lhe disse essas coisas?

– Pode ter certeza de que não foi Marya. Ela nunca me disse nada importante. Nem você, mamãe.

A voz de Lydia tornou-se quase suplicante:

– Você não precisa saber essas coisas. Você é uma dama.

– Está vendo o que eu queria dizer? Você quer que eu seja ignorante. Bem, eu não pretendo ser.

A mãe murmurou, em tom de lamento:

– Só quero que você seja feliz!

– Não quer, não – retrucou Charlotte, com veemência. – Quer que eu seja como você.

– Não, não, não! Não quero que você seja como eu! Não quero!

Então Lydia desatou a chorar e saiu correndo do quarto. Charlotte ficou olhando para a porta, aturdida e envergonhada.

– Está vendo o que fez? – falou Marya.

Charlotte fitou-a de alto a baixo: vestido cinza, cabelos grisalhos, rosto feio, expressão presunçosa.

– Saia daqui, Marya.

– Você não tem a menor ideia dos problemas e angústias que causou esta tarde.

Charlotte sentiu-se tentada a dizer: Se você tivesse ficado de boca fechada, nada disso teria acontecido. Mas limitou-se a ordenar:

– Saia.

– Me ouça, pequena Charlotte...

– Sou *lady* Charlotte para você.

– Você é a pequena Charlotte, e...

Charlotte pegou um espelho pequeno e jogou-o na direção de Marya, que deu um grito. O espelho se espatifou contra a parede e Marya saiu correndo do quarto em seguida.

Agora sei como lidar com *ela*, pensou Charlotte.

Ocorreu-lhe que conquistara uma vitória e tanto. Deixara a mãe em lágrimas e expulsara Marya do quarto. Já é alguma coisa, disse a si mesma. Talvez eu seja mais forte que elas, no fim das contas. E as duas mereceram o tratamento: Marya a denunciara e Lydia a esbofeteara. Mas não rastejei, não pedi desculpas, não prometi que seria boazinha no futuro, pensou. Deveria estar orgulhosa.

Então por que estou me sentindo tão envergonhada?

~

Eu me odeio, pensou Lydia. Sei como Charlotte se sente, mas não posso *dizer-lhe* que a compreendo. Sempre acabo perdendo o controle. Eu não era assim. Sempre me mantive calma e digna. Quando ela era pequena, eu achava graça das besteirinhas que fazia. Agora ela é uma mulher. Santo Deus, o que eu fiz? Ela está contaminada pelo sangue do pai, o sangue de Feliks. Tenho certeza. O que vou fazer? Pensei que, ao dizer que ela era filha de Stephen, Charlotte seria realmente como a filha de Stephen – inocente, uma verdadeira dama inglesa. Não adiantou. Por todos esses anos, o sangue ruim permaneceu em suas veias, adormecido, e agora começa a se manifestar. Os traços amorais de seus ancestrais camponeses começam a dominá-la. Fico em pânico ao perceber os sinais. Não consigo evitar. Estou amaldiçoada, todos nós estamos. Os pecados dos pais são transmitidos aos filhos, mesmo até a terceira e a quarta gerações... Quando serei perdoada? Feliks é um anarquista, e Charlotte é uma sufragista. Feliks é um fornicador, e Charlotte fala em meninas que são mães aos 13 anos. Ela não tem a menor ideia de como é horrível ser dominada pela paixão. Minha vida foi arruinada, e a dela também será. É isso que me aterroriza, que me faz gritar e chorar, histérica, e que me levou a esbofeteá-la. Ah, meu Deus, não deixe que ela seja arruinada, por favor, ela é a razão da minha vida. Vou trancá-la em casa. Se ela se casar em breve com um bom rapaz, antes de ter tempo de se perder, antes que as pessoas percebam que há algo errado, então tudo se resolverá. Será que Freddie a pedirá em casamento antes do final da temporada? Seria a solução perfeita. Tenho que dar um jeito para que isso aconteça, *preciso* casá-la o mais depressa possível! Então será tarde demais para que ela desgrace a própria vida. E com um ou dois filhos ela não terá tempo. Preciso fazer com que ela se encontre com Freddie mais frequentemente. Ela é bonita, será uma boa esposa para um homem forte, que saiba mantê-la sob controle, um homem decente que a amará sem libertar os desejos ocultos dela, um homem que dormirá no quarto ao lado e partilhará sua cama uma vez por semana, com a luz apagada. Freddie é o homem perfeito para Charlotte. Então ela não passará por tudo o que passei, não terá que aprender, da forma mais difícil, que o desejo é terrível e destrói. O pecado não será transmitido a outra geração, ela não será perversa como eu. Minha filha pensa que eu quero que ela seja igual a mim. Ah, se ela soubesse, se ela soubesse...

~

Feliks não conseguia parar de chorar.

As pessoas encaravam-no enquanto ele andava pelo parque para pegar a bicicleta. Ele tremia com soluços incontroláveis, as lágrimas escorrendo-lhe pelo rosto. Nunca lhe acontecera algo assim antes, e ele não entendia. Estava impotente diante da angústia.

Encontrou a bicicleta onde a deixara, debaixo de uma moita, e a visão familiar acalmou-o um pouco. O que está acontecendo comigo?, disse a si mesmo. Muitas pessoas têm filhos. Agora sei que também tenho. E daí? E desatou a chorar outra vez.

Sentou-se na relva seca, ao lado da bicicleta. Ela é linda, pensou. Mas não estava chorando pelo que encontrara, e sim pelo que perdera. Fazia dezoito anos que era pai sem saber. Enquanto vagava de uma aldeia devastada para outra, enquanto estava na prisão, na mina de ouro, andando através da Sibéria e fazendo bombas em Bialystock, Charlotte crescia. Aprendera a andar, a falar, a comer sozinha e a amarrar os cadarços das botas. Brincara num gramado verde, debaixo de um castanheiro, durante o verão; caíra de um burro e chorara. O "pai" lhe dera um pônei de presente, enquanto Feliks trabalhava preso a grilhões. Ela usara vestidos brancos no verão e meias de lã no inverno. Sempre falara duas línguas, russo e inglês. Alguém lera contos de fadas para ela; alguém lhe dissera: "Vou te pegar!" e saíra correndo atrás dela escada acima, às risadas; alguém lhe ensinara a apertar a mão dos adultos e dizer: "Como tem passado?"; alguém lhe dera banho, escovara seus cabelos e a obrigara a comer todo o repolho do prato. Muitas vezes Feliks observara os camponeses russos com os filhos, sem entender como, em suas vidas de sofrimento e miséria terríveis, conseguiam ter afeição e ternura pelas crianças que tiravam a comida de suas bocas. Agora sabia: o amor simplesmente surgia, quer se quisesse ou não. Pelas suas lembranças de outros pais com seus filhos, Feliks conseguiu visualizar Charlotte em diversos estágios de desenvolvimento: como uma menininha barriguda de quadris retos que não seguravam a saia; como uma garota exuberante de 7 anos, correndo, caindo, rasgando o vestido, esfolando os joelhos; como uma menina de 10 anos, alta e magra, desajeitada, os dedos sujos de tinta, as roupas sempre parecendo um pouco pequenas; como uma adolescente tímida, dando risadinhas dos rapazes, experimentando às escondidas o perfume da mãe, apaixonada por cavalos, e depois...

E depois aquela moça linda, corajosa, alerta, inquisitiva, admirável.

E eu sou o pai dela, pensou Feliks.

O *pai*!

O que foi mesmo que ela disse? *Você é a pessoa mais interessante que já conheci... podemos nos ver de novo?* Ele estava se preparando para se despedir para sempre e, quando soubera que não teria mais que fazê-lo, seu autocontrole começara a desmoronar. Charlotte pensara que estava resfriado. Ah, ela ainda era jovem o suficiente para fazer comentários joviais a um homem cujo coração estava despedaçado.

Estou me tornando sentimental. Preciso me controlar.

Levantou-se e pegou a bicicleta. Enxugou o rosto com o lenço que ela lhe dera. Tinha uma flor azul bordada num canto, e ele imaginou se ela o teria bordado com as próprias mãos. Montou na bicicleta e seguiu para a Old Kent Road.

Estava na hora do jantar, mas ele sabia que não conseguiria comer, o que na verdade era ótimo, pois seu dinheiro estava quase acabando e naquela noite não tinha ânimo para roubar. Ansiava pela escuridão do seu quarto, onde poderia passar a noite sozinho com seus pensamentos. Reconstituiria cada minuto do encontro, desde o momento em que ela saíra de casa até o aceno final de despedida.

Gostaria de ter uma garrafa de vodca como companhia, mas não podia arcar com a despesa.

Ficou imaginando se alguma vez Charlotte ganhara uma bola vermelha.

A noite estava amena, mas o ar da cidade estava rançoso. Nos pubs havia mulheres da classe trabalhadora vestidas com roupas chamativas junto com seus maridos, namorados ou pais. Por mero impulso, Feliks parou na frente de um.

A melodia de um piano antigo saía pela porta aberta. Queria que alguém sorrisse para ele, mesmo que fosse apenas uma garçonete. Posso pagar pelo menos uma caneca de cerveja, pensou. Amarrou a bicicleta numa grade e entrou.

O lugar estava extremamente sufocante, cheio de fumaça e recendendo a cerveja inglesa. Era cedo, mas já se ouviam muitas risadinhas e gritinhos femininos.

Todos pareciam extremamente alegres. Ninguém sabe gastar dinheiro melhor do que os pobres, refletiu. Juntou-se ao grupo no balcão. O piano começou outra canção e todos cantaram.

Sentou-se a menina no colo do ancião
E lhe pediu uma história: "Conte, tio, por favor:
Por que você é solteiro, por que vive só?
Não teve filhos, não tem seu lar?"
"Tive uma namorada, há muitos e muitos anos.
Onde ela está agora, meu bem, você logo saberá.
Escute minha história, pois tudo lhe vou contar.
Depois do baile, supus que ela me fora infiel."

A canção tola, sentimental, trouxe-lhe lágrimas aos olhos. Ele saiu do pub sem pedir a cerveja.

Subiu na bicicleta e afastou-se, deixando o riso e a música para trás. Aquele tipo de jovialidade não era para ele – nunca fora e nunca seria. Voltou ao cortiço, subiu a escada e levou a bicicleta até seu quarto, no último andar. Tirou o chapéu e o casaco e deitou-se na cama. Tornaria a vê-la em dois dias. Olhariam as pinturas juntos. Feliks decidiu que iria a uma casa de banhos pública antes do encontro. Coçou o queixo – não havia nada que pudesse fazer para que a barba crescesse decentemente em dois dias. Voltou a pensar no momento em que a vira saindo da casa. Estava bem distante, e jamais sonharia que...

O que eu estava pensando naquele momento?

E, de repente, ele se lembrou.

Estava perguntando a mim mesmo se ela poderia revelar o paradeiro de Orlov.

Depois não pensei mais nele durante a tarde toda.

É bem provável que ela saiba onde Orlov está, e, se não souber, pode descobrir.

Posso usá-la para me ajudar a matá-lo.

Sou capaz disso?

Não, não sou. Não o farei. Não, não, não!

O que está acontecendo comigo?

~

Walden encontrou-se com Churchill no Almirantado ao meio-dia. O primeiro lorde estava impressionado.

– Trácia! – exclamou. – Claro que podemos dar metade da Trácia. Eles podem ficar até com tudo, quem se importa?

– Foi o que pensei. – Walden ficou satisfeito com a reação dele. – Mas seus colegas vão concordar?

– Creio que sim – respondeu Churchill, pensativo. – Falarei com Grey depois do almoço e com Asquith no final da tarde.

– E o Gabinete?

Walden não queria firmar um acordo com Aleks para depois vê-lo vetado pelo Gabinete.

– Amanhã de manhã.

Walden se levantou.

– Posso então planejar minha volta a Norfolk para amanhã.

– Isso mesmo. Já pegaram aquele maldito anarquista?

– Vou almoçar com Basil Thomson, do Serviço Especial, e saberei como estão as investigações.

– Mantenha-me informado.

– É claro.

– E obrigado. Por esta proposta, digo. – Churchill olhou pela janela com uma expressão sonhadora, e murmurou para si mesmo: – Trácia! Quem já ouviu falar da Trácia?

Walden deixou-o com seus devaneios.

Estava bastante animado ao seguir do Almirantado para o seu clube em Pall Mall. Em geral almoçava em casa, mas não queria incomodar Lydia com a presença de policiais, especialmente porque ela andava com um ânimo muito estranho. Sem dúvida estava preocupada com Aleks, assim como Walden. O rapaz era o mais próximo de um filho que eles tinham. Se alguma coisa acontecesse a ele...

Subiu os degraus do clube e entregou o chapéu e as luvas a um lacaio assim que entrou.

– Que verão maravilhoso estamos tendo, milorde – comentou o homem.

O tempo estava excelente havia muitos meses, refletiu Walden, enquanto subia para o salão de jantar. Não deveria continuar assim por muito tempo. Teremos tempestades em agosto, pensou ele.

Thomson estava esperando. Parecia satisfeito consigo mesmo. Será um alívio se ele já houver capturado o assassino, pensou Walden. Trocaram um aperto de mão e Walden se sentou. Um garçom trouxe o cardápio.

– E então? – perguntou Walden. – Já o prenderam?

– Quase – respondeu Thomson.

O que significa que não, pensou Walden. Sentiu um aperto no coração.

– Ah, *maldição*!

O garçom que servia as bebidas se aproximou. Walden perguntou a Thomson:

– Aceita um coquetel?

– Não, obrigado.

Walden aprovou. Coquetéis eram um desagradável hábito americano.

– E um copo de xerez?

– Sim, por favor.

– Dois – disse Walden ao garçom.

Pediram uma sopa e um prato com salmão. Walden escolheu uma garrafa de vinho branco do Reno para acompanhar.

– Será que você sabe a importância disso? Minhas negociações com o príncipe Orlov estão quase concluídas. Se ele for assassinado agora, tudo estará perdido, com graves consequências para a segurança deste país.

– Sei perfeitamente, milorde. Deixe-me lhe falar sobre nossos progressos. O homem que procuramos é Feliks Kschessinsky. O sobrenome é tão difícil de pronunciar que proponho chamá-lo apenas de Feliks. Tem 40 anos, é filho de um sacerdote do campo e nasceu na província de Tambov. A polícia de São Petersburgo tem um grosso dossiê sobre ele. Já foi preso três vezes e é procurado por participação em meia dúzia de assassinatos.

– Meu Deus... – murmurou Walden.

– Meu amigo em São Petersburgo informou que é um perito na fabricação de bombas e também um lutador implacável. – Thomson fez uma pausa. – O senhor foi extremamente corajoso ao pegar aquele frasco, milorde.

Walden deu um sorriso fraco. Preferia não ser lembrado do incidente. A sopa chegou e os dois comeram em silêncio por algum tempo. Thomson bebericava o vinho com moderação. Walden gostava daquele clube. A comida não era tão boa quanto a de casa, mas havia um clima descontraído. As poltronas no salão de fumar eram antigas e confortáveis, os garçons eram velhos e lerdos, o papel de parede estava desbotado e as pinturas eram desinteressantes. A iluminação ainda era a gás. Homens como Walden frequentavam o clube porque suas casas eram muito arrumadinhas, com aparência de novas, cheias de toques femininos.

– Pensei que tivesse dito que estavam quase capturando-o – comentou Walden, quando o salmão chegou.

– Ainda não lhe contei nem a metade.

– Ah.

– No final de maio, ele apareceu no clube anarquista da Jubilee Street, em Stepney. Não sabiam quem era, e Feliks contou algumas mentiras. É um homem cauteloso, e pensando pelo ponto de vista dele, tem toda a razão de ser, já que alguns daqueles anarquistas trabalham para mim. Meus espiões notaram sua presença, mas não me repassaram a informação àquela altura porque ele parecia inofensivo. Disse que estava escrevendo um livro. Mas, depois, roubou um revólver e sumiu.

– Sem contar a ninguém para onde ia, é claro.

– Exatamente.

– Que sujeito escorregadio.

Um garçom aproximou-se para recolher os pratos e perguntou:

– Vão querer mais alguma coisa, cavalheiros? Temos carneiro hoje.

Os dois pediram carneiro com geleia de uvas-passas, batatas assadas e aspargos.

– Ele comprou os ingredientes para a nitroglicerina em quatro lojas diferentes, todas situadas em Camden Town – continuou Thomson. – Fizemos uma investigação de casa em casa.

O policial levou um pedaço de carneiro à boca.

– E o que descobriram? – perguntou Walden, impaciente.

– Ele estava morando na Cork Street, 19, em Camden, numa casa pertencente a uma viúva chamada Bridget Callahan.

– Mas se mudou.

– Isso.

– Mas que diabo, Thomson, será que não percebe que o sujeito é mais esperto do que você?

Thomson fitou-o friamente, sem fazer qualquer comentário.

– Peço que me desculpe – disse Walden. – Foi uma descortesia da minha parte. Mas é que o sujeito me deixa irritado.

– A Sra. Callahan diz que expulsou Feliks porque o achou suspeito.

– E por que ela não comunicou à polícia?

Thomson terminou de comer e ajeitou o garfo e a faca no prato.

– Ela disse que não havia motivo para isso. Achei essa decisão um tanto suspeita e resolvi investigá-la. O marido era um rebelde irlandês. Se ela soubesse quem era o nosso amigo Feliks, poderia perfeitamente se solidarizar com ele.

Walden preferia que Thomson não chamasse Feliks de "nosso amigo".

– Acha que ela sabe para onde ele foi?

– Se sabe, não vai dizer. Mas não havia motivo para que ele informasse. A questão é: ele pode voltar.

– A casa está sendo vigiada?

– Discretamente. Um dos meus homens já se instalou no quarto do porão, como inquilino. Por acaso, encontrou uma vareta de vidro, do tipo que se usa nos laboratórios químicos. É evidente que Feliks fez a bomba na pia do quarto.

Para Walden era aterrador pensar que, em pleno coração de Londres, alguém pudesse comprar alguns ingredientes químicos, misturá-los numa pia, encher um frasco com o líquido explosivo e levá-lo depois para uma suíte de hotel no West End.

O carneiro foi seguido de um prato de foie gras.

– O que vai fazer agora? – perguntou Walden.

– O retrato falado de Feliks está pendurado em todas as delegacias de Londres. A menos que passe o dia inteiro trancado num quarto, acabará sendo reconhecido por algum guarda atento, mais cedo ou mais tarde. Mas como pode ser mais tarde em vez de mais cedo, meus homens estão indo a todos os hotéis e pensões de quinta categoria, mostrando o retrato.

– E se ele alterar sua aparência?

– É um pouco difícil, no caso dele.

Thomson foi interrompido pelo garçom. Os dois recusaram o bolo Floresta Negra, pedindo sorvete no lugar. Walden também pediu meia garrafa de champanhe.

– Ele não pode alterar nem a altura nem o sotaque russo – continuou Thomson. – E tem feições características. Ainda não teve tempo para deixar a barba crescer. Pode usar roupas diferentes, raspar a cabeça para ficar calvo, pôr uma peruca. Se eu fosse ele, sairia com algum uniforme... de marinheiro, lacaio ou padre. Mas os guardas já foram devidamente alertados para essas coisas.

Depois do sorvete, comeram queijo Stilton e biscoitos doces, com um pouco do vinho do Porto exclusivo do clube.

Walden tinha a impressão de que tudo aquilo era muito vago. Feliks continuava *livre*, e Walden não se sentiria a salvo enquanto o homem não estivesse preso, acorrentado a uma parede.

– Não resta a menor dúvida de que Feliks é um dos maiores assassinos da conspiração revolucionária internacional – falou Thomson. – É muito bem informado. Sabia, por exemplo, que o príncipe Orlov viria à Inglaterra. É também inteligente e extraordinariamente determinado. Mas agora Orlov está escondido em segurança.

Walden tentava imaginar aonde Thomson queria chegar.

– Em compensação – continuou o detetive –, o senhor continua andando pelas ruas de Londres, bem visível.

– E por que não deveria fazer isso?

– Se eu estivesse no lugar de Feliks, agora iria me concentrar no senhor. Começaria a segui-lo na esperança de que me levasse a Orlov. Ou o sequestraria e torturaria, até que me revelasse o esconderijo dele.

Walden baixou os olhos para esconder o medo.

– E como ele poderia fazer isso sozinho?

– Pode obter ajuda. Quero que o senhor passe a andar com um guarda-costas.

Walden balançou a cabeça.

– Já tenho Pritchard. Ele arriscaria a vida por mim. Como já fez uma vez.

– Ele anda armado?

– Não.

– Sabe atirar?

– Muito bem. Ele me acompanhou várias vezes à África, nos tempos de grandes caçadas. Foi nessa ocasião que arriscou a vida por mim.

– Pois então faça-o andar com uma pistola.

– Está bem. Irei ao campo amanhã. Tenho um revólver guardado lá que ele poderá usar.

Para encerrar a refeição, Walden comeu um pêssego, enquanto Thomson preferiu uma pêra. Depois, passaram para o salão de fumar, para tomar um café com biscoitos. Walden acendeu um charuto.

– Acho que vou para casa a pé, para ajudar na digestão.

Ele tentou falar com tranquilidade, mas a voz soou estranhamente estridente.

– Preferiria que não o fizesse – disse Thomson. – Não veio em sua carruagem?

– Não...

– Eu ficaria mais tranquilo em relação à sua segurança se, daqui por diante, andasse sempre em seus próprios veículos.

– Está bem. – Walden suspirou. – Terei que comer menos.

– Hoje, pegue um carro de aluguel. E talvez seja melhor que eu o acompanhe.

– Acha que é realmente necessário?

– Ele pode estar à sua espera na frente do clube.

– E como descobriria a que clube pertenço?

– Basta procurar no *Quem é quem.*

– Sim, tem razão. – Walden balançou a cabeça. – A gente nunca pensa nessas coisas.

Thomson olhou para o relógio.

– Tenho de voltar para a Scotland Yard... se o senhor já estiver pronto.

– Estou, sim.

Quando saíram do clube, Feliks não estava esperando lá fora. Pegaram um carro e foram até a casa de Walden, depois Thomson seguiu para a Scotland Yard. Walden entrou e a casa parecia vazia. Foi para seu quarto. Ficou sentado ao lado da janela e terminou de fumar seu cigarro.

Sentiu a necessidade de conversar com alguém. Olhou para o relógio. Lydia já devia ter terminado a sesta e estaria se vestindo para o chá e para receber as visitas. Foi ao quarto dela.

Lydia estava sentada na frente do espelho, de robe. Parecia tensa, pensou Walden. Culpa dessa confusão toda. Pôs as mãos nos ombros dela, contemplando-a pelo reflexo no espelho, depois inclinou-se e beijou-a no alto da cabeça.

– Feliks Kschessinsky.

– *O quê?*

Ela parecia apavorada.

– É esse o nome do nosso assassino. Significa alguma coisa para você?

– Não.

– Tive a impressão de que reconheceu o nome.

– Ele... me lembra alguma coisa.

– Basil Thomson descobriu tudo a respeito do homem. É um assassino, um tipo diabólico. Não é impossível que você tenha cruzado com ele em São Petersburgo. Isso explicaria por que lhe pareceu vagamente familiar quando esteve aqui, e por que o nome a faz lembrar alguma coisa.

– Sim, deve ser isso.

Walden foi até a janela e olhou para o parque. Era o momento do dia em que as babás saíam com as crianças para dar uma volta. Os caminhos estavam apinhados de carrinhos de bebê, todos os bancos ocupados por mulheres vestidas em roupas deselegantes, conversando. Ocorreu a Walden que Lydia podia ter tido algum relacionamento com Feliks em São Petersburgo – um relacionamento que ela não queria admitir. O pensamento era vergonhoso, e ele tratou de afastá-lo.

– Thomson acha que Feliks vai tentar me sequestrar quando chegar à conclusão de que Aleks está escondido.

Lydia se levantou e se aproximou dele. Enlaçou-o pela cintura e encostou a cabeça em seu peito. Não disse nada.

Walden afagou-lhe os cabelos.

– Daqui em diante, tenho que sair sempre em minha própria carruagem. E Pritchard deverá andar armado com uma pistola.

Ela o encarou e Walden descobriu, surpreso, que os olhos da esposa estavam cheios de lágrimas.

– Por que essas coisas estão acontecendo conosco? – perguntou Lydia. – Primeiro, Charlotte se envolve num tumulto, depois você é ameaçado... Parece que todos estamos em perigo.

– Bobagem. Você não corre perigo nenhum e Charlotte está apenas sendo uma moça tola. Quanto a mim, estarei bem protegido.

Walden passou as mãos pelos quadris dela. Podia sentir o calor do seu corpo através do robe fino. Lydia não estava usando espartilho. Queria fazer amor com ela naquele momento. Nunca tinham feito à luz do dia.

Beijou-a na boca. Lydia comprimiu o corpo contra o dele e Walden percebeu que ela o desejava também. Não se lembrava de nenhuma ocasião anterior em que o tivesse demonstrado tão claramente. Olhou para a porta, pensando em trancá-la, depois olhou para Lydia e ela assentiu de forma quase imperceptível. Uma lágrima rolou pelo seu nariz. Walden foi até a porta.

Alguém bateu.

– Maldição! – murmurou Walden.

Lydia desviou o rosto da porta, enxugando os olhos com um lenço.

Pritchard entrou.

– Com licença, milorde. O senhor acabou de receber um telefonema urgente do Sr. Basil Thomson. Descobriram o paradeiro do homem chamado Feliks. Se quiser estar presente no momento em que o prenderem, o Sr. Thomson virá apanhá-lo, aqui, dentro de três minutos.

– Pegue meu chapéu e o casaco – disse Walden.

CAPÍTULO DEZ

Ao SAIR PARA COMPRAR o jornal da manhã, Feliks teve a impressão de que havia crianças por toda parte. No pátio, algumas meninas dançavam e cantavam. Os garotos jogavam críquete, com as marcações a giz no muro e um pedaço de tábua podre como bastão. Na rua, meninos mais velhos empurravam carrinhos de mão. Feliks comprou o jornal das mãos de uma adolescente. Ao voltar a seu quarto, uma criança pequena e nua, subindo a escada engatinhando, bloqueava seu caminho. Enquanto ele olhava, a garotinha levantou-se meio trôpega e lentamente cambaleou para trás. Feliks pegou-a e colocou-a no patamar. A mãe saiu por uma porta aberta. Era uma jovem pálida, cabelos desgrenhados, já grávida de outro filho. Ela pegou a menina do chão e desapareceu em seu quarto depois de lançar um olhar desconfiado para Feliks.

Cada vez que tentava pensar num meio de enganar Charlotte e convencê-la a revelar o paradeiro de Orlov, parecia dar de cara em um muro. Pensou em arrancar-lhe a informação disfarçadamente, sem que ela percebesse. Ou contar-lhe uma história semelhante à que contara a Lydia. Ou declarar-lhe com todas as letras que queria matar Orlov. Mas sua imaginação recuava horrorizada a cada cena.

Ao pensar no que estava em jogo, achava seus sentimentos ridículos. Tinha a possibilidade de salvar milhões de vidas e talvez desencadear a revolução russa, e estava preocupado em enganar uma moça da classe dominante! Não tinha nem a intenção de lhe causar algum mal, mas apenas usá-la, enganá-la e trair sua confiança. Sua própria filha, que acabara de conhecer...

A fim de ocupar as mãos, começou a transformar sua dinamite de fabricação caseira numa bomba primitiva. Colocou os trapos encharcados em nitroglicerina num vaso rachado de porcelana e pensou no problema da detonação. Apenas um papel em chamas talvez não fosse suficiente. Enfiou meia dúzia de fósforos no algodão, de forma que apenas as cabeças ficaram aparecendo. Era difícil manter os fósforos na posição correta, pois suas mãos não estavam firmes.

Minhas mãos *nunca* tremem.

O que está acontecendo comigo?

Torceu um pedaço de jornal, formando um pavio. Enfiou uma das pontas entre os fósforos, depois amarrou as cabeças com um barbante. Teve a maior dificuldade em dar o nó.

Leu todas as notícias internacionais publicadas no *Times*, empenhando-se obstinadamente em compreender as empoladas frases britânicas. Estava mais ou menos certo de que haveria uma guerra, só que mais ou menos certo não era mais suficiente. Ficaria feliz em matar um ocioso inútil como Orlov, mesmo que descobrisse depois que isso não servira a nenhum propósito; mas destruir seu relacionamento com Charlotte sem nenhum propósito...

Relacionamento? Que relacionamento?

Você sabe que relacionamento, pensou.

Ler o *Times* deixou-o com dor de cabeça. As letras eram muito pequenas e o quarto era escuro. Era um jornal terrivelmente conservador. Devia ser explodido com uma bomba.

Ansiava ver Charlotte de novo.

Ouviu o barulho de passos no patamar do lado de fora e depois uma batida na porta.

– Pode entrar – falou, despreocupadamente.

O zelador entrou, tossindo.

– Bom dia.

– Bom dia, Sr. Price.

O que o velho idiota estava querendo dessa vez?

– O que é isso? – perguntou Price, olhando para a bomba na mesa.

– Uma vela caseira. Dura muitos meses. O que deseja?

– Queria saber se não está precisando de um par extra de lençóis. Posso arrumar a um preço muito baixo...

– Não, obrigado. Até logo.

– Até logo.

Price saiu.

Eu deveria ter escondido a bomba, pensou Feliks.

O que está acontecendo comigo?

~

– Ele está, sim – disse Price a Basil Thomson.

A tensão provocou uma contração no estômago de Walden.

Os dois estavam sentados no banco de trás de um automóvel da polícia, estacionado na esquina do Canada Buildings, onde Feliks se encontrava. Dentro do carro havia também um inspetor do Serviço Especial e um superintendente uniformizado da delegacia de polícia de Southwark.

Se conseguirem prender Feliks agora, pensou Walden, Aleks estará seguro. Que alívio será.

Thomson explicou:

– O Sr. Price procurou a polícia para comunicar que tinha alugado um quarto a um homem suspeito, com um sotaque estrangeiro, muito pouco dinheiro, e deixando crescer a barba, como se quisesse mudar a aparência. Identificou Feliks pelo retrato do nosso desenhista. Parabéns, Price.

– Obrigado, senhor.

O superintendente uniformizado desdobrou um mapa em grande escala. Seus movimentos eram irritantemente lentos e deliberados.

– O Canada Buildings é formado por três prédios de cinco andares, em torno de um pátio. Cada prédio tem três escadas. Para quem está na entrada do pátio, o Toronto House fica à direita. Feliks está na escada do meio, no último andar. Atrás do Toronto House fica o pátio de uma construtora.

Walden tentou conter a impaciência.

– O Vancouver House situa-se à esquerda e atrás dele há outra rua. O terceiro prédio, à frente de quem entra pelo pátio, é o Montreal House, cujos fundos dão para a linha do trem.

– O que é isto bem no meio do pátio? – perguntou Thomson, apontando para o mapa.

– O banheiro – respondeu o superintendente. – O cheiro é horrível, com tantas pessoas usando.

Ande logo com isso!, pensou Walden.

– Parece que Feliks tem três caminhos para sair do pátio – disse Thomson. – Em primeiro lugar, a entrada. É claro que vamos bloqueá-la. Em segundo lugar, no final do pátio à esquerda, a viela entre o Vancouver House e o Montreal House, que leva à rua ao lado. Ponha três homens nessa viela, superintendente.

– Está certo, senhor.

– Em terceiro lugar, a viela entre o Montreal House e o Toronto House, que leva ao pátio da construtora. Quero outros três homens lá.

O superintendente assentiu.

– Os prédios têm janelas para os fundos?

– Têm, senhor.

– Então Feliks tem uma quarta rota de fuga do Toronto House: saindo pela janela dos fundos e atravessando o pátio da construtora. É melhor pôr seis homens no pátio da construtora. E, finalmente, vamos fazer uma boa demonstração de força bem no meio do pátio, para convencê-lo a se entregar sem resistência. Temos a sua aprovação, superintendente?

– Eu diria que é mais do que apropriado, senhor.

Ele não sabe com que tipo de homem estamos lidando, pensou Walden.

– Você e o inspetor Sutton podem efetuar a prisão – disse Thomson. – Está com a sua arma, Sutton?

Sutton abriu o paletó e mostrou um pequeno revólver preso por baixo do braço. Walden ficou surpreso. Sempre pensara que os policiais britânicos não usassem armas. Mas era evidente que os do Serviço Especial eram diferentes. Ficou satisfeito por isso.

– Aceite o meu conselho – acrescentou Thomson, dirigindo-se a Sutton. – Esteja com o revólver na mão quando bater à porta. – Virou-se para o superintendente que estava uniformizado. – É melhor você levar minha arma.

O superintendente mostrou-se ligeiramente ofendido.

– Estou na polícia há 25 anos e nunca precisei de uma arma de fogo, senhor. Então, se não se incomodar, prefiro não começar a usar agora.

– Policiais já morreram ao tentar prender esse homem.

– Não me ensinaram a atirar, senhor.

Santo Deus, pensou Walden, desesperado. Como pessoas como nós podem enfrentar alguém como Feliks?

– Lorde Walden e eu estaremos na entrada do pátio – acrescentou Thomson.

– Ficarão no carro, senhor?

– Ficaremos no carro.

Vamos *logo* com isso!, pensou Walden.

– Então vamos – disse Thomson.

~

Feliks descobriu que estava com fome. Não comia nada havia mais de 24 horas. Ficou imaginando o que fazer. Agora que a barba estava crescendo e ele usava roupas de trabalhador, seria observado com mais atenção pelos comerciantes, tornando muito mais difícil roubar alguma coisa.

Tratou de se controlar diante de tal pensamento. Nunca é difícil roubar, disse a si mesmo. Vamos ver: eu poderia ir a uma casa no subúrbio, do tipo que provavelmente tem uma ou duas criadas, e entrar pela porta de serviço. Ao ver uma criada na cozinha, diria, com um sorriso: "Sou um louco, mas, se me fizer um sanduíche, não vou violentá-la." Avançaria até a porta, a fim de bloquear-lhe a passagem. A mulher poderia gritar. Neste caso, simplesmente me afastaria e tentaria em outra casa. Seria mais provável, no entanto, que ela me desse a comida, e então eu diria: "Obrigado. Você é muito bondosa." Depois iria embora. Nunca é difícil roubar.

Dinheiro era um problema. Como se ele pudesse se dar ao luxo de comprar um par extra de lençóis! O zelador era um otimista. Claro que ele sabia que Feliks não tinha dinheiro...

Claro que sabe que eu não tenho dinheiro!, se deu conta.

Pensando assim, o motivo da ida de Price ao quarto de Feliks era suspeito. Será que ele estava apenas sendo otimista mesmo? Ou será que estava simplesmente verificando se o hóspede se encontrava no quarto? Parece que estou ficando muito lerdo, pensou Feliks. Levantou-se e foi à janela.

Santo Deus!

O pátio estava repleto de guardas de uniforme azul.

Feliks ficou olhando, imóvel, dominado pelo horror.

A visão o fez pensar num ninho de vermes contorcendo-se, rastejando uns por cima dos outros num buraco no chão.

O instinto lhe dizia: Fuja! Fuja! Fuja!

Mas por onde?

Haviam bloqueado todas as saídas do pátio. Feliks lembrou-se das janelas dos fundos.

Saiu correndo do quarto e foi até os fundos do prédio. Havia uma janela que dava para o pátio da construtora. Feliks olhou lá para baixo e avistou cinco ou seis guardas tomando posição, entre as pilhas de tijolos e de tábuas. Não havia a menor possibilidade de escapar por aquele lado.

Restava apenas o telhado.

Voltou correndo ao quarto e deu uma espiada no pátio. Os guardas estavam parados, à exceção de dois homens, um de uniforme, o outro à paisana, que avançavam decididos para a escada de Feliks.

Ele pegou a bomba e a caixa de fósforos e desceu correndo para o patamar inferior. Uma porta pequena, com um trinco, dava acesso ao armário debaixo da escada. Feliks abriu a porta, colocou a bomba lá dentro, acendeu o pavio de papel e fechou o armário de novo. Virou-se. Tinha tempo de subir correndo a escada antes que o pavio queimasse e...

A garotinha estava subindo a escada engatinhando.

Merda.

Pegou-a no colo e correu para devolvê-la à mãe, que estava sentada na cama suja, o olhar vazio fixo na parede. Feliks entregou-lhe a menina e gritou:

- Fique aqui! Não se mexa!

A mulher olhou para ele assustada.

Feliks saiu correndo. Os dois homens estavam um andar abaixo. Feliks disparou pela escada acima... até o patamar. Não exploda agora, não exploda agora, não, pensava repetidamente até o patamar. Os homens ouviram seus passos e um deles gritou:

- Ei, você!

Feliks entrou correndo no quarto, pegou a cadeira, saiu para o patamar e colocou-a diretamente abaixo do alçapão que dava para o sótão.

A bomba não explodira.

Talvez não funcionasse.

Feliks subiu na cadeira.

Os dois homens chegaram lá em cima.

Feliks empurrou o alçapão para o sótão.

- Você está preso! - gritou o policial uniformizado.

O homem à paisana ergueu o revólver e apontou para Feliks.

Nesse momento, a bomba explodiu.

Houve um baque intenso, como se algo muito pesado tivesse caído. A escada foi totalmente destruída, os dois homens foram arremessados para trás e os destroços começaram a pegar fogo.

Feliks subiu para o sótão.

~

- Mas que diabo! - gritou Thomson. - Ele explodiu uma bomba!

Está dando errado, Walden pensou, mais uma vez.

O barulho dos destroços de uma janela caindo no chão logo depois da explosão preencheu o ar.

Walden e Thomson saltaram do carro e correram pelo pátio.

Thomson escolheu dois guardas ao acaso.

- Você e você, venham comigo. - Virou-se para Walden: - Você fica aqui.

Os três entraram correndo no prédio.

Walden recuou pelo pátio, olhando para as janelas do Toronto House.

Onde está Feliks?, pensou.

Ouviu um guarda dizer:

– Escreva o que estou dizendo: ele fugiu pelos fundos.

Quatro ou cinco telhas caíram do telhado e se espatifaram no pátio, arrancadas pela explosão, presumiu Walden.

Ele sentia a todo momento o impulso de olhar para trás, como se Feliks pudesse aparecer de repente às suas costas, do nada.

Os moradores dos prédios começavam a aparecer nas portas e janelas, querendo saber o que estava acontecendo. O pátio começava a se encher de gente. Alguns guardas fizeram um esforço não muito vigoroso de obrigá-las a voltar. Uma mulher saiu correndo do Toronto House, gritando:

– Fogo!

Onde está Feliks?, era só o que se perguntava.

Thomson e um guarda saíram do prédio, carregando Sutton. Ele estava inconsciente. Ou morto. Walden olhou mais atentamente. Não, não está morto. O revólver continuava firme em sua mão.

Mais telhas caíram no pátio.

O guarda que estava com Thomson comentou:

– Está uma confusão terrível lá dentro.

– Viu onde está Feliks? – perguntou Walden.

– Não consegui ver nada.

Thomson e o guarda tornaram a entrar no prédio.

Mais telhas despencaram.

Um pensamento ocorreu a Walden e ele olhou para cima.

Havia um buraco no telhado e Feliks estava subindo por ele.

– Lá! – gritou Walden.

Todos ficaram observando, impotentes, enquanto Feliks saía engatinhando do sótão e subia até a cumeeira do telhado.

Se eu tivesse uma arma..., desejou Walden.

O conde ajoelhou-se ao lado do corpo inconsciente de Sutton e tirou-lhe a pistola da mão.

Olhou para cima. Feliks estava se ajoelhando no alto do telhado. Quem me dera isto fosse um fuzil, pensou Walden, enquanto levantava a pistola. Mirou pelo cano enquanto Feliks olhava em sua direção. Os olhares dos dois se encontraram.

~

Feliks se moveu.

Um tiro soou.

Ele não sentiu nada.

Começou a correr.

Era como estar numa corda bamba. Tinha que abrir os braços para manter o equilíbrio, cada passo precisava acertar em cheio a cumeeira estreita e ele não podia pensar na queda de quase 20 metros até o pátio.

Outro tiro foi disparado.

Feliks entrou em pânico.

Correu ainda mais depressa. O final do telhado estava logo à frente. Ele já podia ver o telhado inclinado do Montreal House. Não tinha a menor ideia da distância entre os dois prédios. Diminuiu a velocidade, hesitante. E foi nesse momento que Walden atirou outra vez.

Feliks correu até a beira do telhado. E pulou.

Voou pelo ar. Ouviu a própria voz gritando, como se estivesse muito longe.

Vislumbrou por um instante os três guardas, na viela quase 20 metros abaixo, olhando para ele boquiabertos.

Em seguida aterrissou violentamente no telhado do Montreal House, batendo forte com as mãos e os joelhos.

O impacto deixou-o sem fôlego e ele começou a deslizar pelo telhado. Os pés bateram na calha, que deu a impressão de que começaria a ceder sob o peso dele. Feliks achou que ia escorregar até se esborrachar no chão, mas a calha aguentou e ele parou de deslizar.

Estava com medo.

Um canto distante de sua mente protestava: Mas nunca senti medo!

Subiu aos trancos até o alto do telhado e desceu pelo outro lado.

Os fundos do Montreal House davam para a ferrovia. Não havia guardas ali. Eles não previram isso, pensou Feliks, exultante. Pensaram que eu ficaria acuado no pátio. Nunca lhes ocorreu que eu poderia escapar pelos telhados.

Agora, só preciso descer.

Espiou por cima da calha para a parede do prédio. Não havia canos. A água que caía nas calhas corria até os cantos do prédio e, daí, era descartada por espécies de gárgulas. Mas as janelas do último andar ficavam próximas ao beiral e tinham saliências bem largas.

Feliks segurou a calha com a mão direita e puxou, para testar sua resistência.

Desde quando me importei se vou viver ou morrer?

(Você sabe desde quando, Feliks.)

Posicionou-se por cima de uma janela, segurou a calha com as duas mãos e passou lentamente pelo beiral.

Por um momento, ficou suspenso no ar.

Os pés encontraram o peitoril da janela. Ele tirou a mão direita da calha e tateou pela parede em torno da janela, procurando um ponto em que se segurar. Os dedos encontraram uma reentrância rasa, e então ele tirou a outra mão da calha.

Olhou pela janela. Lá dentro, um homem o viu e gritou de pavor.

Feliks abriu a janela com um pontapé e entrou no quarto. Empurrou o morador apavorado para o lado e saiu correndo pela porta.

Desceu a escada de quatro em quatro degraus. Se conseguisse chegar a tempo ao térreo, poderia sair por uma das janelas dos fundos para a linha ferroviária.

Chegou ao último patamar e parou no alto do lance de escada final, respirando fundo. Um guarda apareceu na entrada da frente. Feliks virou-se e correu para o final do corredor. Levantou a janela. Estava emperrada. Fez força e conseguiu abri-la. Ouviu passos subindo a escada. Passou pela janela, ficou pendurado pelas mãos por um momento, deu impulso para longe da parede e se soltou.

Caiu sobre a relva alta do aterro da ferrovia. À direita, dois homens pulavam a cerca do pátio da construtora. Um tiro distante soou à esquerda. Um guarda apareceu na janela de onde Feliks pulara.

Ele subiu correndo pelo aterro em direção à linha férrea.

Havia quatro ou cinco pares de trilhos. A distância, um trem se aproximava rapidamente. Parecia estar vindo pelos trilhos do outro lado. Feliks teve um momento de covardia e ficou apavorado por cruzar os trilhos na frente do trem, mas logo desatou a correr.

Os dois guardas que saíram do pátio da construtora e o que saiu do Montreal House perseguiam-no pelos trilhos. À esquerda, alguém gritou:

– Saiam da linha de tiro!

Os três perseguidores dificultavam a mira de Walden.

Feliks olhou por cima do ombro. Os três homens haviam parado de tentar alcançá-lo. Um tiro foi disparado. Ele começou a se abaixar e a correr em zigue-zague. O trem soava muito alto. Ouviu um apito, então outro tiro. Feliks virou-se de lado abruptamente, depois cambaleou e caiu sobre o último par de trilhos. Uma terrível trovoada soou em seus ouvidos. Viu a locomotiva quase em cima dele e se sacudiu desesperadamente, lançando-se para fora dos trilhos e caindo sobre o cascalho no outro lado. O trem passou, ruidoso, ao lado de sua cabeça. Por uma fração de segundo, Feliks vislumbrou o rosto do maquinista, pálido e apavorado.

Levantou-se e desceu correndo pela encosta.

~

Walden estava parado na cerca, observando o trem passar. Basil Thomson veio postar-se a seu lado.

Os guardas que haviam alcançado a ferrovia, chegado aos últimos trilhos e parado, impotentes, esperando o trem terminar de passar, o que pareceu levar uma eternidade.

Depois, não havia o menor sinal de Feliks.

– O bandido escapou – murmurou um guarda.

– Mas que diabo! – exclamou Basil Thomson.

Walden virou-se e voltou para o carro.

~

Feliks caiu no outro lado de um muro e descobriu-se numa rua miserável, de pequenas casas iguais. Estava também na boca do gol de uma partida de futebol improvisada. Alguns garotos, usando gorros imensos, pararam de jogar e ficaram olhando para ele, aturdidos. Feliks saiu correndo.

Seriam necessários alguns minutos para redistribuir os guardas pelo outro lado da ferrovia. Eles viriam à sua procura, mas já seria tarde demais. Quando conseguissem organizar a busca, Feliks já estaria a um quilômetro da linha férrea, e ainda em movimento.

Ele continuou a correr, até alcançar uma movimentada rua comercial. Ali, num impulso, embarcou num ônibus.

Conseguira escapar, mas estava terrivelmente preocupado. Coisas assim já haviam lhe acontecido antes, mas nunca sentira medo; jamais entrara em pânico. Lembrou-se do pensamento que lhe ocorrera enquanto escorregava pelo telhado: Não quero morrer.

Na Sibéria, perdera a capacidade de sentir medo. Agora, no entanto, esse sentimento horrível voltara. Pela primeira vez em muitos anos, queria permanecer vivo. Tornei-me humano outra vez, pensou Feliks.

Olhou pela janela do ônibus para as ruas miseráveis do sudeste de Londres, imaginando se as crianças imundas e as mulheres pálidas podiam olhar para ele e ver um homem que renascera.

Era um desastre. Iria afetar seus movimentos, prejudicar seu estilo, interferir em seu trabalho.

Estou com medo, pensou ele.

Quero viver.

Quero ver Charlotte outra vez.

CAPÍTULO ONZE

O PRIMEIRO BONDE DO DIA despertou Feliks com seu barulho. Ele abriu os olhos e observou-o passar, arrancando centelhas azuis do cabo suspenso. Homens de olhos opacos com roupas de trabalho sentavam-se às janelas, fumando e bocejando, a caminho de mais um expediente como garis, carregadores de mercado e operários na construção civil.

O sol estava baixo e brilhante, mas Feliks se encontrava à sombra da Waterloo Bridge. Estava deitado na calçada, coberto por jornais, com a cabeça encostada no muro. A seu lado havia uma velha fedorenta, com o rosto vermelho de uma bêbada. Parecia gorda, mas Feliks via agora, entre a bainha do vestido e os canos das botas masculinas, alguns centímetros das pernas brancas e sujas, muito finas. Ele concluiu que a aparente obesidade se devia às várias camadas de roupa. Feliks gostava dela. Na noite anterior, ela divertira todos os vagabundos ensinando a ele as palavras chulas em inglês que designavam as diversas partes do corpo. Feliks repetira as palavras uma a uma, arrancando risadas gerais.

Do seu outro lado estava um garoto ruivo escocês. Para ele, dormir ao relento era uma aventura. Era destemido, vigoroso e animado. Olhando agora para seu rosto adormecido, Feliks constatou que ele ainda não tinha nem barba. Era muito jovem. O que lhe aconteceria quando o inverno chegasse?

Havia cerca de trinta pessoas deitadas ao longo da calçada, todas com a cabeça encostada no muro e os pés na direção da rua, cobertas por casacos, sacos ou jornais. Feliks foi o primeiro a se mexer. Perguntou-se se algum deles não teria morrido durante a madrugada.

Levantou-se. Sentia dores no corpo todo, depois de uma noite exposto ao frio da rua. Saiu de debaixo da ponte para a luz do sol. Deveria encontrar-se com Charlotte naquele dia e estava com a aparência e o cheiro de um vagabundo. Pensou em lavar-se no Tâmisa, mas o rio parecia mais sujo do que ele. Saiu à procura de uma casa de banhos pública.

Encontrou uma no lado sul do rio. Um aviso na porta anunciava que abriria às nove. Feliks achou que isso era característico do governo social-democrata: construíam uma casa de banhos pública para que os trabalhadores pudessem se manter limpos, e então só a abriam num horário em que todos estavam trabalhando. Sem dúvida ainda se queixavam de que as massas não estavam interessadas em aproveitar as instalações que lhes eram tão generosamente oferecidas.

Encontrou uma barraca de chá perto da Waterloo Station e tomou café da manhã. Sentiu-se muito tentado a pedir um sanduíche de ovo frito, mas não podia pagar, então tomou chá com pão, como sempre, e guardou dinheiro para o jornal.

Sentia-se contaminado pela noite em companhia dos vagabundos. O que era irônico, pensou ele, pois na Sibéria ficava satisfeito em dormir com porcos, pelo calor que proporcionavam. Não era difícil compreender por que se sentia diferente agora. Ia se encontrar com a filha, que estaria limpa e fresca, cheirando a perfume, vestida com trajes de seda, luvas, chapéu e talvez uma sombrinha para protegê-la do sol.

Feliks entrou na estação ferroviária e comprou o *Times*. Depois, sentou-se num banco de pedra na frente da casa de banhos e leu o jornal enquanto esperava o lugar abrir.

A notícia deixou-o totalmente aturdido.

HERDEIRO AUSTRÍACO E ESPOSA ASSASSINADOS
ALVEJADOS EM CIDADE NA BÓSNIA
CRIME POLÍTICO FOI COMETIDO POR ESTUDANTE
BOMBA LANÇADA NO INÍCIO DO DIA
O LUTO DO IMPERADOR

O provável herdeiro do império austro-húngaro, o arquiduque Francisco Ferdinando, e sua esposa, a duquesa de Hohenberg, foram assassinados ontem de manhã em Sarajevo, capital da Bósnia. O assassino foi descrito como um aluno de ensino médio que disparou contra suas vítimas com uma pistola automática no momento em que voltavam de uma recepção no City Hall.

O crime foi, evidentemente, fruto de uma conspiração ardilosamente tramada. A caminho do City Hall, o arquiduque e sua esposa escaparam da morte por um triz. Um indivíduo, descrito como um compositor de Trebinje, uma cidade de guarnição militar no extremo sul da Herzegovina, lançara uma bomba contra seu automóvel. Poucos detalhes desse primeiro atentado foram divulgados. Afirma-se que o arquiduque desviou a bomba com o braço, e ela explodiu atrás do carro, ferindo os ocupantes do outro veículo.

O autor do segundo atentado, pelo que se sabe, é natural de Grahovo, na Bósnia. Ainda não há informações sobre sua raça ou credo. Presume-se que ele pertença ao contingente sérvio ou ortodoxo da população bósnia.

Ambos os criminosos foram presos imediatamente, conseguindo por pouco escapar do linchamento.

Enquanto essa tragédia ocorria na capital bósnia, o imperador Francisco José, já idoso, viajava de Viena para sua casa de verão em Ischl. Teve uma despedida entusiástica de seus súditos em Viena, e uma recepção ainda mais entusiástica ao chegar a Ischl.

Feliks ficou abalado. Por um lado, adorava saber que outro parasita aristocrata inútil fora destruído, que outro golpe fora desferido contra a tirania. Mas, ao mesmo tempo, sentia-se envergonhado por descobrir que um colegial fora capaz de matar o herdeiro do trono austríaco, enquanto ele, Feliks, fracassava repetidamente nas tentativas de aniquilar o príncipe russo. Mas sua mente estava ainda mais preocupada com as mudanças no quadro político mundial que sem dúvida se seguiriam. Os austríacos, com o apoio dos alemães, iriam vingar-se da Sérvia. Os russos protestariam - será que mobilizariam seu exército? Se tivessem certeza do apoio britânico, provavelmente o fariam. A mobilização russa acarretaria a mobilização alemã e, a partir do momento em que os alemães estivessem mobilizados, ninguém poderia impedir que os generais partissem para a guerra.

Com muito esforço, Feliks decifrou o inglês das outras notícias na mesma página relacionadas com o atentado. Havia matérias com os títulos: "Comunicado oficial sobre o crime"; "Imperador austríaco e a notícia"; "Tragédia de uma casa real" e "Cena do crime" (pelo nosso correspondente especial). Havia muitas baboseiras sobre como todos haviam ficado chocados, horrorizados, consternados, e também afirmativas insistentes de que não havia motivo para alarme e que o assassinato, por mais trágico que fosse, não representaria nenhuma mudança real para a Europa - sentimentos que Feliks já aprendera a reconhecer como característicos do *Times*, que descreveria os Quatro Cavaleiros do Apocalipse como soberanos valentes que só fariam bem para a estabilidade da situação internacional.

Até o momento, ainda não se falava em represálias austríacas. Mas Feliks tinha certeza de que isso não demoraria a acontecer. E depois...

E depois haveria a guerra.

Não havia nenhum motivo concreto para que a Rússia entrasse em guerra, pensou ele, furioso. O mesmo se aplicava à Inglaterra. A França e a Alemanha é que eram beligerantes. Desde 1871 os franceses queriam reconquistar os territórios perdidos da Alsácia-Lorena, enquanto os generais alemães achavam que a Alemanha continuaria sendo uma potência de segunda classe enquanto não começasse a exercer seu poderio.

O que poderia impedir a Rússia de entrar na guerra? Uma briga com seus aliados. O que poderia provocar um atrito entre a Rússia e a Inglaterra? O assassinato de Orlov.

Se o assassinato em Sarajevo podia desencadear uma guerra, outro assassinato em Londres poderia *evitar* uma guerra.

E Charlotte podia descobrir onde Orlov estava.

Exausto, Feliks pensou mais uma vez no dilema que o atormentava havia 48 horas. Alguma coisa mudara com o assassinato do arquiduque? Isso lhe dava o direito de se aproveitar de uma moça?

Estava quase na hora de abrir a casa de banhos. Uma multidão de mulheres carregando trouxas de roupa reuniu-se perto da porta. Feliks dobrou o jornal e se levantou.

Sabia que iria usá-la. Não resolvera o dilema – simplesmente decidira o que fazer. Toda a sua vida parecia conduzir ao assassinato de Orlov. Havia algo que sempre o impulsara na direção desse objetivo. Não podia ser desviado, mesmo sabendo que sua vida se baseara num equívoco.

Pobre Charlotte.

As portas se abriram e Feliks entrou para tomar banho.

~

Charlotte planejara tudo. O almoço era servido à uma da tarde, quando os Waldens não tinham convidados. A mãe estaria no quarto por volta das duas e meia, descansando. Charlotte poderia sair escondida a tempo de se encontrar com Feliks às três. Passaria uma hora em sua companhia e estaria de volta em casa às quatro e meia, quando poderia lavar-se e trocar de roupa a tempo de servir o chá e receber as visitas junto com a mãe.

Mas isso não aconteceria. Ao meio-dia, a mãe arruinou todo o plano, ao anunciar:

– Esqueci de avisá-la. Vamos almoçar na casa da duquesa de Middlesex, na Grosvenor Square.

– Ah, puxa, hoje eu realmente não estou com ânimo para isso – protestou Charlotte.

– Não seja tola. Tenho certeza de que você se divertirá muito.

Falei a coisa errada, pensou Charlotte no mesmo instante. Devia ter dito que estou com muita dor de cabeça e por isso não posso ir. Fui pega de surpresa e fiquei sem saber o que fazer. Poderia ter mentido, mas assim, de improviso, não consigo. Ela tentou de novo:

– Desculpe, mamãe, mas não estou com vontade de ir.

– Você vai e pronto. Quero que a duquesa a conheça. Ela pode ser muito útil. E o marquês de Chalfont estará presente.

Esses almoços costumavam começar à uma e meia e se prolongar até depois das três. Posso estar em casa às três e meia e chegar à Galeria Nacional por volta das quatro, pensou Charlotte. Mas ele provavelmente já terá desistido e ido embora. Além disso, mesmo que fique esperando, eu teria que vir embora logo depois, para chegar em casa a tempo do chá. Ela queria conversar com Feliks a respeito do assassinato – estava ansiosa para saber a opinião dele. Não queria almoçar com a velha duquesa e...

– Quem é o marquês de Chalfont?

– Você sabe... Freddie. Ele é encantador, não acha?

– Ah, ele. Encantador? Nunca percebi.

Eu poderia escrever um bilhete, pôr o endereço de Camden Town e deixar na mesa do saguão para o lacaio entregar, mas Feliks não mora lá, e de qualquer maneira não receberia o bilhete antes das três horas.

– Mas vai perceber hoje – disse Lydia. – Tenho a impressão de que você o conquistou.

– Quem?

– *Freddie*. Charlotte, você realmente deveria prestar mais atenção a um rapaz quando ele lhe dedica uma atenção toda especial.

Então era por isso que a mãe estava tão ansiosa pelo almoço.

– Ora, mamãe, não seja tola...

– O que há de tolice nisso? – disse Lydia, a voz começando a soar exasperada.

– Mal trocamos meia dúzia de frases.

– Então não foi a sua conversa que o deixou fascinado.

– Por favor, mamãe!

– Está bem, não vou insistir. Agora vá se trocar para o almoço. Ponha aquele vestido cor de creme, com renda marrom. Combina muito bem com você.

Charlotte desistiu de argumentar e subiu para seu quarto. Acho que deveria sentir-me lisonjeada com a atenção de Freddie, pensou, enquanto tirava o vestido. Por que não consigo me interessar por nenhum desses rapazes? Talvez eu ainda não esteja pronta para tudo isso. No momento, há muitas outras coisas absorvendo meus pensamentos. Durante o café da manhã, papai disse que haveria uma guerra por causa do assassinato do arquiduque. Mas moças não deveriam se preocupar com esses assuntos. Minha maior ambição deveria ser arrumar um noivo antes do final da minha primeira temporada – é nisso que Belinda está pensando. Mas nem todas as moças são como Belinda – basta lembrar das sufragistas.

Charlotte terminou de se vestir e desceu. Sentou-se e ficou conversando sobre amenidades enquanto a mãe tomava um copo de xerez. Depois, as duas seguiram para a Grosvenor Square.

A duquesa era uma mulher com excesso de peso, na casa dos 60 anos. Fazia Charlotte pensar num velho navio de madeira apodrecendo por baixo de uma nova camada de tinta. O almoço foi praticamente uma reunião de mulheres. Se fosse uma peça, pensou Charlotte, haveria um poeta de olhos sonhadores, um discreto membro do Gabinete, um refinado banqueiro judeu, um príncipe herdeiro e pelo menos uma mulher extraordinariamente bonita. Mas, na verdade, os únicos homens presentes além de Freddie eram um sobrinho da duquesa e um parlamentar conservador. Todas as mulheres foram apresentadas como esposas de alguém. Se me casar algum dia, pensou Charlotte, insistirei em ser apresentada com meu próprio nome, não como a esposa de alguém.

Claro que era difícil para a duquesa promover festas interessantes, já que muitas pessoas tinham sido proibidas à sua mesa: todos os liberais, todos os judeus, todos os comerciantes, qualquer pessoa ligada aos palcos, todas as divorciadas e todas as pessoas que, em algum momento, haviam contrariado as ideias da duquesa sobre o que era certo. Com isso, seu círculo de amizades tinha se tornado bastante insípido.

O assunto predileto da nobre senhora era a questão: o que estava arruinando o país? Os tópicos principais eram a subversão (por Lloyd George e Churchill), a vulgaridade (por Diaghilev e os pós-impressionistas) e o imposto adicional (1 xelim e 3 pence por libra).

Naquele dia, porém, a ruína da Inglaterra ficou em segundo lugar por causa da morte do arquiduque. O parlamentar conservador explicou longa e tediosamente, por que não haveria guerra. A esposa de um embaixador sul-americano disse, numa vozinha infantil que enfureceu Charlotte:

- O que não compreendo é por que esses niilistas querem jogar bombas e atirar nas pessoas.

A duquesa tinha uma resposta. Seu médico explicara que todas as sufragistas sofriam de um mal nervoso conhecido pela ciência médica como histeria. Na opinião dela, os revolucionários sofriam do equivalente masculino dessa doença.

Charlotte, que lera o *Times* da primeira à última página naquela manhã, disse:

- Por outro lado, é possível que os sérvios simplesmente não queiram ser dominados pela Áustria.

A mãe lançou-lhe um olhar sombrio e todos a fitaram por um momento como se ela estivesse totalmente louca. Então, ignoraram suas palavras.

Freddie estava sentado a seu lado. O rosto redondo parecia sempre brilhar ligeiramente. Ele disse a Charlotte, em voz baixa:

- Você fala as coisas mais ultrajantes.

- O que há de ultrajante no que falei?

- Pelo que você diz, pode-se pensar que aprova o fato de as pessoas atirarem em arquiduques.

- Acho que se os austríacos tentassem ocupar a Inglaterra, você também atiraria em arquiduques, não é mesmo?

- Você não tem jeito - falou Freddie.

Charlotte virou o rosto. Estava começando a sentir que perdera a voz: parecia que ninguém ouvia nada do que dizia. Isso a deixava bastante irritada.

Enquanto isso, a duquesa dava início a sua cantilena. As classes inferiores eram ociosas, disse ela. E quem está dizendo isso é você, que nunca trabalhou um só dia na vida!, Charlotte pensou. Pelo que lhe contaram, continuou a duquesa, cada trabalhador contava com um rapaz para carregar suas ferramentas. Era evidente que um homem tinha a capacidade de carregar as próprias ferramentas, declarou ela, enquanto um lacaio lhe estendia uma bandeja de prata com batatas cozidas. Começando a tomar sua terceira taça de vinho, ela falou que os trabalhadores bebiam tanta cerveja no meio do dia que ficavam incapazes de produzir à tarde. As pessoas hoje em dia querem ser mimadas, afirmou, enquanto três lacaios e duas copeiras tiravam o terceiro prato e serviam o quarto. Não era função do governo dar aos pobres assistência, seguro médico e pensões. A pobreza estimulava as classes inferiores a serem frugais, o que era uma virtude, declarou ela, ao final de uma refeição que daria para alimentar uma família de dez integrantes da classe trabalhadora por duas semanas. As pessoas deveriam contar apenas consigo mesmas, proclamou a duquesa, enquanto o mordomo a ajudava a se levantar da mesa e passar para a sala de estar.

A esta altura, Charlotte estava fervilhando de raiva reprimida. Quem podia culpar os revolucionários por atirar em pessoas como a duquesa?

Freddie entregou-lhe uma xícara de café.

– É uma senhora maravilhosa, não acha? – disse ele.

– Acho que ela é a velha mais repulsiva que já conheci.

O rosto redondo de Freddie se contraiu de espanto, e ele balbuciou:

– Fale baixo!

Pelo menos, pensou Charlotte, ninguém pode dizer que o estou encorajando.

Um relógio cuco em cima da lareira marcou as três horas. Charlotte sentia-se como se estivesse na cadeia. Feliks estava, naquele momento, esperando nos degraus da Galeria Nacional. Ela tinha que encontrar um meio de ir embora da casa da duquesa. O que estou fazendo aqui, quando poderia estar conversando com alguém que diz coisas que fazem sentido?, pensou.

O parlamentar conservador anunciou:

– Preciso voltar para a Câmara.

A esposa dele se levantou para acompanhá-lo. Charlotte percebeu que ali estava sua oportunidade para escapar. Aproximou-se da mulher e disse baixinho:

– Estou com um pouco de dor de cabeça. Posso ir junto? Vocês passarão pela minha casa de qualquer maneira, no caminho para Westminster.

– Claro que pode, lady Charlotte.

A mãe estava conversando com a duquesa. Charlotte interrompeu-as e repetiu a história da dor de cabeça.

– Sei que mamãe gostaria de ficar mais um pouco, então irei com a Sra. Shakespeare. Obrigada pelo almoço maravilhoso, Vossa Graça.

A duquesa assentiu altivamente.

Consegui escapar com bastante elegância, pensou Charlotte, enquanto atravessava o saguão e descia os degraus. Ela forneceu seu endereço ao cocheiro dos Shakespeare e acrescentou:

– Não há necessidade de entrar no pátio. Podem me deixar no lado de fora.

No caminho, a Sra. Shakespeare aconselhou-a a tomar uma colher de láudano para a dor de cabeça.

O cocheiro seguiu as orientações e, às três e vinte da tarde, Charlotte estava na calçada diante de sua casa, observando a carruagem se afastar. Em vez de entrar, ela seguiu para a Trafalgar Square.

Chegou pouco depois das três e meia e subiu correndo a escada da Galeria Nacional. Não viu Feliks. Já foi embora, pensou. E depois de todo o meu esforço. Mas Feliks emergiu, de repente, de detrás de uma coluna grande, como se estivesse à espera. Charlotte ficou tão feliz em vê-lo que quase poderia beijá-lo.

– Desculpe tê-lo feito esperar – disse, apertando-lhe a mão. – Tive que ir a um almoço horrível.

– Não tem importância agora que você está aqui.

Ele estava sorrindo, mas apreensivamente, como alguém que cumprimenta um dentista antes de ter um dente arrancado, pensou Charlotte.

Os dois entraram. Charlotte adorava o museu fresco e silencioso, com suas claraboias de vidro, colunas de mármore, assoalhos cinzentos e paredes beges; os quadros cheios de cores vivas, beleza e paixão.

– Ao menos meus pais me ensinaram a apreciar a pintura – comentou ela.

Feliks fitou-a com seus olhos tristes e escuros.

– Vai haver uma guerra – murmurou.

Entre todas as pessoas que haviam lhe falado sobre a possibilidade naquele dia, apenas Feliks e o pai pareciam realmente *preocupados* com a perspectiva.

– Papai disse a mesma coisa. Mas não entendo o porquê.

– Tanto a França como a Alemanha acham que podem ganhar muita coisa com a guerra. E a Áustria, a Rússia e a Inglaterra possivelmente serão sugadas para dentro do conflito.

Os dois foram andando. Feliks não parecia interessado nos quadros.

– Por que está tão preocupado? – perguntou Charlotte. – Terá que lutar?

– Estou velho demais. Mas penso nos milhões de rapazes russos inocentes, saídos das fazendas, que serão mutilados, cegos ou mortos por uma causa que não compreendem e com a qual não se importariam se compreendessem.

Charlotte sempre pensara na guerra como uma questão de homens matando uns aos outros. Mas Feliks pensava nos homens sendo mortos pela guerra. Como sempre, mostrava-lhe as coisas sob um novo ângulo.

– Nunca pensei dessa maneira.

– O conde de Walden também nunca encarou a guerra por esse ângulo. É por isso que deixará que ela aconteça.

– Tenho certeza de que papai não deixaria, se pudesse evitar...

– Você está enganada – interrompeu Feliks. – Ele está contribuindo para a guerra acontecer.

Charlotte franziu a testa, perplexa.

– Como assim?

– É por isso que o príncipe Orlov está aqui.

A perplexidade de Charlotte aumentou.

– Como sabe a respeito de Aleks?

– Sei muito mais do que você. A polícia tem espiões entre os anarquistas, mas os anarquistas também têm espiões entre os espiões da polícia. É assim que conseguimos descobrir as coisas. Walden e Orlov estão negociando um acordo cujo objetivo é arrastar a Rússia para a guerra, no lado britânico.

Charlotte estava prestes a protestar que o pai jamais faria uma coisa dessas, mas depois compreendeu que Feliks tinha razão. Isso explicava alguns comentários que ouvira entre o pai e Aleks, quando ele ainda estava hospedado em sua casa. Explicava também por que o pai andava deixando os amigos perplexos ao se ligar a liberais como Churchill.

– Por que ele faria isso? – perguntou ela.

– Infelizmente, ele não se importa com a quantidade de camponeses russos que podem morrer, desde que a Inglaterra continue a dominar a Europa.

Sim, é claro, pensou Charlotte. Papai encararia a questão nesses termos.

– Que coisa horrível – murmurou. – Mas por que você não *conta* essas coisas às pessoas? Exponha a situação. Vá para cima de um telhado e grite para todo mundo ouvir.

– E quem daria atenção?

– Não dariam na Rússia?

– Só se pudéssemos encontrar um meio dramático de denunciar a conspiração.

– E qual poderia ser?

Feliks fitou-a nos olhos.

– Sequestrar o príncipe Orlov, por exemplo.

Era tão absurdo que Charlotte riu. Mas interrompeu a risada abruptamente. Ocorreu-lhe que Feliks poderia estar fazendo um jogo, uma simulação para provar um argumento. Mas observou-o com atenção e compreendeu que falava sério. Pela primeira vez, ela se perguntou se Feliks seria perfeitamente são.

– Não pode estar falando sério – disse, incrédula.

Ele deu um sorriso meio sem jeito.

– Acha que sou louco?

Charlotte sabia que não era. Balançou a cabeça.

– É o homem mais são que já conheci.

– Então vamos nos sentar e lhe explicarei tudo.

Charlotte deixou que ele a conduzisse a um banco.

– O czar já desconfia dos ingleses, porque deixam refugiados políticos como eu virem para a Inglaterra. Se um de nós sequestrasse o seu sobrinho predileto, haveria uma desavença concreta... e nesse caso não poderiam ter certeza da ajuda mútua numa guerra. E quando o povo russo souber o que Orlov estava tentando fazer, ficará tão furioso que o czar não poderá mais obrigar as pessoas a ir à guerra. Está entendendo?

Charlotte observava-o enquanto ele falava. Era um homem calmo, objetivo, apenas um pouco tenso. Não havia em seus olhos o brilho alucinado do fanatismo. Tudo o que dizia fazia sentido, mas era como a lógica dos contos de fadas – uma coisa se seguia a outra, mas parecia uma história sobre um mundo diferente, não o mundo em que ela vivia.

– Estou, sim. Mas não pode sequestrar Aleks. Ele é um homem muito bom.

– Esse homem *muito bom* vai levar um milhão de outros homens muito bons à morte, se lhe for permitido. Isso é *real*, Charlotte, não como as batalhas nesses quadros de deuses e cavalos. Walden e Orlov estão negociando sobre a guerra... homens se matando com espadas, meninos tendo as pernas arrancadas por balas de canhão, pessoas sangrando e morrendo nos campos lamacentos, gritando de dor, sem ninguém para ajudá-las. É isso que Walden e Orlov estão combinando. Metade do sofrimento do mundo é causada por jovens gentis como Orlov, que acham que têm o direito de promover guerras entre as nações.

Um pensamento assustador ocorreu a Charlotte.

– Você já tentou sequestrá-lo uma vez.

Feliks assentiu.

– No parque. Você estava na carruagem. O plano não deu certo.

– Ah, meu Deus.

Charlotte sentia-se angustiada e fraca. Feliks tomou a mão dela.

– Você sabe que estou certo, não sabe?

Ela tinha a impressão de que Feliks *estava* certo. O mundo dele era o real, e o dela era um conto de fadas. No país das maravilhas, debutantes de branco eram apresentadas ao rei e à rainha, o príncipe ia para a guerra, o conde era bondoso com seus criados e todos o amavam, a duquesa era uma senhora distinta e não havia coisas como intercursos sexuais. No mundo real, o bebê de Annie nascia morto porque a mãe de Charlotte tinha despedido a criada sem referências, uma menina de 13 anos era condenada à morte porque havia deixado seu bebê morrer, as pessoas dormiam nas ruas porque não tinham casa, havia gente que aceitava cuidar de bebês por dinheiro e os deixava morrer, a duquesa era uma velha megera e um homem sorridente de terno de tweed esmurrava Charlotte na barriga na frente do Palácio de Buckingham.

– Sim, sei que você está certo – respondeu ela.

– Isso é muito importante. Tudo o que vai acontecer depende de você.

– De mim? Ah, não!

– Preciso da sua ajuda.

– Por favor, não diga isso!

– O problema é que não consigo descobrir onde Orlov está.

Não é justo, pensou Charlotte. Tudo está acontecendo depressa demais. Sentia-se desesperada e acuada. Queria ajudar Feliks, e entendia como isso era importante. Mas Aleks era seu primo e fora hóspede em sua casa. Como poderia traí-lo?

– Vai me ajudar? – perguntou Feliks.

– Não sei onde Aleks está – murmurou, evasivamente.

– Mas pode descobrir.

– Posso.

– E vai fazer isso?

– Não sei – respondeu ela, com um suspiro.

– Mas *precisa*, Charlotte.

– Não me diga o que *preciso* fazer! Todo mundo está sempre me dizendo o que preciso fazer! Pensei que tivesse mais respeito por mim!

Feliks parecia consternado.

– Gostaria de não ter lhe pedido.

Charlotte apertou a mão dele.

– Vou pensar.

Ele abriu a boca para protestar, mas ela levou um dedo aos seus lábios para silenciá-lo.

– É o máximo que posso prometer por enquanto – concluiu Charlotte.

~

Walden saiu no Lanchester às sete e meia da noite, usando um traje para a noite e um chapéu de seda. Agora só saía de carro. Numa emergência, seria mais veloz e mais fácil de manobrar do que uma carruagem. Pritchard estava sentado ao volante, com um revólver no coldre, por baixo do casaco. A vida civilizada parecia ter chegado ao fim. Seguiram para a entrada dos fundos da Downing Street, 10. O Gabinete se reunira naquela tarde para discutir o acordo de Walden com Aleks. Walden iria então descobrir se o plano fora ou não aprovado.

Foi conduzido à pequena sala de jantar. Churchill já estava presente, junto com Asquith, o primeiro-ministro. Estavam ao lado do aparador, tomando xerez. Walden trocou um aperto de mão com Asquith.

– Como tem passado, primeiro-ministro?

– Bem, obrigado. Foi muita gentileza sua ter vindo, lorde Walden.

Asquith tinha cabelos grisalhos e a barba bem feita. Havia indícios de bom humor nas rugas em torno dos olhos, mas a boca era pequena, de lábios finos e expressão obstinada, e o queixo era largo e quadrado. Walden achou ter detectado em sua voz um vestígio do sotaque de Yorkshire que sobrevivera à City of London School e ao Balliol College, em Oxford. Ele tinha a cabeça enorme, que todos diziam conter um cérebro que funcionava com a precisão de uma máquina. Mas a verdade é que as pessoas sempre creditam aos primeiros-ministros muito mais inteligência do que possuem, pensou Walden.

– Infelizmente, o Gabinete não aprovou sua proposta – disse Asquith.

Walden sentiu um aperto no coração. Para ocultar a decepção, assumiu uma atitude brusca.

– Por que não?

– A oposição partiu sobretudo de Lloyd George.

Walden olhou para Churchill e levantou as sobrancelhas.

Churchill assentiu.

– Provavelmente pensou, como todo mundo, que Lloyd George e eu sempre votamos da mesma forma em todas as questões. Sabe agora que isso não acontece.

– Qual é a objeção dele?

– Uma questão de princípio – respondeu Churchill. – Ele diz que estamos oferecendo os Bálcãs como uma caixa de bombons. Sirvam-se à vontade, escolham o sabor predileto: Trácia, Bósnia, Bulgária, Sérvia. Os pequenos países também têm direitos, segundo ele. É isso que dá ter um galês no Gabinete. Um galês, e advogado ainda por cima. Não sei o que é pior.

A jovialidade de Churchill irritou Walden. O projeto é tanto dele quanto meu, pensou. Por que não está tão consternado quanto eu?

Sentaram-se para jantar. A refeição foi servida pelo mordomo. Asquith comeu pouco. Churchill bebeu demais, na opinião de Walden, que estava triste, amaldiçoando Lloyd George mentalmente a cada minuto.

No final do primeiro prato, Asquith disse:

– Precisamos desse tratado. Haverá uma guerra entre a França e a Alemanha, mais cedo ou mais tarde. Se os russos ficarem de fora, a Alemanha conquistará a Europa. Não podemos permitir que isso aconteça.

– O que deve ser feito para convencer Lloyd George a mudar de ideia? – perguntou Walden.

Asquith deu um sorriso fraco.

– Se eu ganhasse 1 libra cada vez que alguém faz essa pergunta, seria um homem rico.

O mordomo serviu uma perdiz a cada homem e despejou vinho tinto da região de Bordeaux nas taças.

– Precisamos providenciar uma proposta modificada que atenda à objeção de Lloyd George – disse Churchill.

O tom despreocupado enfureceu Walden.

– Sabe muito bem que não é tão simples assim – disse ele, bruscamente.

– Tem razão, não é mesmo – interveio Asquith, com calma. – Mesmo assim, temos que tentar. A Trácia pode se tornar um país independente, sob a proteção da Rússia, ou algo parecido.

– Passei o último mês discutindo todas as possibilidades – comentou Walden, em tom de cansaço.

– Seja como for, o assassinato do pobre Francisco Ferdinando muda completamente a situação – disse Asquith. – Agora que a Áustria está voltando a se tornar agressiva nos Bálcãs, os russos precisam mais do que nunca de uma base forte na região, que a princípio estamos dispostos a conceder.

Walden sufocou sua decepção e passou a pensar de forma construtiva. Depois de um momento, falou:

– O que acham de Constantinopla?

– Como assim?

– Se oferecêssemos Constantinopla aos russos... Lloyd George faria alguma objeção?

– Ele pode dizer que é a mesma coisa que entregar Cardiff aos republicanos irlandeses – comentou Churchill.

Walden ignorou-o e olhou para Asquith.

O primeiro-ministro largou o garfo e a faca.

– Bem, agora que ele já firmou seus princípios, pode querer demonstrar que é um homem sensato quando lhe oferecem um acordo. Acho que pode aceitar. Mas será suficiente para os russos?

Walden não tinha certeza, mas estava animado com sua nova ideia. Impulsivamente, falou:

– Se você conseguir convencer Lloyd George, conseguirei convencer Orlov.

– Esplêndido! – exclamou Asquith. – E agora me diga uma coisa: como está a situação em relação ao tal anarquista?

O otimismo de Walden ficou abalado.

– Estão fazendo o possível para proteger Aleks, mas ainda assim a situação é perigosa.

– Pensei que Basil Thomson fosse um bom agente.

– É excelente – disse Walden. – Mas parece que Feliks é ainda melhor.

– Acho que não devemos permitir que esse sujeito nos assuste – comentou Churchill.

– Estou realmente assustado, cavalheiros – confessou Walden. – Feliks já escapuliu pelas nossas mãos em três ocasiões. Na última vez, mobilizamos trinta policiais para prendê-lo. Não sei como ele poderia chegar até Aleks agora, mas o fato de eu não conseguir imaginar um meio não significa que Feliks também não consiga. E sabemos o que acontecerá se Aleks for assassinado: nossa aliança com a Rússia estará liquidada. Feliks é o homem mais perigoso na Inglaterra neste momento.

Asquith assentiu, com uma expressão sombria.

– Se estiver menos que perfeitamente satisfeito com a proteção dispensada a Orlov, por favor entre em contato direto comigo.

– Obrigado.

O mordomo ofereceu um charuto a Walden, mas ele sentiu que a reunião estava encerrada.

– A vida tem que continuar – falou –, e eu tenho que ir a um evento na casa da Sra. Glenville. Fumarei meu charuto quando chegar lá.

– Não lhes diga onde jantou – disse Churchill, com um sorriso.

– Não me atreveria... Eles nunca mais falariam comigo.

Walden terminou de tomar o vinho do Porto e se levantou.

– Quando vai apresentar a nova proposta a Orlov? – perguntou Asquith.

– Irei a Norfolk de carro amanhã de manhã.

– Ótimo.

O mordomo trouxe o chapéu e as luvas de Walden e ele se retirou.

Pritchard estava parado no portão do jardim, conversando com o guarda de serviço.

– Vamos voltar para casa – informou Walden.

Fora um tanto precipitado, pensou ele, enquanto seguiam pelas ruas. Prometera obter o consentimento de Aleks para o plano de Constantinopla, mas não sabia como fazê-lo. Era angustiante. Ele começou a ensaiar as palavras que diria no dia seguinte.

No entanto, chegou em casa antes de fazer qualquer progresso.

– Vamos precisar novamente do automóvel daqui a pouco, Pritchard.

– Está certo, milorde.

Walden entrou em casa e subiu para lavar as mãos. Encontrou Charlotte no patamar.

– Sua mãe já está pronta? – perguntou ele.

– Vai demorar só mais alguns minutos. Como vão as negociações políticas?

– Lentas.

– Por que de repente se envolveu nesse tipo de coisa de novo?

Walden sorriu.

– Para resumir: estou querendo impedir que a Alemanha conquiste a Europa. Mas não preocupe sua linda cabecinha...

– Não preocuparei. Mas onde foi que escondeu o primo Aleks?

Ele hesitou. Não havia mal nenhum em contar a Charlotte. Mas, se ela soubesse, poderia acidentalmente revelar o segredo. É melhor deixá-la na ignorância.

– Se alguém lhe perguntar, diga que não sabe.

Então ele sorriu e subiu para seus aposentos.

~

Havia ocasiões em que o charme da vida inglesa não significava nada para Lydia.

Em geral, ela gostava de grandes reuniões. Centenas de pessoas se encontrando na casa de alguém para não fazer absolutamente nada. Não havia dança, nem uma refeição formal, nem carteados. Apertava-se a mão dos anfitriões, tomava-se uma taça de champanhe e vagava-se pela casa, conversando com os amigos e admirando as roupas das outras pessoas.

Mas nesse momento Lydia estava impressionada com a inutilidade de tudo aquilo. Seu descontentamento assumiu a forma de nostalgia pela Rússia. Achava que lá as beldades seriam mais deslumbrantes, os intelectuais menos pedantes, as conversas mais profundas, o ar noturno menos ameno e maçante. Na verdade, estava preocupada demais – com Stephen, com Feliks e com Charlotte – para poder desfrutar de uma reunião social.

Subiu pela escadaria larga, entre Stephen e Charlotte. A Sra. Glenville parou para elogiar seu colar de diamantes e eles seguiram adiante. Stephen afastou-se para falar com um dos seus colegas da Câmara dos Lordes. Lydia ouviu as palavras "Lei da Reforma" e não quis saber de mais nada. Foi avançando pela multidão, sorrindo e cumprimentando as pessoas. Não parava de pensar: O que estou fazendo aqui?

– Lembrei-me de uma coisa, mamãe – disse Charlotte de repente. – Por onde anda Aleks?

– Nao sei, querida – respondeu Lydia, distraidamente. – Pergunte a seu pai. Boa noite, Freddie.

Freddie estava interessado em Charlotte, não em Lydia.

– Estive pensando no que você falou no almoço – disse ele. – Cheguei à conclusão de que a diferença é que nós somos ingleses.

Lydia deixou os dois conversando. No meu tempo, pensou, as discussões políticas definitivamente *não eram* o meio de se conquistar um homem. Mas talvez as coisas tenham mudado. Parece que Freddie começou a se interessar por qualquer coisa que Charlotte diz. Será que a pedirá em casamento? Ah, Deus, que grande alívio seria.

Na primeira das salas de recepção, onde um quarteto de cordas tocava tão baixo que mal se ouvia, ela encontrou a cunhada, Clarissa. Conversaram a respeito das filhas, e Lydia sentiu-se intimamente confortada ao saber que Clarissa também estava muito preocupada com Belinda.

– Não me importo que ela compre essas roupas ultramodernas e mostre os tornozelos, e não me importaria se ela fumasse cigarros, desde que fosse mais discreta – comentou a cunhada. – Mas ela vai aos lugares mais horríveis para ouvir bandas de pretos tocando jazz. E na semana passada ela foi a uma luta de boxe.

– E a dama de companhia dela?

Clarissa suspirou.

– Eu disse a ela que podia sair sem uma acompanhante, se fosse com moças que conheço. Agora sei que foi um erro. Imagino que Charlotte só saia com uma dama de companhia.

– Em teoria, sim – disse Lydia. – Mas ela é um poço de desobediência. Houve um dia que saiu de casa sem falar nada a ninguém e foi a uma reunião de sufragistas. – Lydia não estava preparada para contar toda a vergonhosa verdade a Clarissa. De certa forma, "uma reunião de sufragistas" não parecia tão horrível quanto "uma manifestação pública". Ela acrescentou: – Charlotte está interessada em coisas que não são apropriadas a uma dama, como política. Não sei de onde ela tira essas ideias.

– Ah, eu me sinto da mesma forma que você. Belinda sempre foi criada ouvindo a melhor música, em meio às melhores companhias, lendo livros de qualidade e com uma aia rigorosa. Não consigo entender onde adquiriu esse gosto pela vulgaridade. E o pior é que não consigo fazê-la compreender que estou preocupada por sua felicidade, não pela minha.

– Oh, fico tão contente em ouvi-la dizer isso... – murmurou Lydia. – É exatamente esse o meu sentimento. Charlotte parece pensar que há algo falso ou tolo em nosso empenho em protegê-la. – Lydia suspirou, antes de dizer: – Devemos casá-las o mais depressa possível, antes que lhes aconteça algum mal.

– Tem toda razão! Há algum rapaz interessado em Charlotte?

– Freddie Chalfont.

– Ah, sim, eu já tinha ouvido falar.

– Ele parece disposto até a conversar sobre política com ela, mas infelizmente Charlotte não está muito interessada nele. E Belinda?

– O problema dela é o contrário. Ela gosta de todos os rapazes.

– Ah, Deus!

Lydia riu e seguiu adiante, sentindo-se melhor. De certa forma, Clarissa, como madrasta, tinha uma tarefa muito mais difícil. Eu devia sentir-me grata por isso, pensou ela.

A duquesa de Middlesex estava na sala ao lado. Numa reunião daquele tipo, a maioria das pessoas ficava de pé, mas a duquesa, ao contrário de todos, estava sentada, esperando que os convidados fossem até ela. Lydia aproximou-se no momento em que lady Gay-Stephens se afastava.

– Imagino que Charlotte já tenha se recuperado totalmente da dor de cabeça – disse a duquesa.

– Já, sim. É muita gentileza sua perguntar.

– Eu não estava perguntando. Meu sobrinho a viu na Galeria Nacional por volta das quatro da tarde.

Na Galeria Nacional! Mas o que Charlotte estava fazendo lá? Ela saíra escondida outra vez! Mas Lydia não ia permitir que a duquesa soubesse que sua filha estava se comportando de maneira imprópria.

– Charlotte sempre gostou de arte – improvisou.

– Ela estava com um homem. Pelo visto, Freddie Chalfont tem um rival.

Mas que descarada! Lydia disfarçou a fúria, murmurando com um sorriso forçado:

– É verdade.

– Quem é ele?

– Apenas um rapaz do mesmo círculo – respondeu Lydia, um tanto desesperada.

– Não pode ser – disse a duquesa, com um sorriso malicioso. – Era um homem em torno dos 40 anos, usando um gorro de tweed.

– Um gorro de tweed?

Lydia sabia que estava sendo humilhada, mas não se importava. Quem poderia ser o homem? O que Charlotte estava pensando? Sua reputação...

– Eles estavam de mãos dadas – acrescentou a duquesa, sorrindo e mostrando os dentes podres.

Lydia não podia mais fingir que estava tudo bem.

– Meu Deus, no que essa menina se meteu agora?

– No meu tempo, o sistema de damas de companhia era eficaz para evitar esse tipo de situação.

Lydia ficou subitamente furiosa com o prazer que a duquesa demonstrava por aquela catástrofe e disparou, em tom áspero:

– Mas isso foi há cem anos.

Em seguida, se afastou. Um gorro de tweed! De mãos dadas! Quarenta anos! Era terrível demais para sequer pensar. O gorro significava que o homem era da classe trabalhadora, a idade indicava que era um libertino, as mãos dadas insinuavam que as coisas haviam ido muito longe, talvez longe demais. O que posso fazer, pensou Lydia, desesperada, se a garota sai de casa sem que eu saiba? Ah, Charlotte, Charlotte, você não sabe o que está fazendo consigo mesma!

~

– Como foi a luta de boxe? – perguntou Charlotte a Belinda.

– De uma maneira um tanto terrível, foi muito emocionante. Aqueles dois homens enormes vestindo apenas um short e tentando se esmurrar até a morte!

Charlotte não concebia como algo desse tipo podia ser emocionante.

– Parece mesmo terrível.

– Fiquei tão excitada... – Belinda baixou a voz – ...que quase deixei Peter ir longe demais.

– Como assim?

– Você sabe. Voltando para casa, no carro, deixei que ele... me beijasse e tudo o mais.

– Como assim, *tudo o mais*?

– Ele beijou meus seios – sussurrou Belinda.

– Ah! – Charlotte franziu a testa. – E foi bom?

– Maravilhoso!

– Hum...

Charlotte tentou imaginar Freddie lhe beijando os seios. Sabia que não seria maravilhoso. A mãe passou por ela neste momento e disse:

– Vamos embora, Charlotte.

– Ela parece irritada – comentou Belinda.

Charlotte deu de ombros.

– Não há nada de incomum nisso.

– Vamos a um show de pretos depois. Não quer ir também?

– O que é um show de pretos?

– Uma apresentação de jazz. É uma música maravilhosa.

– Mamãe não deixaria.

– Sua mãe é muito antiquada.

– E como! É melhor eu ir agora.

– Tchauzinho.

Charlotte desceu a escada e foi pegar o casaco. Tinha a sensação de que duas pessoas habitavam seu corpo, como o Médico e o Monstro. Uma delas sorria, conversava educadamente e falava com Belinda sobre coisas de adolescentes. A outra pensava em sequestro e traição, e fazia perguntas dissimuladas em um tom de voz inocente.

Sem esperar que os pais saíssem, ela disse ao lacaio que estava na porta:

– O carro do conde de Walden.

Dois minutos depois, o Lanchester estava na frente da porta. Era uma noite quente e Pritchard arriara a capota. Ele saiu do carro e abriu a porta para Charlotte.

– Pritchard, onde está o príncipe Orlov?

– Isso deveria ser um segredo, milady.

– Mas pode me falar.

– É melhor perguntar a seu pai, milady.

Não adiantava. Não tinha como intimidar aqueles criados, que a conheciam desde que era um bebê. Charlotte desistiu.

– É melhor você ir até o saguão e avisá-los que estou esperando no carro.

– Sim, milady.

Charlotte recostou-se no assento estofado em couro. Perguntara às três pessoas que poderiam saber onde Aleks estava e ninguém lhe contara nada. Não confiavam nela para guardar o segredo, e o mais irritante é que tinham razão. Mas ainda não decidira se ajudaria Feliks e, se não conseguisse obter a informação, talvez não precisasse tomar essa decisão tão angustiante. Seria um grande alívio.

Ela combinara de se encontrar com Feliks dali a dois dias, no mesmo lugar, na mesma hora. O que ele diria quando ela aparecesse de mãos vazias? Iria desprezá-la por fracassar? Não, não era desse tipo. Ficaria profundamente desapontado, e talvez conseguisse encontrar um outro meio de descobrir onde Aleks estava. Charlotte ansiava por revê-lo. Feliks era tão interessante, e ela aprendera tanto com ele, que agora o resto de sua vida parecia insuportavelmente sem graça. Até mesmo a ansiedade do grande dilema em que ele a lançara era melhor do que o tédio de escolher vestidos para mais um dia de eventos sociais vazios.

O pai e a mãe entraram no carro. Pritchard foi se sentar ao volante e deu a partida. O pai perguntou:

– Qual é o problema, Lydia? Você parece um pouco chateada.

Ela olhou para Charlotte.

– O que você estava fazendo na Galeria Nacional hoje à tarde?

Charlotte sentiu o coração parar por uma fração de segundo. Alguém a espionara e agora ela estaria encrencada. Suas mãos começaram a tremer e ela cruzou-as no colo.

– Estava olhando os quadros.

– Você estava com um homem.

O pai interveio:

– Ah, *não*. Charlotte, o que andou fazendo?

– É só alguém que conheci – disse ela. – Vocês não o aprovariam.

– Mas é claro que não aprovaríamos! – exclamou Lydia. – Ele estava usando um gorro de tweed!

– Um gorro de tweed? – repetiu Walden. – Mas quem diabo é esse homem?

– É uma pessoa extremamente *interessante*, que entende de uma porção de coisas...

– E ele ficou de mãos dadas com você! – interrompeu Lydia.

– Mas que vulgaridade, Charlotte! – murmurou Walden, com tristeza. – E na Galeria Nacional!

– Não existe nada romântico entre nós – declarou Charlotte. – Não precisam se preocupar.

– Não precisamos nos preocupar? – Lydia soltou uma risada nervosa. – A megera da duquesa já sabe, e vai contar a todo mundo.

– Como pôde fazer uma coisa dessas com sua mãe? – falou Walden.

Charlotte não conseguiu responder. Estava à beira das lágrimas. Não fiz nada de errado, apenas conversei com alguém que fala coisas que fazem sentido! Como eles podem ser tão... tão grosseiros? Eu os odeio!, pensou.

– É melhor me dizer quem ele é – insistiu Walden. – Imagino que possa ser pago para se afastar.

– Eu diria que ele é uma das poucas pessoas no mundo que não podem ser compradas! – gritou Charlotte.

– Deve ser algum radical – comentou Lydia. – Sem dúvida é ele quem está enchendo sua cabeça com essas tolices sobre sufragismo. Provavelmente usa sandálias e come batatas sem descascar. – A mãe estava frenética e acabou perdendo o controle: – E provavelmente acredita no amor livre! Se você tiv...

– Não, mamãe, não aconteceu nada do tipo. Eu já disse que não há nada de romântico entre nós. – Uma lágrima escorreu pelo rosto de Charlotte. – Não sou do tipo romântico.

– Não acredito nisso nem por um minuto – interveio Walden, contrariado. – E ninguém vai acreditar. Quer você compreenda ou não, esse episódio é uma catástrofe social para todos nós.

– É melhor mandá-la para um convento! – exclamou a mãe, histericamente, desatando a chorar.

– Tenho certeza que isso não será necessário – retrucou o pai.

A mãe balançou a cabeça.

– Eu não quis dizer isso. Me desculpe por estar tão nervosa, mas ando tão preocupada...

– De qualquer forma, ela não pode continuar em Londres depois disso.

– Claro que não.

O carro entrou no pátio da casa. Lydia enxugou os olhos, para que os criados não a vissem naquele estado de nervos. Eles vão me impedir de ver Feliks, vão me mandar para longe, me trancar em algum lugar, Charlotte deduziu. Queria ter prometido ajudá-lo, em vez de hesitar e dizer que pensaria a respeito. Pelo menos ele saberia que estou do seu lado. Bem, eles não vencerão. Não levarei a vida que determinaram para mim. Não me casarei com Freddie, não me tornarei lady Chalfont e não criarei filhos gordos e complacentes. Não poderão me trancar para sempre. Assim que fizer 21 anos, vou trabalhar com a Sra. Pankhurst, lerei livros sobre anarquismo e fundarei um abrigo para mães solteiras. E se algum dia tiver filhos, jamais lhes contarei mentiras.

Assim que entraram na casa o pai disse:

– Vamos para a sala de estar.

Pritchard seguiu-os.

– Devo trazer sanduíches, milorde?

– Agora não. Deixe-nos a sós por um tempo, está bem, Pritchard?

O mordomo saiu.

Walden serviu-se de uma taça de conhaque com soda e tomou um gole.

– Pense bem, Charlotte. Vai nos dizer quem é esse homem?

Ela queria responder: "Ele é um anarquista que está tentando impedi-los de começarem uma guerra!" Mas limitou-se a balançar a cabeça.

– Neste caso, deve compreender que não podemos mais confiar em você – retrucou Walden, quase gentilmente.

Houve um tempo em que poderiam, pensou Charlotte, amargurada, mas não podem mais.

Walden virou-se para Lydia.

– Ela irá para o campo por um mês. É a única maneira de mantê-la longe de problemas. E depois da regata Cowes, podemos enviá-la à Escócia, para a temporada de caça. – Suspirou. – Talvez ela esteja mais dócil na próxima temporada.

– Vamos então mandá-la para Walden Hall – falou Lydia.

Eles discutiam o destino da filha como se ela não estivesse ali.

– Vou de carro a Norfolk amanhã de manhã, para me encontrar novamente com Aleks – disse Walden. – Posso levá-la.

Charlotte ficou aturdida.

Aleks estava em Walden Hall! Isso nunca me passaria pela cabeça! Mas agora eu sei!

– É melhor ela subir para fazer a mala – falou Lydia.

Charlotte levantou-se e saiu, mantendo o rosto abaixado para os pais não verem o brilho de triunfo em seus olhos.

CAPÍTULO DOZE

ERAM QUINZE PARA AS DUAS da tarde e Feliks já estava no saguão da Galeria Nacional. Charlotte provavelmente chegaria atrasada, como na última vez, mas ele não tinha nada melhor para fazer, então esperaria.

Estava nervoso e irrequieto, cansado de esperar e de se esconder. Dormira mal novamente nas duas últimas noites, a primeira no Hyde Park e a outra sob os arcos em Charing Cross. Durante o dia, se escondia em becos, desvios ferroviários e terrenos baldios, saindo apenas para arrumar comida. Isso lhe trazia lembranças nada agradáveis de sua fuga pela Sibéria. Mesmo agora ele não parava – ia do saguão para as salas de exposição, olhava os quadros, voltava ao saguão para procurá-la. Olhava a todo instante para o relógio na parede. Às três e meia ela ainda não tinha chegado. Provavelmente fora obrigada a ir a outro almoço horrível.

Com certeza ela poderia descobrir o paradeiro de Orlov. Feliks não tinha dúvidas de que era uma garota engenhosa. Mesmo que o pai não a informasse diretamente, ela encontraria um meio de descobrir. Se iria ou não lhe repassar a informação era outra questão. Era uma moça com força de vontade.

Ele gostaria...

Gostaria de várias coisas. Gostaria de não precisar enganá-la. De poder encontrar Orlov sem a ajuda dela. Gostaria que os seres humanos não se transformassem em príncipes e condes, kaisers e czares. Gostaria de ter casado com Lydia e conhecido Charlotte quando ela era bebê. Gostaria que ela chegasse logo, pois já eram quatro da tarde.

A maioria dos quadros não significava nada para ele. Eram cenas religiosas sentimentais, retratos de mercadores holandeses presunçosos, em suas casas sem vida. Gostava da *Alegoria*, de Bronzino, mas só porque era sensual. A arte era uma área da experiência humana que não o atraía. Talvez um dia Charlotte o levasse ao campo e lhe mostrasse as flores. Mas era improvável. Primeiro ele teria que sobreviver pelos próximos dias, e escapar depois de assassinar Orlov. Mesmo isso não era muito certo. Depois, ainda teria que conservar a afeição de Charlotte apesar de tê-la usado, mentido para ela e matado seu primo, o que era praticamente impossível. E, mesmo que acontecesse, ainda precisaria achar algum meio de se encontrar com ela ao mesmo tempo que evitava a polícia... Não, não haveria muitas chances de estar com Charlotte depois do assassinato. Pois então trate de aproveitar ao máximo, pensou ele.

Eram quatro e meia.

Ela não está só atrasada, pensou Feliks, com um aperto no peito. Não pôde vir. Espero que não se tenha metido em alguma encrenca com Walden. Espero que não tenha corrido riscos e tenha acabado sendo descoberta. Queria vê-la subir correndo os degraus, sem fôlego e um pouco vermelha, o chapéu ligeiramente torto, uma expressão de ansiedade no rostinho lindo, me dizendo: "Lamento profundamente tê-lo feito esperar, mas é que precisei..."

O prédio já parecia mais vazio. Feliks ficou pensando no que faria em seguida. Saiu, desceu os degraus, parou na calçada. Não havia o menor sinal dela. Tornou a subir a escadaria e foi detido na porta por um guarda.

– Tarde demais, companheiro – disse o homem. – Estamos fechando.

Feliks virou-se.

Não podia esperar na escada, pois chamaria muita atenção ali, na Trafalgar Square. E, de qualquer forma, o atraso já era de duas horas – ela não ia mais aparecer.

Não ia mais aparecer.

Encare a realidade, pensou ele, ela decidiu que não quer mais saber de você, e com razão. Mas ela não teria vindo de qualquer maneira, mesmo que fosse apenas para me dizer isso? Poderia ter mandado um bilhete...

Poderia ter mandado um bilhete.

Ela tinha o endereço de Bridget. *Teria* mandado um bilhete.

Feliks seguiu para o norte.

Percorreu as vielas de Theatreland e as praças tranquilas de Bloomsbury. O clima estava mudando. Durante todo o tempo que passara na Inglaterra, fizera sol e calor, e ainda não tinha chovido uma única vez. Mas fazia mais ou menos um dia que a atmosfera parecia sufocante, como se uma tempestade estivesse se formando lentamente.

Imagino como é viver em Bloomsbury, neste ambiente de classe média próspera, onde há sempre o suficiente para comer e sobra dinheiro para livros. Mas, depois da revolução, vamos derrubar as grades em torno dos parques, pensou.

Feliks estava com dor de cabeça. Não tinha dor de cabeça desde a infância. Talvez fosse causada pela atmosfera sufocante que precedia a tempestade.

Era mais provável que fosse preocupação. Depois da revolução, pensou ele, as dores de cabeça serão proibidas.

Haveria um bilhete à sua espera na casa de Bridget? Procurou imaginá-lo. "Prezado Sr. Kschessinsky, lamento não ter podido comparecer ao nosso encontro hoje. Respeitosamente, lady Charlotte Walden." Não, claro que não seria assim. "Prezado Feliks, o príncipe Orlov está hospedado na casa do adido naval russo, na Wilton Place, 25A, segundo andar, no quarto da frente à esquerda. Sua amiga querida, Charlotte." Isso era mais provável. Mas podia ser diferente. "Querido pai... Isso mesmo, eu descobri a verdade. Mas meu 'pai' me trancou no quarto. Por favor, venha me salvar. Sua filha que muito o ama, Charlotte Kschessinsky." Não seja idiota.

Chegou à Cork Street e observou atentamente. Não havia guardas vigiando a casa, nem sujeitos corpulentos em roupas comuns lendo jornal do lado de fora do pub. Parecia seguro. Feliks sentiu-se animado. Há sempre algo maravilhoso na recepção calorosa de uma mulher, pensou, quer seja uma jovem bonita como Charlotte ou uma velha gorda como Bridget. Passei muito tempo da vida em companhia de homens – ou sozinho.

Bateu à porta de Bridget. Enquanto esperava, olhou para a janela do seu antigo quarto no porão e percebeu que havia cortinas novas. A porta se abriu.

Bridget olhou para ele e deu um sorriso enorme.

– Por Deus, é o meu terrorista internacional predileto! Entre, meu querido!

Feliks entrou na sala de visita.

– Quer um chá? Está quente.

– Quero, sim, por favor. – Feliks se sentou. – A polícia apareceu para incomodá-la?

– Fui interrogada por um superintendente. Você deve ser muito importante.

– O que disse a ele?

Bridget assumiu uma expressão de desdém.

– Ele tinha deixado o cassetete em casa. Não conseguiu arrancar nada de mim.

Feliks sorriu.

– Você recebeu alguma carta...

Mas Bridget ainda estava falando:

– Quer o seu quarto de volta? Tive que alugar para outro sujeito, mas posso mandá-lo embora. Ele usa suíças, e nunca gostei de homens com suíças.

– Não, não quero meu quarto...
– Não tem dormido direito. Dá para perceber por sua aparência.
– É verdade.
– O que quer que tenha vindo fazer em Londres, ainda não conseguiu.
– Não, não consegui.
– Alguma coisa aconteceu. Você mudou.
– Sim, aconteceu.
– O que foi?

Feliks sentiu-se subitamente grato por ter alguém com quem conversar.

– Há muitos anos, vivi uma grande história de amor. Eu não sabia, mas a mulher teve um bebê. Há alguns dias... conheci minha filha.

– Ah. – Bridget fitou-o com compaixão. – Meu pobre coitado! Como se já não tivesse problemas suficientes na cabeça... Foi ela quem escreveu a carta?

Feliks soltou um grunhido de satisfação.

– Então há uma carta.

– Imaginei que fosse isso que você veio procurar. – Bridget foi até a lareira e meteu a mão por trás do relógio na cornija. – E a pobre moça está envolvida com opressores e tiranos?

– Está.

– Foi o que pensei, pelo selo no envelope. Você não tem muita sorte, não é mesmo?

Então ela lhe entregou a carta. Feliks viu o timbre no verso do envelope. Abriu-o. Lá dentro havia duas folhas de papel, preenchidas por uma letra precisa e elegante.

Walden Hall
1º de julho de 1914

Caro Feliks:

Quando receber esta carta já terá ficado me esperando em vão no nosso ponto de encontro. Lamento profundamente por não ter ido. Infelizmente, fui vista com você na segunda-feira e agora pensam que tenho um amante secreto!!!

Se ela está metida em alguma encrenca, pensou Feliks, parece bastante despreocupada.

Fui banida para o campo pelo resto da temporada. No fundo, foi uma bênção. Ninguém quis me dizer onde estava Aleks, mas agora eu sei, porque ele está aqui!!!

Feliks foi dominado por um senso de triunfo incontrolável.

- Então é lá que os ratos fizeram o ninho!

- Sua filha está ajudando você? – perguntou Bridget.

- Ela era minha única esperança.

- O que explica sua cara de preocupação.

- Sim.

Pegue um trem na estação da Liverpool Street até a estação Waldenhall. É onde fica o nosso vilarejo. A casa fica a 5 quilômetros do vilarejo, seguindo pela estrada para o norte. Mas não se aproxime da casa!!! Do lado esquerdo da estrada há um bosque. Sempre passeio a cavalo por esse bosque antes do café da manhã, entre as sete e as oito horas. Procurarei por você todos os dias, até você chegar.

Depois que ela decidia de que lado estava, pensou Feliks, não havia mais hesitação.

Não sei quando esta carta será enviada. Vou deixá-la na mesa do saguão assim que houver também outras cartas para serem remetidas. Dessa forma, ninguém perceberá a minha letra no envelope e o criado a levará junto com as outras quando for aos correios.

- Que menina corajosa – disse Feliks, em voz alta.

Resolvi ajudá-lo porque você é a única pessoa que já conheci que fala coisas que fazem sentido.

Afetuosamente,

Charlotte

Feliks se recostou na cadeira e fechou os olhos. Estava tão orgulhoso dela e envergonhado de si mesmo que quase chegou às lágrimas.

Bridget tirou a carta dos dedos inertes dele e começou a ler.

- Então ela não sabe que você é o pai dela – disse depois.

– Não.

– Então por que o está ajudando?

– Porque acredita no que estou fazendo.

Bridget soltou um grunhido de contrariedade.

– Homens como você sempre encontram mulheres para ajudá-los. Por Deus, eu deveria saber. – Ela continuou a ler. – A moça escreve como uma colegial.

– Tem razão.

– Quantos anos ela tem?

– Dezoito.

– Tem idade suficiente para pensar por si mesma. Esse tal de Aleks é o homem que você está procurando?

Feliks assentiu.

– Quem é ele?

– Um príncipe russo.

– Então merece morrer.

– Ele está arrastando a Rússia para a guerra.

– E você está arrastando Charlotte para a confusão.

– Acha que estou errado?

Bridget devolveu-lhe a carta. Parecia furiosa.

– Nunca saberemos com certeza, não é mesmo?

– A política é assim.

– A vida é assim.

Feliks rasgou o envelope ao meio e jogou-o no lixo. Planejava rasgar a carta também, mas não foi capaz. Quando tudo acabar, talvez só me reste esta lembrança. Dobrou as duas folhas de papel e guardou-as no bolso.

Levantou-se.

– Tenho que ir pegar o trem.

– Quer que eu prepare um sanduíche para você levar?

Ele balançou a cabeça.

– Obrigado, não estou com fome.

– Tem dinheiro para a passagem?

– Nunca pago passagens de trem.

Bridget meteu a mão no bolso do avental e tirou um soberano.

– Pegue. Pode tomar uma xícara de chá também.

– É muito dinheiro.

– Posso gastar em uma semana. Mas vá embora de uma vez, antes que eu mude de ideia.

Feliks pegou a moeda e deu-lhe um beijo de despedida.

– Tem sido muito boa para mim.

– Não é por você, mas pelo meu Sean, que Deus guarde sua alma alegre.

– Até logo.

– Boa sorte, rapaz.

~

Walden estava bastante otimista quando entrou no prédio do Almirantado. Fizera o que prometera: falara a Aleks sobre a ideia de dar Constantinopla aos russos. Na tarde anterior, o príncipe enviara uma mensagem ao czar, recomendando que aceitasse a proposta britânica. Walden estava convencido de que o czar aceitaria o conselho do sobrinho predileto, especialmente depois do assassinato em Sarajevo. Mas não estava tão certo assim de que Lloyd George se curvaria à vontade de Asquith.

Ele foi conduzido à sala do primeiro lorde do Almirantado. Churchill se levantou no mesmo instante e contornou a mesa para apertar-lhe a mão.

– Convencemos Lloyd George – anunciou ele, triunfante.

– Isso é maravilhoso! – exclamou Walden. – E eu convenci Orlov!

– Sabia que conseguiria. Sente-se.

Eu devia saber que não podia esperar um agradecimento seu, pensou Walden. Mas nem mesmo Churchill seria capaz de desanimá-lo. Walden se sentou numa poltrona de couro e correu os olhos pela sala, observando os mapas nas paredes e os objetos na mesa.

– Devemos receber notícias de São Petersburgo a qualquer momento – disse. – A embaixada russa enviará o comunicado direto para você.

– Quanto mais cedo, melhor – retrucou Churchill. – O conde de Hoyos esteve em Berlim. Segundo nosso serviço secreto, levou uma carta perguntando ao kaiser se a Alemanha apoiaria a Áustria numa guerra contra a Sérvia. Nosso serviço secreto informou, também, que a resposta foi afirmativa.

– Os alemães não querem lutar contra a Sérvia...

– Não, não querem. Estão apenas procurando um pretexto para lutar contra a França. A partir do momento em que a Alemanha se mobilizar, a França fará o mesmo, e essa será a justificativa para a Alemanha invadir aquele país. Não há mais como evitar.

– Os russos sabem de tudo isso?

– Já os informamos. Espero que acreditem em nós.

– Não se pode fazer nada para assegurar a paz?

– Estamos fazendo tudo o que é possível – disse Churchill. – Sir Edward Grey está trabalhando noite e dia, assim como nossos embaixadores em Berlim, Paris, Viena e São Petersburgo. Até mesmo o rei está enviando telegramas para seus primos, o kaiser "Willy" e o czar "Nicky". Mas nada vai adiantar.

Houve uma batida na porta e um jovem secretário entrou na sala, com um pedaço de papel na mão.

– Uma mensagem do embaixador russo, senhor.

Walden ficou tenso.

Churchill olhou rapidamente para o papel e depois fitou-o, com uma expressão de triunfo.

– Eles aceitaram.

Walden ficou radiante.

– Isso é maravilhoso!

O secretário saiu. Churchill se levantou.

– Isso merece um uísque com soda. Me acompanha?

– Claro!

Churchill abriu um armário.

– O tratado será redigido esta noite e levado a Walden Hall amanhã à tarde. Podemos realizar uma pequena cerimônia de assinatura amanhã à noite. Terá que ser ratificado pelo czar e por Asquith, é claro, mas será apenas uma formalidade... desde que Orlov e eu o assinemos o mais depressa possível.

O secretário tornou a bater à porta e entrou.

– O Sr. Basil Thomson está aqui, senhor.

– Mande-o entrar.

Thomson entrou e foi logo dizendo, sem qualquer preâmbulo:

– Tornamos a descobrir o paradeiro do nosso anarquista!

– Ótimo! – exclamou Walden.

Thomson se sentou.

– Deve se lembrar que coloquei um homem no quarto do porão da casa na Cork Street, para o caso de Feliks tornar a aparecer por lá.

– Sim, me lembro – disse Walden.

– Pois ele voltou à casa e, quando saiu, meu homem o seguiu.

– Para onde ele foi?

– Para a estação da Liverpool Street. – Thomson fez uma pausa. – E comprou uma passagem para a Waldenhall.

CAPÍTULO TREZE

WALDEN SENTIU UM CALAFRIO.

O primeiro pensamento que lhe ocorreu foi Charlotte. Ela estava vulnerável lá: os guarda-costas estavam se concentrando em Aleks e não havia ninguém para protegê-la, a não ser os criados. Como pude ser tão estúpido?, pensou ele.

Estava, também, bastante preocupado com Aleks, que ele via quase como um filho. O rapaz pensava estar seguro na casa de Walden, e agora Feliks se encontrava a caminho de lá, com uma pistola ou uma bomba, para matá-lo, e talvez para atacar Charlotte também, a fim de sabotar o tratado...

– Por que diabo não o deteve? – explodiu Walden.

Thomson disse, calmamente:

– Não creio que seja uma boa ideia um homem sozinho enfrentar nosso amigo Feliks, não concorda, milorde? Já vimos o que ele é capaz de fazer contra vários homens. Parece não se importar com a própria vida. Meu encarregado tem instruções de segui-lo e relatar seu paradeiro.

– Não é suficiente...

– Eu *sei*, milorde.

– Não vamos perder a calma, cavalheiros – interveio Churchill. – Pelo menos sabemos onde o sujeito está. Com todos os recursos do governo de Sua Majestade à nossa disposição, vai ser impossível não o capturarmos. O que propõe, Thomson?

– Na verdade, senhor, já tomei as providências que julguei adequadas. Falei pelo telefone com o chefe de polícia do condado. Ele vai providenciar um grande destacamento de policiais para a Waldenhall com a orientação de prender Feliks no momento em que ele descer do trem. E para o caso de algo sair errado, meu homem estará grudado nele como um carrapato.

– Não vai adiantar – disse Walden. – É melhor parar o trem e prendê-lo, antes que se aproxime da minha casa.

– Também pensei nisso – falou Thomson. – Mas os perigos superam as vantagens. É muito melhor deixá-lo seguir viagem pensando que está seguro e capturá-lo quando estiver desprevenido.

– Eu concordo – disse Churchill.

– A casa não é sua! – exclamou Walden.

– Terá que deixar a questão por conta dos profissionais – insistiu Churchill.

Walden compreendeu que não conseguiria demovê-los. Levantou-se.

– Partirei de carro para Walden Hall imediatamente. Vai comigo, Thomson?

– Hoje, não. Vou prender a Sra. Callahan. Assim que detivermos Feliks, precisaremos instaurar o processo, e ela pode ser nossa principal testemunha. Irei até lá amanhã para interrogar Feliks.

– Não entendo como pode estar tão confiante – disse Walden, furioso.

– Vamos prendê-lo desta vez – garantiu Thomson.

– Peço a Deus que esteja certo.

~

O trem avançava pela noite que caía. Feliks contemplava os trigais ingleses ao sol poente. Não era jovem o suficiente para subestimar os transportes mecânicos. Ainda achava que viajar de trem era algo quase mágico. O menino que andava de tamancos pelas campinas enlameadas da Rússia não poderia ter sonhado com algo assim.

Estava praticamente sozinho no compartimento – além dele só havia um rapaz concentrado na leitura da edição vespertina da *Pall Mall Gazette*. Feliks sentia-se quase alegre. Ia encontrar-se com Charlotte no dia seguinte de manhã. Ela devia ficar linda andando a cavalo, com o vento batendo nos cabelos. Trabalhariam juntos. Ela lhe diria onde ficava o quarto de Orlov, onde ele poderia ser encontrado em diferentes horas do dia, e o ajudaria a arranjar uma arma.

Compreendeu que fora a carta de Charlotte que o deixara tão animado. Ela estava do *seu* lado agora, acontecesse o que acontecesse. A não ser...

A não ser pelo fato de que dissera a ela que ia sequestrar Orlov. Cada vez que se lembrava, Feliks tinha vontade de se contorcer no assento. Tentou afastar a ansiedade da mente, mas o pensamento era como uma coceira que não podia ser ignorada, que precisava ser aplacada de qualquer maneira. Bem, o que posso fazer?, pensou. Tenho que começar a prepará-la para a notícia, pelo menos. Talvez deva contar-lhe que sou seu pai. Será um choque e tanto...

Por um momento, Feliks sentiu-se tentado a desistir, desaparecer, nunca mais tornar a vê-la, deixá-la em paz. Não, pensou. Esse não é o destino dela e também não é o meu.

E qual será o meu destino, depois de matar Orlov? Vou morrer? Ele balançou a cabeça, tentando afugentar o pensamento como se afugenta uma mosca. Não era hora de ser pessimista. Tinha planos a fazer.

Como vou matar Orlov? Deve haver armas para roubar na mansão rural do conde. Charlotte pode me dizer onde estão ou pegar uma para mim. Se não for possível, haverá facas na cozinha. E ainda tenho minhas mãos.

Feliks flexionou os dedos.

Terei que entrar na casa ou Orlov sairá? Agirei durante o dia ou à noite? Matarei Walden também? Politicamente, a morte de Walden não faria a menor diferença. Mas eu gostaria de matá-lo mesmo assim. Então é uma questão pessoal – e daí?

Lembrou-se mais uma vez de Walden agarrando no ar o frasco de nitroglicerina. Não o subestime, disse a si mesmo.

Devo garantir que Charlotte tenha um álibi. Ninguém jamais deve saber que me ajudou.

O trem diminuiu a velocidade e entrou numa pequena estação rural. Feliks tentou se lembrar do mapa que estudara na estação da Liverpool Street. Achava que a Waldenhall era a quarta estação depois daquela.

Seu companheiro de viagem finalmente terminou de ler a *Pall Mall Gazette* e colocou-a no assento a seu lado. Feliks decidiu que não poderia planejar o assassinato enquanto não visse a área, então perguntou:

– Posso pegar seu jornal emprestado?

O homem pareceu surpreso. Feliks recordou que os ingleses não falavam com estrangeiros nos trens.

– À vontade – disse o sujeito.

Feliks tinha aprendido que essa expressão significava sim. Pegou o jornal e agradeceu.

– Obrigado.

Passou os olhos pelas manchetes. O companheiro de viagem olhava pela janela, como se estivesse constrangido. Usava uma espécie de costeleta que estava na moda quando Feliks era criança. Tentou recordar a palavra em inglês – "suíças", lembrou.

"Suíças.

Quer o seu quarto de volta? Tive que alugar para outro sujeito, mas posso mandá-lo embora. Ele usa suíças, e nunca gostei de homens com suíças."

Então Feliks também lembrou que o sujeito estava atrás dele na fila para comprar passagem.

Sentiu uma pontada de medo.

Manteve o jornal suspenso na frente do rosto, caso seus pensamentos estivessem evidentes em sua expressão. Obrigou-se a pensar clara e objetivamente. Alguma coisa que Bridget dissera levara a polícia a ficar desconfiada o bastante para colocar um homem de vigia em sua casa. A artimanha fora muito simples: designar um detetive para ocupar o quarto que Feliks deixara vago. O homem então vira Feliks visitar Bridget, reconhecera-o e o seguira até a estação. Parado atrás de Feliks na fila, ouvira-o pedir uma passagem para a Waldenhall e embarcara no mesmo trem.

Não, não fora bem assim. Feliks ficara sentado no vagão por cerca de 10 minutos antes de o trem partir. O homem embarcara no último momento. O que estivera fazendo naqueles poucos minutos de diferença?

Provavelmente fizera uma ligação.

Feliks imaginou a conversa, com o detetive sentado na sala do chefe da estação, falando ao telefone:

– O anarquista voltou à casa na Cork Street, senhor. Estou seguindo-o agora.

– Onde você está?

– Na estação da Liverpool Street. Ele comprou uma passagem para a Waldenhall. Está no trem agora.

– E o trem já partiu?

– Não, senhor. Só partirá daqui a sete minutos.

– Há algum policial na estação?

– Há alguns guardas.

– Não é suficiente. O homem é perigoso.

– Posso atrasar a partida do trem, enquanto o senhor envia uma equipe para cá.

– Nosso anarquista pode ficar desconfiado e escapar. Não. Continue a segui-lo...

Mas o que eles fariam em seguida?, pensou Feliks. Poderiam tirá-lo do trem em algum lugar do percurso ou esperar para prendê-lo na Waldenhall.

De qualquer maneira, ele precisava sair do trem. E o mais depressa possível.

E que fazer a respeito do detetive? Tinha que deixá-lo para trás, no trem, incapaz de dar o alarme, para Feliks ter tempo suficiente para se afastar.

Eu poderia amarrá-lo, se tivesse alguma coisa para usar, pensou Feliks. Poderia nocauteá-lo, se tivesse alguma coisa pesada e o atingisse com força.

Poderia estrangulá-lo, mas isso levaria tempo e alguém poderia ver. Poderia jogá-lo para fora do trem, mas prefiro deixá-lo seguir viagem...

O trem começou a diminuir a velocidade. Podem estar à minha espera na próxima estação, pensou ele. Eu queria ter uma arma. Será que o detetive está com um revólver? Duvido muito. Posso quebrar a janela e usar um caco de vidro para cortar-lhe a garganta... mas isso certamente atrairia uma multidão.

Tenho que saltar do trem.

Algumas casas podiam ser vistas ao longo da ferrovia. Estavam chegando a uma aldeia ou cidade pequena. Os freios do trem rangeram e a estação entrou no campo de visão. Feliks ficou observando atentamente, à procura de sinais de uma armadilha da polícia. A plataforma parecia vazia. A locomotiva parou, com um solavanco e um assovio de vapor.

As pessoas começaram a desembarcar. Alguns passageiros passaram na frente da janela de Feliks, encaminhando-se para a saída: um casal com duas crianças pequenas, uma mulher com uma caixa de chapéu, um homem alto com trajes de tweed.

Eu poderia atacar o detetive, pensou Feliks, mas é muito difícil deixar alguém inconsciente só com os punhos.

A armadilha da polícia podia ser na estação seguinte. Tenho que saltar já.

Um apito soou.

Feliks se levantou.

O detetive pareceu surpreso.

– Há um banheiro neste trem? – perguntou Feliks.

O detetive ficou desconcertado.

– Hã... deve haver.

– Obrigado.

Ele não sabe se deve acreditar em mim, pensou Feliks.

Em seguida, passou do compartimento para o corredor e correu para a extremidade do vagão. O trem deu um solavanco e avançou. Feliks olhou para trás e viu o detetive com a cabeça para fora do compartimento, então entrou no banheiro e tornou a sair. O detetive ainda estava observando. O trem moveu-se um pouco mais depressa. Feliks foi até a porta do vagão e o homem veio correndo atrás.

Feliks virou-se e desferiu um soco na cara dele. O golpe fez o sujeito parar abruptamente, então Feliks esmurrou-o de novo, na barriga. Uma mulher gritou. Feliks agarrou-o pelo casaco e empurrou-o para o banheiro.

O detetive se debateu e conseguiu acertar um soco violento nas costelas de Feliks, deixando-o sem fôlego. O russo pegou a cabeça do homem com as duas mãos e empurrou-a contra a beira da pia. O trem aumentou de velocidade. Feliks tornou a bater com a cabeça do detetive na beira da pia mais duas vezes, até que ele ficou imóvel. Feliks então largou-o e saiu do banheiro. Foi até a porta do vagão e abriu-a. O trem já corria com bastante velocidade. Uma mulher no outro lado do corredor observava-o, muito pálida. Feliks saltou e a porta bateu atrás dele. Aterrissou na plataforma correndo, em seguida tropeçou e recuperou o equilíbrio enquanto a velocidade do trem aumentava cada vez mais.

Feliks encaminhou-se para a saída da estação.

– Saltou um pouco tarde – comentou o fiscal de passagens da estação.

Feliks assentiu e entregou-lhe seu tíquete.

– Esta passagem é para três estações à frente – disse o homem.

– Mudei de ideia no último minuto.

Houve um ranger de freios que chamou a atenção dos dois. O trem estava parando. Alguém puxara o freio de emergência.

– Ei, o que está acontecendo? – falou o fiscal.

Feliks forçou-se a dar de ombros, com uma expressão indiferente.

– Não faço a menor ideia.

Ele queria correr, mas seria a pior coisa que poderia fazer naquele momento.

O fiscal de passagens hesitou entre sua desconfiança a respeito de Feliks e a preocupação com o trem. Acabou dizendo:

– Espere aqui.

E saiu correndo pela plataforma. O trem parou a cerca de 200 metros da estação. Feliks ficou observando o fiscal correr até a extremidade da plataforma e descer para os trilhos.

Olhou ao redor. Estava sozinho. Saiu rapidamente da estação em direção à cidade.

Poucos minutos depois, um carro com três policiais passou por ele em alta velocidade, seguindo para a estação.

Nos arredores da cidade, Feliks pulou uma cerca e embrenhou-se por um trigal, onde se deitou para esperar o anoitecer.

~

O Lanchester subiu ruidosamente pelo caminho para Walden Hall. Todas as luzes da casa estavam acesas. Um policial encontrava-se parado diante da porta, enquanto outro patrulhava a varanda, como uma sentinela. Pritchard parou o carro. O policial na entrada da casa ficou em posição de sentido e bateu continência. Pritchard abriu a porta do carro e Walden saiu.

A Sra. Braithwaite, a governanta, saiu da casa para cumprimentá-lo.

– Boa noite, milorde.

– Boa noite, Sra. Braithwaite. Quem está aqui?

– Sir Arthur, na sala de estar, com o príncipe Orlov.

Walden assentiu e entrou em casa junto com a Sra. Braithwaite. Sir Arthur Langley era o chefe de polícia do condado e um ex-colega de escola de Walden.

– Já jantou, milorde? – perguntou a governanta.

– Não.

– Que tal uma torta de carne, com uma garrafa de vinho?

– Qualquer coisa estará bem.

– Muito bem, milorde.

A Sra. Braithwaite se retirou e Walden entrou na sala de estar. Aleks e Sir Arthur estavam encostados na lareira, com um copo de conhaque na mão, ambos vestidos a rigor.

– Olá, Stephen – cumprimentou Sir Arthur. – Como vai?

Walden apertou a mão dele.

– Pegaram o anarquista?

– Infelizmente ele escapuliu entre os nossos dedos...

– Mas que diabo! – exclamou Walden. – Era o que eu receava! Mas ninguém quis me ouvir! – Controlou-se, lembrou-se das boas maneiras e apertou a mão de Aleks. – Não sei o que lhe dizer, meu caro rapaz. Deve pensar que somos um bando de idiotas. – Virou-se de novo para Sir Arthur. – O que aconteceu?

– Ele pulou do trem em Tingley.

– Onde estava o precioso detetive Thomson?

– No banheiro, com a cabeça quebrada.

– Que maravilha – murmurou Walden amargamente, arriando numa cadeira.

– Quando a polícia local apareceu, Feliks já havia desaparecido.

– Você sabe que ele está a caminho daqui, não sabe?

– Sim, é claro – respondeu Sir Arthur, num tom de voz calmo.

– Seus homens deveriam receber instruções para atirar imediatamente na próxima vez em que o avistarem.

– Isso seria o ideal, mas obviamente eles não andam armados.

– Mas deveriam!

– Concordo. Mas a opinião pública...

– Antes de falarmos sobre isso, diga-me o que está sendo feito.

– Está bem. Tenho cinco patrulhas cobrindo as estradas até Tingley.

– Não vão vê-lo no escuro.

– Talvez não. Mas pelo menos a presença dos homens vai retardar o avanço dele, se não o fizer desistir.

– Duvido muito. O que mais?

– Trouxe um guarda e um sargento para vigiar a casa.

– Vi os dois lá fora.

– Eles trocarão de turno de oito em oito horas. O príncipe já conta com dois guarda-costas do Serviço Especial e Thomson está enviando mais quatro oficiais para cá ainda hoje, de carro. Vão se revezar em turnos de doze horas e assim haverá sempre pelo menos três homens junto com príncipe. Meus homens não estão armados, mas os de Thomson sim. Todos têm revólveres. Minha recomendação é que o príncipe Orlov permaneça em seus aposentos até que Feliks seja preso. Os guarda-costas lhe levarão comida no quarto.

– Está certo – falou Aleks.

Walden olhou para ele. Aleks estava pálido, mas calmo. Ele é muito corajoso, pensou. Se eu estivesse no lugar dele, ficaria furioso com a incompetência da polícia britânica.

– Não creio que uns poucos guarda-costas sejam suficientes – falou. – Precisamos de um exército.

– Teremos um amanhã de manhã – respondeu Sir Arthur. – Vamos despachar uma operação de busca em grande escala a partir das nove horas.

– Por que só às nove?

– Porque o exército precisa ser reunido. Teremos 150 homens, vindos de todas as partes do condado. Quase todos estão dormindo agora. Precisamos entrar em contato com todos e transmitir as instruções necessárias. E eles precisam de tempo para chegar aqui.

A Sra. Braithwaite entrou na sala com uma bandeja. Havia uma torta fria de carne, metade de um frango, uma tigela de salada de batata, pães, linguiças, tomates fatiados, um pedaço de queijo cheddar, diversas espécies de molhos e algumas frutas. Um criado vinha atrás dela com uma garrafa de vinho, uma jarra de leite, um bule de café, uma tigela de sorvete, uma torta de maçã e metade de um bolo grande de chocolate.

– Receio que o vinho não tenha tido tempo de respirar, milorde. Devo decantá-lo? – perguntou o lacaio.

– Sim, por favor.

O criado ajeitou cuidadosamente uma mesa pequena. Walden estava faminto, mas sentia-se tenso demais para comer. Acho que também não conseguirei dormir, pensou.

Aleks serviu-se de mais uma dose de conhaque. Bebia sem parar, observou Walden. Seus movimentos eram lentos e mecânicos, como se fizesse um tremendo esforço para manter o controle.

– Onde está Charlotte? – perguntou Walden subitamente.

Foi Aleks quem respondeu:

– Já foi dormir.

– Ela não pode sair da casa enquanto as coisas não tiverem sido resolvidas.

– Devo avisá-la, milorde? – perguntou a Sra. Braithwaite.

– Não, não a acorde. Falarei com ela de manhã. – Walden tomou um gole de vinho, esperando que isso o relaxasse um pouco. – Podemos transferi-lo para outro lugar, Aleks, se isso o fizer se sentir melhor.

Aleks deu um sorriso tenso.

– Não adiantaria muita coisa, não é? Feliks sempre consegue me encontrar. O melhor que posso fazer é ficar escondido no quarto, assinar o tratado o mais depressa possível e depois voltar para casa.

Walden assentiu. Os criados se retiraram.

– Hã... há mais uma coisa, Stephen – disse Sir Arthur. – Ele parecia constrangido. – Refiro-me ao que levou Feliks a pegar de repente um trem para a estação Waldenhall.

Em meio a todo o pânico, Walden não pensara nisso.

– Tem razão. Como ele deve ter descoberto?

– Pelo que sei, apenas dois grupos de pessoas sabiam do paradeiro do príncipe Orlov. Um era o pessoal da embaixada, que estava transmitindo telegramas de um lado para outro. E o outro eram os funcionários daqui.

– Um traidor entre os meus criados? – retrucou Walden.

O pensamento era aterrador.

– Sim – falou Sir Arthur, hesitante. – Ou, é claro, entre a família.

~

O jantar de Lydia foi um desastre. Com Stephen ausente, o irmão dele, George, ocupou o lugar do anfitrião, o que fez com que o número de pessoas à mesa fosse ímpar. Para piorar, ela estava tão consternada que mal conseguia manter uma conversa educada, quanto mais interessante. Todos os convidados, à exceção dos mais gentis, perguntaram por Charlotte, sabendo perfeitamente que ela tinha caído em desgraça. Lydia disse apenas que ela tinha ido descansar no campo por alguns dias. Falava de forma mecânica, mal sabendo o que dizia. Sua mente estava dominada por pesadelos: Feliks sendo preso, Stephen sendo alvejado, Feliks sendo espancado, Stephen sangrando, Feliks fugindo, Stephen morrendo. Ansiava contar a alguém como se sentia, mas com os seus convidados só podia falar do baile da noite anterior, das perspectivas para a regata Cowes, da situação nos Bálcãs e do orçamento de Lloyd George.

Felizmente, os convidados não permaneceram por muito tempo depois do jantar. Todos tinham um baile, um coquetel ou um concerto para ir. Assim que o último se retirou, Lydia foi até o saguão e pegou o telefone. Não podia falar com Stephen, pois Walden Hall ainda não tinha telefone, então ligou para a casa de Winston Churchill, na Eccleston Square. Ele não estava. Ela tentou o Almirantado, na Downing Street, 10, e o National Liberal Club, em vão. Lembrou-se por fim de Basil Thomson e telefonou para a Scotland Yard. Thomson ainda estava em sua sala, trabalhando até tarde.

– Como tem passado, lady Walden?

Como as pessoas ainda podem ser polidas numa situação como esta?, ela pensou.

– Quais são as novidades? – perguntou.

– Infelizmente, não são boas. Nosso amigo Feliks conseguiu escapar mais uma vez.

Um alívio intenso tomou conta de Lydia.

– Obrigada...

– Creio que não precisa se preocupar tanto agora – acrescentou Thomson. – O príncipe Orlov está bem protegido.

Lydia corou de vergonha. Ficara tão satisfeita por saber que Feliks estava bem que, por um momento, se esquecera de Aleks e Stephen.

– Eu... tentarei não me preocupar. Boa noite.

– Boa noite, lady Walden.

Ela desligou.

Subiu e tocou a campainha, chamando a criada para ajudá-la a se despir.

Estava profundamente abalada. Nada tinha sido resolvido, e todas as pessoas que ela amava corriam perigo. Por quanto tempo isso continuaria? Tinha certeza de que Feliks não desistiria, a menos que fosse apanhado.

A criada entrou no quarto, desabotoou seu vestido e desamarrou seu espartilho. Lydia sabia que algumas mulheres confidenciavam tudo a suas criadas, mas ela não. Só tinha feito isso uma vez, em São Petersburgo...

Decidiu escrever para a irmã, pois ainda era cedo demais para se deitar. Pediu à criada que fosse buscar papel na sala matinal. Pôs um robe e se sentou ao lado da janela, olhando para a escuridão do parque. Fazia três meses que não chovia, mas o clima estava se tornando ameaçador e em breve haveria tempestades.

A criada trouxe papel, penas, tinta e envelopes. Lydia pegou uma folha e escreveu: *Querida Tatyana...*

Não sabia por onde começar. Como posso explicar a situação de Charlotte, quando eu mesma não a compreendo? E não poderia dizer nada a respeito de Feliks, pois Tatyana poderia contar ao czar. E se o czar soubesse quão perto Aleks estivera de ser assassinado...

Feliks é muito inteligente. Como conseguiu descobrir onde Aleks está escondido? Não contamos nem a Charlotte!

Charlotte.

Lydia sentiu um calafrio.

Charlotte?

Ela se levantou abruptamente e gritou:

– Ah, não!

"Era um homem em torno dos 40 anos, usando um gorro de tweed."

Uma sensação de horror dominou-a. Era como um daqueles pesadelos terríveis em que se pensa na pior coisa que pode acontecer e ela imediatamente começa a acontecer: a escada cai, a criança é atropelada, as pessoas amadas morrem.

Enterrou o rosto nas mãos. Sentia-se tonta.

Tenho que pensar, tenho que tentar *pensar*.

Por favor, Deus, me ajude a pensar.

Charlotte encontrou-se com um homem na Galeria Nacional. E naquela noite ela me perguntou onde Aleks estava. Eu não lhe contei. Talvez ela tenha perguntado também a Stephen. Mas ele não diria. E depois ela foi despachada para Walden Hall, onde Aleks estava. Dois dias depois, Feliks seguia para Walden Hall.

Faça com que isso seja um sonho, rogou; faça-me acordar agora, por favor; faça com que eu esteja na minha cama, e que já seja amanhã.

Mas não era um sonho. Feliks era o homem de gorro de tweed. Charlotte conhecera o pai. E ficaram de mãos dadas.

Que coisa mais horrível.

Feliks teria dito a verdade: "Sou seu pai"? Teria revelado o segredo de dezenove anos? Será que ele sabia? Claro que sabia. Por que outro motivo Charlotte estaria... colaborando com ele?

Minha filha, conspirando com um anarquista para cometer um assassinato!

Ela ainda deve estar ajudando-o.

O que posso fazer? Tenho que avisar Stephen – mas como posso fazer isso sem lhe contar que ele não é o pai de Charlotte? Queria tanto conseguir *pensar*...

Ela tocou a campainha de novo, tornando a chamar a criada. Preciso encontrar um meio de acabar com tudo isso. Não sei o que vou fazer, mas tenho que fazer alguma coisa. Quando a criada chegou, Lydia fez um pedido:

– Arrume minhas coisas. Vou partir amanhã de manhã. Tenho que ir para Walden Hall.

~

Depois do anoitecer, Feliks seguiu pelos campos. A noite estava quente, úmida, muito escura. Nuvens carregadas escondiam as estrelas e a lua. Ele tinha que andar bem devagar, pois praticamente não via nada. Encontrou o caminho da ferrovia e seguiu para o norte.

Andando ao longo dos trilhos, podia avançar um pouco mais depressa, pois havia neles um brilho tênue e ele sabia que não haveria obstáculos. Passou por estações escuras, esgueirando-se pelas plataformas desertas. Ouviu ratos nos salões de espera vazios. Não tinha medo de ratos: no passado, matara alguns com as próprias mãos e comera-os. Os nomes das estações estavam gravados em placas de metal, e ele conseguia entendê-los pelo tato.

Ao chegar à de Waldenhall, lembrou-se das orientações de Charlotte: "A casa fica a 5 quilômetros do vilarejo, seguindo pela estrada para o norte." A ferrovia seguia mais ou menos na direção norte-nordeste. Continuaria por ela por mais 1,5 quilômetro, calculando a distância pelos passos. Dera 1.600 passos quando esbarrou em alguém.

O homem soltou um grito de surpresa e no instante seguinte Feliks o agarrou pelo pescoço.

O sujeito exalava um cheiro forte de cerveja. Feliks compreendeu que era apenas um bêbado voltando para casa e relaxou o aperto.

– Não tenha medo – disse o homem, em voz engrolada.

– Está bem.

Feliks o largou.

– Só consigo chegar em casa, sem me perder, fazendo isso – acrescentou o sujeito.

– Pois então continue.

O homem se afastou. Um momento depois, ele gritou:

– Não vá dormir na linha... O trem leiteiro passa às quatro da manhã.

Feliks não respondeu, e o bêbado seguiu em frente.

Feliks balançou a cabeça, irritado consigo mesmo por estar tão nervoso. Poderia ter matado o homem. Sentia-se meio fraco por conta do alívio. Isso não estava certo.

Decidiu achar a estrada. Afastou-se da ferrovia, avançou por um trecho pequeno de terreno irregular, tropeçando várias vezes, e chegou enfim a uma cerca frágil, de três fios de arame esticados. Esperou por um momento. O que haveria pela frente? Um campo? O quintal de alguma casa? A praça do vilarejo? Nada se compara à escuridão de uma noite no campo, com as luzes mais próximas a 150 quilômetros de distância. Ouviu um movimento súbito bem perto e, pelo canto do olho, distinguiu alguma coisa branca. Abaixou-se e tateou pelo chão até encontrar uma pedra pequena, que lançou na direção da coisa branca indefinida. Houve um relincho e um cavalo se afastou a galope.

Feliks apurou os ouvidos. Se houvesse cachorros por perto, o relincho os faria latir. Não escutou nada.

Passou pela cerca. Foi avançando lentamente pela pastagem e tropeçou numa moita. Ouviu outro cavalo, mas não o viu.

Encontrou outra cerca, atravessou-a e trombou com uma construção de madeira. Ouviu uma algazarra de galinhas. Um cachorro latiu. Uma luz se acendeu na janela de uma casa. Feliks se abaixou e ficou imóvel. Pôde ver que estava em um pequeno pátio de fazenda e que tinha esbarrado no galinheiro. Além da casa, conseguiu ver a estrada que procurava. As galinhas se aquietaram, o cachorro soltou um último uivo desapontado e a luz se apagou. Feliks se encaminhou para a estrada.

Era uma estrada de terra, margeada por uma vala seca. Para além da vala, parecia haver um bosque. Feliks lembrou: "Do lado esquerdo da estrada há um bosque." Estava quase chegando.

Andou para o norte, sempre aguçando os ouvidos para ouvir se alguém se aproximava. Depois de mais 1,5 quilômetro, sentiu que havia um muro à esquerda. Um pouco mais à frente, havia um portão e ele viu uma luz.

Encostou-se nas barras de ferro do portão e espiou atentamente. Parecia haver um longo caminho e, ao final dele, iluminado por dois lampiões, podia avistar o pórtico de colunas de uma casa enorme. Enquanto observava, um vulto alto passou pela porta da frente da casa: uma sentinela.

O príncipe Orlov está naquela casa, pensou Feliks. Qual será a janela de seu quarto?

Ouviu de repente o barulho de um automóvel se aproximando, muito depressa. Correu dez passos para trás e jogou-se na vala. Os faróis do carro varreram o muro um momento depois. O automóvel parou diante do portão. Alguém saltou.

Feliks ouviu uma batida. Compreendeu que devia haver uma guarita que ele não vira na escuridão. Uma janela foi aberta e uma voz gritou:

– Quem está aí?

Outra voz respondeu:

– Polícia. Serviço Especial da Scotland Yard.

– Espere um momento.

Feliks permaneceu completamente imóvel. Ouviu passos; parecia que o homem que saltara do carro andava de um lado para outro, irrequieto. Uma porta foi aberta. Um cachorro latiu e uma voz gritou:

– Quieto, Rex!

Feliks parou de respirar. O cachorro estaria na coleira? E se farejasse Feliks? Será que se aproximaria da vala e começaria a latir ao vê-lo?

Os portões de ferro foram abertos com um rangido. O cachorro tornou a latir. A voz exclamou:

– Cale a boca, Rex!

Uma porta de carro bateu e o automóvel avançou pela entrada da propriedade. A vala estava novamente escura. Agora, pensou Feliks, se o cachorro me descobrir, posso matá-lo. E posso matar o porteiro também...

Ficou tenso, pronto para se levantar de um pulo no instante em que ouvisse o cão farejando por perto.

Os portões se fecharam, rangendo.

Um momento depois, a porta da guarita bateu.

Feliks voltou a respirar.

CAPÍTULO CATORZE

CHARLOTTE ACORDOU ÀS SEIS DA MANHÃ. Tinha aberto as cortinas do quarto, para que os primeiros raios de sol a despertassem. Era um truque que costumava usar muitos anos antes, quando Belinda estava em Walden Hall e as duas gostavam de ficar vagando pela casa enquanto os adultos ainda dormiam e não havia ninguém para lhes dizer que se comportassem como pequenas damas.

Seu primeiro pensamento foi Feliks. Não conseguiram capturá-lo - ele era tão esperto! E hoje ele a estaria esperando no bosque. Charlotte saiu da cama e olhou para fora. O tempo ainda não mudara por completo. Pelo menos não tinha chovido à noite.

Lavou-se com água fria e trocou de roupa rapidamente - vestiu uma saia comprida, botas de montaria e um casaco. Nunca usava chapéu para os passeios a cavalo matinais.

Desceu. Não viu ninguém. Devia haver uma ou duas criadas na cozinha, acendendo o fogo e colocando água para esquentar, mas os outros criados ainda estariam deitados. Ela saiu pela porta do lado sul e quase esbarrou em um guarda uniformizado.

- Deus do céu! - exclamou Charlotte. - Quem é você?

- Guarda Stevenson, senhorita.

Ele a chamava de *senhorita* porque não sabia quem ela era.

- Meu nome é Charlotte Walden.

- Perdão, milady.

- Tudo bem. O que está fazendo aqui?

- Protegendo a casa, milady.

- Protegendo o príncipe, você quer dizer. Que confortante. Quantos homens estão aqui?

- Dois do lado de fora e quatro dentro. Os homens lá dentro estão armados. Mas haverá muitos mais depois.

- É mesmo?

- Um grande grupo de busca, milady. Ouvi dizer que 150 homens estarão aqui às nove horas. Vamos pegar o tal anarquista. Não precisa se preocupar.

- Mas isso é esplêndido!

– Estava pensando em sair para um passeio a cavalo, milady? Eu não faria isso, se fosse a senhorita. Não hoje.

– Não, tem razão.

Charlotte afastou-se, contornou a ala leste da casa e seguiu para os fundos. Os estábulos estavam desertos. Entrou e aproximou-se de sua égua, Spats. Falou com ela por um momento, afagando-lhe o focinho, e deu-lhe uma maçã. Depois selou-a, tirou-a do estábulo e montou.

Cavalgou para longe dos fundos da casa, contornando o parque num círculo amplo, permanecendo fora da vista e dos ouvidos do guarda. Galopou pela pastagem a oeste e saltou a cerca baixa para o bosque. Seguiu por entre as árvores até encontrar a trilha, e a partir de então deixou a égua trotar.

Fazia frio no bosque. Os carvalhos e os bancos ao redor deles estavam cobertos de folhas, lançando sombras sobre o caminho. Nos pontos em que o sol passava, o orvalho subia do solo em pequenas nuvens de vapor. Charlotte sentia o calor daqueles poucos raios enquanto galopava. Os passarinhos cantavam muito alto.

O que ele pode fazer contra 150 homens?, pensou. O plano de Feliks tinha se tornado impossível. Aleks estava muito bem protegido e a caçada ao russo fora muito bem organizada. Mas Charlotte ainda podia avisá-lo.

Chegou à extremidade do bosque sem vê-lo. Ficou desapontada. Tinha certeza de que estaria ali. Começou a se preocupar, pois não poderia alertá-lo se não o encontrasse, e ele acabaria preso. Mas não eram nem sete horas. Talvez ele ainda não tivesse chegado. Charlotte desmontou e foi andando na direção de onde tinha vindo, puxando Spats pelas rédeas. Talvez Feliks a tivesse visto e estava esperando para se certificar de que não fora seguida. Ela parou numa clareira para olhar um esquilo. Esquilos não se importavam com as pessoas, embora fugissem dos cachorros. De repente, sentiu que estava sendo observada. Virou-se e lá estava ele, fitando-a com uma expressão estranhamente triste.

– Olá, Charlotte.

Ela aproximou-se e tomou as mãos dele nas suas. A barba de Feliks agora estava cheia. As roupas estavam cobertas de folhas.

– Você parece muito cansado – disse Charlotte, em russo.

– Estou com fome. Trouxe comida?

– Ah, meu Deus, não! – Trouxera uma maçã para a égua e nada para Feliks. – Não pensei nisso.

– Não tem importância. Já estive mais faminto.

– Você precisa ir embora imediatamente. Se partir agora, conseguirá escapar.

– Por que eu deveria fugir? Vim aqui para sequestrar Orlov.

Charlotte balançou a cabeça.

– É impossível. Ele está protegido por guarda-costas armados, a casa está vigiada por guardas e às nove horas haverá 150 homens na propriedade à sua procura.

Ele sorriu.

– Se eu fugir, o que farei com o resto da minha vida?

– Mas não posso ajudá-lo a cometer suicídio!

– Vamos sentar na grama. Preciso lhe explicar uma coisa.

Charlotte se sentou encostada num carvalho. Feliks se acomodou na frente dela e cruzou as pernas, como um cossaco. Raios de sol incidiam sobre seu rosto cansado. Ele falou um tanto formalmente, em frases que pareciam ensaiadas.

– Eu lhe contei que certa vez me apaixonei por uma mulher chamada Lydia, e você disse: "É o nome da minha mãe." Está lembrada?

– Lembro-me perfeitamente de tudo o que me contou.

Charlotte ficou pensando aonde ele queria chegar.

– Pois *era* sua mãe.

Ela ficou aturdida.

– Você foi apaixonado por mamãe?

– Mais do que isso. Fomos amantes. Ela costumava ir ao meu apartamento... sozinha. Entende o que estou querendo dizer?

Charlotte corou de confusão e constrangimento.

– Entendo.

– O pai dela, seu avô, descobriu. O velho conde mandou me prender e depois forçou sua mãe a se casar com Walden.

– Mas que coisa horrível! – murmurou Charlotte.

Por algum motivo, ela estava com medo do que viria em seguida.

– Você nasceu sete meses depois do casamento.

Ele parecia achar essa informação muito significativa. Charlotte franziu a testa.

– Sabe quanto tempo leva para um bebê se formar e nascer? – acrescentou Feliks.

– Não.

– Em geral, nove meses, embora às vezes demore menos.

O coração de Charlotte batia descompassado.

– Aonde está querendo chegar?

– Você pode ter sido concebida antes do casamento.

– Isso significa que você pode ser meu pai? – perguntou, incrédula.

– Há mais do que isso. Você é *igualzinha* à minha irmã Natasha.

O coração de Charlotte pareceu subir pela garganta, e ela mal conseguiu falar:

– Acha que é meu pai?

– Tenho certeza.

– Ah, meu Deus!

Charlotte pôs o rosto entre as mãos e ficou olhando para o nada, sem enxergar uma coisa sequer. Tinha a sensação de estar despertando de um sonho, e ainda não conseguia determinar que aspectos do sonho eram reais. Pensou no pai – que não era seu pai. Pensou na mãe com um amante. Pensou em Feliks, seu amigo, e de repente seu pai verdadeiro...

– Eles mentiram para mim até mesmo sobre isso? – falou.

Estava tão desorientada que tinha a impressão de que não conseguiria nem ficar de pé. Era como se alguém tivesse lhe dito que todos os mapas que já vira eram falsificados, e que na verdade morava no Brasil, ou que o verdadeiro dono de Walden Hall era Pritchard; ou que os cavalos podiam falar, mas ficavam calados por opção. Só que era muito pior do que todas essas coisas.

– Estou me sentindo como se você me dissesse que sou um menino, mas que mamãe sempre me vestiu com roupas de menina... – murmurou.

Pensou: Mamãe... e Feliks? Isso a fez corar novamente.

Feliks pegou sua mão e afagou-a.

– Creio que todo o amor e toda a preocupação que um homem em geral sente pela esposa e pelos filhos no meu caso se concentraram na política. Preciso tentar chegar a Orlov, mesmo que seja impossível, assim como um homem precisa tentar salvar o filho do afogamento, mesmo sem saber nadar.

Charlotte compreendeu subitamente como Feliks devia estar confuso em relação a *ela*, a filha que nunca tivera de fato. Entendia agora a maneira estranha e angustiada como ele a olhara algumas vezes.

– Coitadinho... – falou.

Feliks mordeu o lábio.

– Você tem um coração muito generoso.

Charlotte não entendeu por que ele disse isso.

– O que vamos fazer?

Ele respirou fundo.

– Pode dar um jeito de me levar para dentro da casa e me esconder?

Ela ficou pensativa por um instante.

– Posso – respondeu, enfim.

~

Feliks montou na garupa da égua. O animal sacudiu a cabeça e relinchou, como se reclamasse pelo peso da carga extra. Charlotte impeliu-a num trote, a fez seguir pela trilha por algum tempo, depois sair e se embrenhar pelo bosque. Passaram por um portão, atravessaram o pasto e entraram num caminho de terra. Feliks ainda não conseguia ver a casa. Compreendeu que estavam dando a volta na propriedade para se aproximar pelo lado norte.

Ela era uma moça extraordinária, dona de um grande caráter. Teria herdado dele? Feliks gostaria de pensar que sim. Sentia-se feliz por ter lhe contado a verdade a respeito de seu nascimento. Tinha a impressão de que ela ainda não aceitara o fato por completo, mas acabaria aceitando. Ela o ouvira contar algo que virara seu mundo pelo avesso e reagira com emoção, mas sem histeria – e não herdara aquele tipo de serenidade e controle da mãe.

Entraram num pomar. Agora, olhando por entre as copas das árvores, Feliks podia ver os telhados de Walden Hall. O pomar terminava num muro. Charlotte fez a égua parar.

– É melhor você ir andando a meu lado a partir daqui. Assim, se alguém olhar por uma janela, não o verá com muita facilidade.

Feliks desmontou. Foram andando ao lado do muro e continuaram a segui-lo depois da curva.

– O que há atrás do muro? – perguntou Feliks.

– A horta. É melhor ficarmos calados agora.

– Você é maravilhosa – sussurrou Feliks, mas ela não ouviu.

Pararam na curva seguinte. Feliks viu algumas construções baixas e um quintal.

– Os estábulos – murmurou Charlotte. – Fique aqui por um instante. Quando eu der o sinal, siga-me o mais depressa que puder.

– Para onde estamos indo?

– Para cima dos telhados.

Charlotte entrou no pátio a cavalo, desmontou e passou as rédeas por uma grade. Feliks observou-a atravessar até o outro lado do pequeno pátio, olhar para os dois lados, depois voltar e espiar dentro dos estábulos. Ouviu-a dizer:

– Ah, olá, Peter.

Um garoto em torno dos 12 anos saiu dos estábulos e tirou o gorro.

– Bom dia, milady.

Feliks não sabia como Charlotte conseguiria se livrar do menino.

– Onde está Daniel? – perguntou ela.

– Tomando o café da manhã, milady.

– Vá chamá-lo e diga-lhe para vir tirar os arreios de Spats.

– Posso fazer isso, milady.

– Não. Quero que Daniel faça isso – disse Charlotte, com veemência. – Vá logo.

Sensacional, pensou Feliks.

O garoto saiu correndo. Charlotte virou-se para Feliks e chamou-o. Ele disparou na direção dela.

Charlotte pulou para uma arca de ferro, depois subiu para o telhado de zinco corrugado de um galpão e passou em seguida para o telhado de uma construção de pedras de um andar.

Feliks seguiu-a.

Foram avançando de lado e de quatro pelo telhado, até chegarem a um muro de tijolos. Subiram então até a cumeeira.

Feliks sentia-se terrivelmente visível e vulnerável.

Charlotte se levantou e espiou por uma janela na parede de tijolos.

– O que tem aí? – sussurrou Feliks.

– Um aposento de criadas. Mas elas estão lá embaixo agora, pondo a mesa para o café da manhã.

Ela subiu no peitoril da janela e ficou de pé. Era um quarto de sótão, e a janela ficava em um dos lados do telhado triangular, perto da cumeeira. Charlotte deslocou-se pelo peitoril e estendeu a perna por cima da beirada do telhado.

Parecia perigoso. Feliks franziu a testa, com medo de que ela caísse, mas Charlotte passou para o telhado sem maiores dificuldades.

Ele foi atrás.

– Agora estamos fora de vista – murmurou Charlotte.

Feliks olhou ao redor. Ela estava certa. Não podiam ser vistos lá de baixo. Relaxou um pouco.

– A propriedade tem 1,5 hectare de telhados – comentou Charlotte.

– Um hectare e meio? A maioria dos camponeses russos não tem isso tudo nem em terras.

Era uma vista espetacular. Por todo lado havia telhados, de todos os materiais, tamanhos e formatos. Havia escadas e caminhos para que as pessoas pudessem deslocar-se de um lado para outro sem pisar nas telhas. As calhas eram tão complexas quanto os canos que Feliks vira numa refinaria de petróleo em Batumi.

– Nunca vi uma casa tão grande – disse ele.

Charlotte levantou-se.

– Vamos, venha atrás de mim.

Ela o conduziu por uma escada para o telhado seguinte e eles seguiram por um caminho estreito, depois subiram alguns degraus de madeira que levavam a uma porta pequena e quadrada em uma parede.

– No passado este caminho devia ser usado pelas pessoas que cuidavam da manutenção dos telhados, mas agora todo mundo já esqueceu sua existência.

Charlotte abriu a porta e entrou engatinhando.

Agradecido, Feliks seguiu-a para a bem-vinda escuridão.

~

Lydia conseguiu que o cunhado lhe emprestasse um automóvel com motorista e, como tinha passado a noite em claro, saiu de Londres muito cedo. O carro entrou na propriedade de Walden Hall às nove da manhã. Ela ficou atônita ao ver, diante da casa e espalhando-se pelo parque, mais de cem policiais, dezenas de veículos e inúmeros cachorros. O motorista conduziu o carro pelo meio da multidão na direção da fachada sul da casa. Havia um bule enorme de chá no gramado e os homens estavam em uma fila, de caneca na mão. Pritchard passou carregando uma montanha de sanduíches numa bandeja imensa, parecendo desesperado. Nem percebeu a chegada de Lydia. Uma mesa sobre cavaletes tinha sido montada no terraço e atrás dela sentavam-se Stephen e Sir Arthur Langley, que dava instruções a meia dúzia de policiais que estavam de pé diante deles, num semicírculo. Lydia aproximou-se. Sir Arthur tinha um mapa à sua frente.

– Cada equipe terá um homem local como guia e um motociclista que deverá voltar aqui de hora em hora para apresentar um relatório – disse ele.

Stephen levantou a cabeça, viu Lydia e se afastou do grupo para falar com ela.

– Bom dia, minha querida. Que surpresa agradável. Como conseguiu chegar aqui?

– Pedi emprestado o carro de George. O que está acontecendo?

– Estamos organizando grupos de busca.

– Ah.

Com todos aqueles homens procurando Feliks, como ele poderia escapar?

– Mesmo assim, preferiria que você tivesse ficado em Londres – falou Stephen. – Seria mais seguro.

– E eu passaria cada minuto imaginando se uma má notícia estaria para chegar.

E o que poderia ser considerado uma boa notícia?, pensou Lydia. Talvez se Feliks simplesmente desistisse e fosse embora. Mas Lydia tinha certeza de que ele não faria isso. Observou o rosto do marido com atenção. Por trás do autocontrole habitual, havia sinais de cansaço e tensão. Pobre Stephen... Primeiro a mulher e agora a filha o enganavam. Um sentimento de culpa levou-a a estender a mão e tocar o rosto do marido.

– Não se canse demais...

Um apito soou. Os policiais terminaram de tomar o chá apressadamente, metendo os restos de sanduíche na boca, em seguida puseram o capacete e se dividiram em grupos de seis, cada um em torno de um líder. Lydia ficou parada ao lado de Stephen, observando. Houve muitas ordens gritadas e incontáveis apitos, então os homens finalmente começaram a se afastar. O primeiro grupo seguiu para o sul, se espalhando pelo parque e entrando no bosque. Outros dois seguiram para oeste, pelas pastagens. Os três grupos restantes desceram na direção da entrada da propriedade, rumo à estrada.

Lydia olhou para o seu gramado. Parecia ter havido ali um dos piqueniques dominicais promovidos pela igreja, depois que todas as crianças já tinham voltado para casa. A Sra. Braithwaite começou a organizar a limpeza, com uma expressão angustiada. Lydia entrou em casa.

Encontrou Charlotte no saguão. A filha ficou surpresa ao vê-la.

– Olá, mamãe. Não sabia que estava vindo para cá.

– Estava me sentindo entediada em Londres – disse Lydia, automaticamente.

Mas quanta bobagem falamos!, pensou.

– Como chegou aqui?

– Pedi o carro de tio George emprestado.

Lydia percebeu que Charlotte estava pensando em outra coisa, sem se concentrar na conversa.

– Deve ter acordado muito cedo – comentou a filha.

– Sim.

A mãe teve vontade de dizer: Pare com isso! Não vamos mais mentir! Por que não falamos a verdade? Mas não foi capaz de fazê-lo.

– Todos aqueles policiais já foram embora? – perguntou Charlotte.

Ela estava olhando para a mãe com uma expressão estranha, como se a visse pela primeira vez. Lydia ficou constrangida. Queria saber o que se passava na cabeça da minha filha.

– Sim, já foram.

– Esplêndido.

Era uma das palavras que Stephen usava com frequência – esplêndido. No final das contas, havia alguma coisa de Stephen em Charlotte: a curiosidade, a determinação, a postura. Como não podia ter herdado essas características, devia tê-las adquirido pela imitação...

– Espero que prendam o tal anarquista – disse Lydia, observando atentamente a reação de Charlotte.

– Tenho certeza de que vão prendê-lo – respondeu Charlotte, jovialmente.

Os olhos dela brilham demais, pensou Lydia. Por que ela estaria assim, quando centenas de policiais estão vasculhando a região à procura de Feliks? Por que não está deprimida e nervosa, como eu? Deve ser por achar que *não* conseguirão pegá-lo. Por algum motivo, acredita que Feliks está seguro.

– Me responda uma coisa, mamãe. Quanto tempo leva para um bebê se formar e nascer?

A boca de Lydia se abriu e o sangue lhe fugiu do rosto. Ficou olhando fixamente para a filha, pensando: Ela sabe! Ela sabe!

Charlotte sorriu e acenou com a cabeça, parecendo um pouco triste.

– Não tem importância, mamãe. Já respondeu à pergunta.

Então ela começou a descer a escada.

Lydia se sentiu tonta e precisou se segurar no corrimão. Era cruel demais, depois de tantos anos... Estava furiosa com Feliks. Por que ele arruinara a vida de Charlotte daquela maneira? Teve a sensação de que o saguão girava quando uma criada se aproximou.

– Está se sentindo bem, milady?

Ela voltou a si.

– Um pouco cansada da viagem – murmurou. – Segure meu braço.

A criada obedeceu e elas subiram juntas até o quarto de Lydia. Outra criada já estava desfazendo as malas dela. Havia água quente à sua espera, no quarto de vestir. Lydia se sentou.

– Podem sair agora. Arrumem as coisas depois.

As criadas se retiraram. Lydia desabotoou o casaco, mas não tinha energia suficiente para tirá-lo. Pensou no ânimo de Charlotte. A filha estava quase alegre, embora obviamente houvesse várias coisas em sua cabeça. Lydia entendia isso – reconhecia o sentimento; já passara pela mesma situação algumas vezes. Era o estado de espírito que se tinha depois de se passar algum tempo com Feliks: a pessoa sentia que a vida era fascinante e surpreendente, que havia coisas importantes a serem feitas, que o mundo era repleto de cor, paixão e mudança. Charlotte tinha se encontrado com Feliks e achava que ele estava a salvo.

O que vou fazer?, pensou.

Exausta, tirou as roupas. Passou algum tempo se lavando e se vestindo de novo, aproveitando a oportunidade para se acalmar. Imaginou como Charlotte estava se sentindo ao saber que Feliks era seu pai. Era evidente que ela gostava muito dele. As pessoas sempre gostam dele, pensou Lydia. Todos o adoram. Onde Charlotte encontrara forças para ouvir uma notícia daquelas sem desmoronar?

Lydia decidiu que era melhor cuidar da casa. Olhou-se no espelho, se recompôs e saiu do quarto. No caminho para o andar de baixo, encontrou uma criada com uma bandeja com fatias de presunto, ovos mexidos, pão fresco, leite, café e uvas.

– Para quem é isso?

– Para lady Charlotte, milady.

Lydia seguiu em frente. Charlotte não tinha nem perdido o apetite? Foi até a copa e mandou chamar a cozinheira. A Sra. Rowse era uma mulher magra e nervosa, que jamais comia os pratos saborosos que preparava para os patrões.

– Fui informada de que o Sr. Thomson virá para o almoço, milady – disse ela. – E o Sr. Churchill virá para o jantar.

Lydia falou sobre o cardápio e depois despachou a mulher. Por que diabo Charlotte tinha pedido um café da manhã tão farto em seu quarto?, pensou.

E tão tarde! No campo, a filha em geral se levantava cedo e terminava de comer antes mesmo que Lydia descesse.

Chamou Pritchard e determinou a disposição dos lugares à mesa. O mordomo informou-a de que, até segunda ordem, Aleks faria todas as refeições no quarto. Isso não fazia muita diferença para a disposição da mesa. Continuava a haver homens de mais e, dadas as circunstâncias, Lydia não podia convidar outras pessoas para equilibrar esse número. Fez o melhor possível e dispensou Pritchard.

Onde Charlotte se encontrara com Feliks? E por que estava tão confiante de que ele não seria preso? Teria lhe arrumado um esconderijo? Ou será que ele estaria com um disfarce irreconhecível?

Lydia circulou pela sala, olhando para os quadros, as pequenas peças de bronze, os enfeites de vidro, a escrivaninha. Estava com dor de cabeça. Pôs-se a rearrumar as flores num vaso grande, ao lado da janela, e acabou derrubando tudo. Tocou a campainha, chamando alguém para limpar aquela bagunça, e saiu da sala.

Seus nervos estavam em frangalhos. Pensou em tomar um pouco de láudano. Já não fazia o mesmo efeito de antes.

O que Charlotte vai fazer agora? Guardará segredo? Por que os filhos não gostam de falar com ninguém?

Foi à biblioteca com a vaga ideia de pegar um livro, a fim de se livrar completamente das preocupações. Ao entrar, teve um sobressalto de culpa ao deparar com Stephen sentado à escrivaninha. O marido levantou a cabeça, sorriu e continuou a escrever.

Lydia vagou ao longo das prateleiras. Imaginou se não deveria ler a Bíblia. Lera muito na infância, nas orações em família e nas muitas idas à igreja. Tivera babás rigorosas, que ressaltavam os horrores do inferno e os castigos pela falta de higiene. Também tivera uma aia alemã luterana que falava muito sobre o pecado. Mas, desde que Lydia fornicara, trazendo tanta desgraça para si e para a filha, nunca mais conseguira encontrar conforto na religião. Devia ter entrado naquele convento, pensou, e me entregado às mãos de Deus! O instinto de meu pai estava certo.

Pegou um livro ao acaso, se sentou e o abriu no colo.

– É uma escolha incomum para você – comentou Stephen.

Não conseguia ler o título do lugar em que estava sentado, mas sabia a posição de todos os autores nas prateleiras. Ele lia muito e Lydia não entendia como encontrava tempo. Ela olhou para a lombada da edição.

Poemas de Wessex, de Thomas Hardy. Não gostava de Hardy – não gostava daquelas mulheres determinadas e apaixonadas nem dos homens fortes que as deixavam desamparadas.

Ela e Stephen haviam se sentado muitas vezes assim, sobretudo em seus primeiros anos em Walden Hall. Lydia se lembrou, com nostalgia, de como ficava ali, lendo, enquanto o marido trabalhava. Ele não era tão tranquilo naquele tempo. Costumava dizer que tinha se tornado impossível ganhar dinheiro com a agricultura e que a família deveria se preparar para ingressar no século XX se quisesse continuar rica e poderosa. Vendera algumas fazendas na ocasião, muitos milhares de hectares, a um preço baixo, e investira o dinheiro em ferrovias, bancos e propriedades em Londres. O plano parece ter dado certo, pois logo Stephen deixara de estar sempre preocupado.

Fora depois do nascimento de Charlotte que tudo parecera se acomodar. Os criados adoravam a criança e amavam Lydia por tê-la gerado. Lydia acostumara-se aos hábitos ingleses e fora bem acolhida pela sociedade londrina. Foram dezoito anos de tranquilidade.

Ela suspirou. Aqueles anos estavam chegando ao fim. Por algum tempo, enterrara tão bem os segredos que eles só haviam atormentado a ela, que mesmo assim conseguira esquecê-los em várias ocasiões. Mas agora tudo o que Lydia escondera estava aflorando. Pensara que Londres fosse suficientemente distante de São Petersburgo, mas talvez a Califórnia tivesse sido uma escolha melhor. Ou talvez nenhum lugar fosse longe o bastante. O tempo de paz terminara. Tudo estava desmoronando. O que aconteceria agora?

Olhou para a página aberta e leu:

Tudo ela daria para balbuciar um "sim" verdadeiro,
Tanto lhe parecia depender a vida dele da sua decisão.
E por isso mentiu, de todo coração convencida:
Valia a pena perder sua alma por um ato momentâneo de bondade.

Serei eu?, pensou Lydia. Perdi minha alma quando me casei com Stephen para salvar Feliks da prisão na Fortaleza de São Pedro e São Paulo? Desde então eu represento um papel, fingindo que não sou uma rameira depravada, pecaminosa, sem-vergonha. Mas eu sou! E não sou a única. Outras mulheres sentem a mesma coisa. Por que outro motivo a viscondessa e Charles Stott querem quartos adjacentes? E por que lady Girard me contaria sobre eles com uma piscadela se não os compreendesse? Se eu fosse um pouco menos pudica, talvez Stephen visitasse a minha cama com mais frequência, e talvez tivéssemos tido um filho. Ela tornou a suspirar.

– Um *penny* por eles – disse Stephen.

– Como?

– Um *penny* por seus pensamentos.

Lydia sorriu.

– Será que nunca terei aprendido todas as expressões inglesas? Não conhecia essa.

– Sempre há o que aprender. Significa que quero saber o que está pensando.

– Estava pensando que Walden Hall ficará para o filho de George quando você morrer.

– A menos que tenhamos um filho.

Ela olhou para o rosto dele – os olhos azuis brilhantes, a barba grisalha bem-cuidada. Ele usava uma gravata azul com pontinhos brancos.

– Acha que é tarde demais? – acrescentou Stephen.

– Não sei.

Vai depender do que Charlotte fará, pensou.

– Vamos continuar tentando – murmurou ele.

Era uma conversa atipicamente franca. Stephen percebera que ela estava com ânimo para a honestidade. Lydia levantou-se e aproximou-se do marido. Notou que havia um ponto calvo atrás da cabeça dele. Há quanto tempo estaria ali?

– Sim – disse ela. – Vamos continuar tentando.

Inclinou-se e beijou-lhe a testa. Depois, num impulso, beijou-o na boca. Ele fechou os olhos.

Após um instante, Lydia se afastou. Stephen parecia um pouco constrangido. Nunca faziam aquelas coisas durante o dia, pois sempre havia uma porção de criados por toda parte. Por que temos que viver assim, se isso não nos deixa felizes?

– Eu amo você de verdade, Stephen – disse.

– Sei que ama – falou ele, sorrindo.

Subitamente, Lydia não podia mais continuar parada.

– Preciso mudar de roupa para o almoço, antes que Basil Thomson chegue.

Ele assentiu.

Lydia sentiu que os olhos do marido a acompanhavam enquanto saía da biblioteca. Ela subiu, perguntando-se se ainda haveria alguma possibilidade de serem felizes.

Foi para seu quarto. Ainda estava com o livro de poesias. Largou-o. Charlotte era a solução para tudo aquilo. Precisava conversar com ela. Afinal, com a coragem necessária era perfeitamente possível dizer coisas difíceis. E o que Lydia tinha a perder? Sem saber muito bem o que diria, foi até o quarto da filha, no outro andar.

Seus passos não faziam barulho no tapete. Ela chegou ao topo da escada e olhou para o fim do corredor. Viu Charlotte desaparecendo no antigo quarto das crianças. Já ia chamá-la, mas se conteve. O que a filha tinha nas mãos? Parecia um prato de sanduíches e um copo de leite.

Aturdida, Lydia foi até o quarto de Charlotte. Na mesa estava a bandeja que Lydia vira a criada levando. O presunto e o pão haviam sumido. Por que Charlotte pediria uma bandeja de comida, depois faria sanduíches e iria comer no antigo quarto das crianças? Lydia sabia que não havia nada naquele cômodo além de móveis cobertos por panos. Será que a filha estaria tão nervosa que precisava refugiar-se no universo aconchegante da infância?

Lydia decidiu descobrir. Sentia-se apreensiva em interromper o ritual particular de Charlotte, fosse qual fosse. Mas depois concluiu: A casa é minha, ela é minha filha, e talvez eu deva saber. E talvez acabemos tendo um momento de intimidade, e terei coragem de dizer o que preciso. Então ela saiu do quarto de Charlotte, avançou pelo corredor e entrou no antigo cômodo das crianças.

A filha não estava lá.

Lydia olhou ao redor. Ali estava o velho cavalo de balanço, com as orelhas despontando por baixo do pano branco. Através de uma porta aberta, ela viu a sala de aula, com mapas e desenhos infantis pendurados nas paredes. Outra porta levava ao quarto propriamente dito, em que só havia objetos cobertos por panos. Tudo isso voltará a ser usado algum dia?, pensou. Teremos babás, fraldas, roupas pequeninas, soldadinhos de chumbo, cadernos de exercícios preenchidos por rabiscos infantis e manchas de tinta?

Mas onde estava Charlotte?

A porta para o pequeno cômodo adjacente estava fechada. De repente, Lydia se lembrou. Mas é claro! O esconderijo de Charlotte! O quartinho que ela acreditava que ninguém mais conhecia, para onde costumava ir quando estava contrariada. A filha o mobiliara sozinha, com coisas retiradas de vários cantos da casa, objetos que todos fingiam não saber que tinham desaparecido. Uma das poucas decisões indulgentes que Lydia tomara fora a de permitir que Charlotte tivesse seu esconderijo e proibir Marya de "descobri-lo". Afinal, a própria Lydia se escondia de vez em quando na sala das flores, e sabia como era importante ter um lugar só para si.

Então Charlotte ainda usava aquele quarto! Lydia adiantou-se, mais relutante em perturbar a privacidade da filha, mas ainda assim tentada. Não, pensou ela; vou deixá-la em paz.

Então ouviu vozes.

Charlotte estaria falando sozinha?

Lydia escutou atentamente.

Falando sozinha em russo?

Depois escutou outra voz, masculina, respondendo baixinho em russo, uma voz que parecia uma carícia, uma voz que provocou um tremor sensual pelo corpo de Lydia.

Feliks estava ali.

Ela pensou que fosse desmaiar. Feliks! Ao alcance de suas mãos! Escondido em Walden Hall, enquanto a polícia vasculhava a propriedade à sua procura! Escondido por Charlotte!

Não posso gritar!

Levou o punho à boca e o mordeu. Tremia incontrolavelmente.

Tenho que sair daqui. Não consigo pensar direito. Não sei o que fazer.

Sua cabeça doía muito. Preciso de uma dose de láudano, pensou. A perspectiva lhe deu forças e ela controlou a tremedeira. Depois de um momento, saiu do quarto na ponta dos pés.

Quase correu pelo corredor e pela escada até seu quarto. O láudano estava na cômoda. Abriu o frasco. Não conseguia segurar a colher com firmeza, então tomou um gole direto do vidro. Começou a se sentir mais calma depois de alguns instantes. Guardou o frasco e a colher na gaveta. Uma sensação de suave contentamento começou a invadi-la, enquanto se acalmava. A cabeça já não doía tanto. Por algum tempo, nada teria muita importância. Foi até o guarda-roupa, abriu a porta e ficou olhando para os vestidos, totalmente incapaz de decidir o que usaria para o almoço.

~

Feliks andava de um lado para outro no pequeno quarto, como um tigre enjaulado, com a cabeça baixa para não bater no teto, escutando Charlotte.

– A porta de Aleks fica sempre trancada – disse ela. – Há dois guardas armados dentro do quarto, que só abrem a porta quando o guarda do lado de fora autoriza.

– Um fora e dois dentro do quarto.

Feliks coçou a cabeça e praguejou em russo. Tudo era sempre tão difícil... Aqui estou, dentro da casa, com uma cúmplice que pode andar livremente por toda parte, e ainda assim não é fácil. Por que não posso ter a sorte daqueles rapazes em Sarajevo?, pensou. Por que tinha que acabar sendo parte desta família? Então olhou para Charlotte. Isso ele não lamentava.

A jovem percebeu seu olhar.

– O que foi? – perguntou ela.

– Nada. Aconteça o que acontecer, estou contente por tê-la encontrado.

– Eu também. Mas o que você vai fazer a respeito de Aleks?

– Pode desenhar para mim uma planta da casa?

Charlotte fez uma careta.

– Posso tentar.

– Deve conhecer a casa muito bem, já que viveu aqui a vida toda.

– Conheço toda esta parte, é claro, mas há alguns lugares da casa em que nunca estive. O quarto do mordomo, por exemplo, os aposentos da governanta, os porões, o lugar acima da cozinha onde guardam farinha e outras coisas...

– Faça o melhor possível. Uma planta de cada andar.

Charlotte encontrou um pedaço de papel e um lápis entre seus tesouros infantis e ajoelhou-se junto da mesinha.

Feliks comeu outro sanduíche e bebeu o resto do leite. Ela tinha demorado muito tempo para levar-lhe a comida, porque havia uma porção de criadas trabalhando no corredor. Enquanto comia, ele a observava desenhar, com a testa franzida e mordendo a ponta do lápis.

– Às vezes não percebemos como as coisas são difíceis até o momento em que tentamos fazê-las – disse ela.

Encontrou uma borracha e passou a usá-la com frequência. Feliks notou que ela conseguia traçar linhas perfeitamente retas sem a ajuda de uma régua. Achou comovente observá-la daquele jeito. Ela deve ter costumado sentar durante anos e anos na sala de estudos para desenhar casas, depois mamãe e "papai", mais tarde o mapa da Europa, as folhas das árvores inglesas, o parque no inverno... Walden devia tê-la contemplado assim muitas vezes.

– Por que trocou de roupa? – perguntou Feliks.

– Todo mundo está sempre trocando de roupa aqui. Cada hora do dia exige um traje. Deve-se mostrar os ombros no jantar, mas não na hora do almoço. Deve-se usar um espartilho para o jantar, mas não para o chá. Não se pode usar dentro de casa um vestido de passear. É permitido usar meias de lã na biblioteca, mas não na copa. Você não imagina todas as regras de que preciso me lembrar.

Feliks assentiu. Não se surpreendia mais com a degeneração das classes dominantes.

Charlotte entregou-lhe os desenhos e ele tornou a assumir a atitude de um profissional. Estudou as plantas e depois perguntou:

– Onde as armas são guardadas?

Ela tocou em seu braço.

– Não precisa ser tão brusco. Estou do seu lado... lembra?

De repente, Charlotte era uma adulta novamente.

Feliks sorriu com tristeza.

– Eu tinha esquecido.

– As armas ficam nesta sala – disse ela, apontando para a planta. – Você teve mesmo uma relação com mamãe?

– Tive.

– Acho tão difícil acreditar que ela seria capaz de algo assim...

– Ela era muito ardorosa naquele tempo. Ainda é, mas finge que não.

– Acha mesmo que ela ainda é assim?

– Tenho certeza.

– Estou descobrindo que tudo, *tudo* é diferente do que eu achava que era.

– Isso se chama crescer.

Charlotte estava pensativa.

– Como devo chamá-lo?

– Como assim?

– Acharia muito estranho chamá-lo de pai.

– Feliks está bom, por enquanto. Você precisa de tempo para se acostumar à ideia de que sou seu pai.

– E terei esse tempo?

O rosto jovem estava tão solene que Feliks pegou-lhe a mão.

– Por que não?

– O que fará depois que tiver Aleks em seu poder?

Feliks desviou o rosto, para que ela não visse o sentimento de culpa em seus olhos.

– Isso depende de como e quando vou sequestrá-lo, mas provavelmente o manterei amarrado aqui em cima. Você terá que nos trazer comida e também terá que enviar um telegrama codificado para meus amigos em Genebra, informando o que aconteceu. Em seguida, quando conseguirmos nosso objetivo, soltaremos Orlov.

– E depois?

– Vão me procurar em Londres, então seguirei para o Norte. Parece que há cidades grandes por lá... Birmingham, Manchester, Hull... onde poderei me misturar à multidão. Depois de algumas semanas, voltarei a Genebra e posteriormente irei para São Petersburgo. É lá que quero estar, o lugar onde a revolução vai começar.

– Então nunca mais o verei.

E não vai querer, pensou Feliks.

– Por que não? Posso voltar a Londres. E você pode ir a São Petersburgo. Podemos nos encontrar em Paris. Quem sabe o que vai acontecer? Se existe destino, parece que ele está empenhado em nos reunir.

Eu queria tanto poder acreditar nisso, pensou ele.

– Tem razão – disse Charlotte, com um sorriso fraco.

Pela reação dela, Feliks compreendeu que a filha também não acreditava nessa possibilidade. Ela se levantou.

– Agora tenho que buscar um pouco de água para você se lavar.

– Não precisa se incomodar. Já estive muito mais sujo do que agora. Não se preocupe.

– Mas acontece que me preocupo. Você está com um cheiro horrível. Voltarei daqui a pouquinho.

E, com isso, ela saiu.

~

Foi o pior almoço de que Walden se lembrava em muitos anos. Lydia parecia completamente atordoada. Charlotte estava calada, estranhamente nervosa, deixando cair os talheres e derrubando copos. Thomson estava taciturno. Sir Arthur Langley ainda tentou ser sociável, mas ninguém reagiu. O próprio Walden estava retraído, obcecado pelo enigma de como Feliks descobrira que Aleks estava em Walden Hall. Torturava-se pela terrível suspeita de que Lydia tivesse algo a ver com isso. Afinal, ela dissera a Feliks que Aleks estava no Hotel Savoy. Também admitira que Feliks era "vagamente familiar", dos seus dias em São Petersburgo. Será que aquele fora da lei tinha alguma influência sobre ela? Lydia tinha se comportado de maneira estranha durante todo o verão, parecendo sempre transtornada. E agora, ao pensar na esposa de maneira objetiva pela primeira vez em dezenove anos, Walden tinha que admitir que ela era sexualmente indiferente. É claro que as mulheres bem-criadas deviam ser assim, mas ele sabia muito bem que isso não passava de uma invenção social, e que as mulheres em geral tinham os mesmos desejos que os homens. Será que Lydia desejava outro homem, alguém de seu passado? Isso explicaria tudo o que até aquele momento parecia não precisar de explicação. Era horrível, pensou Walden, olhar para a companheira de toda uma vida e ver uma estranha.

Depois do almoço, Sir Arthur voltou à sala octogonal, onde instalara seu quartel-general. Walden e Thomson puseram os chapéus e levaram seus charutos para o terraço. O parque estava deslumbrante ao sol, como sempre. Da sala de estar, a distância, vieram os retumbantes acordes iniciais do *Concerto para piano* de Tchaikovsky. Lydia estava tocando. Walden foi invadido pela tristeza. No momento seguinte, a música foi abafada pelo ruído de uma motocicleta, com outro mensageiro vindo comunicar a Sir Arthur os progressos da operação de busca. Até aquele momento, não havia nenhuma novidade.

Um lacaio serviu o café e depois os deixou a sós.

– Não quis falar na presença de lady Walden – disse Thomson –, mas acho que podemos ter uma pista para a identidade da pessoa que nos traiu.

Walden sentiu um calafrio.

– Ontem à noite interroguei Bridget Callahan, a senhora da casa na Cork Street – continuou Thomson. – Infelizmente, não consegui arrancar nada dela. Mandei meus homens revistarem a casa, e hoje de manhã me trouxeram o que encontraram.

Ele tirou do bolso um envelope rasgado ao meio e entregou os dois pedaços a Walden, que ficou perplexo ao ver que o envelope tinha o timbre de Walden Hall.

– Reconhece a letra? – perguntou Thomson.

Walden virou os dois pedaços. O envelope estava endereçado da seguinte maneira:

Sr. F. Kschessinsky
A/C Cork Street, 19
Londres

– Ah, meu Deus, Charlotte não...

Ele sentiu vontade de chorar.

Thomson ficou calado.

– Ela o trouxe até aqui – murmurou Walden. – Minha própria filha...

Ficou olhando fixamente para o envelope, querendo que desaparecesse. A letra era inconfundível, como uma versão juvenil de sua própria letra.

– Olhe o carimbo postal – disse Thomson. – Ela escreveu assim que chegou aqui. A carta foi despachada do vilarejo.

– Como isso pôde acontecer?

Thomson não disse nada.

– Feliks era o homem de gorro de tweed – acrescentou Walden. – Tudo se encaixa.

Ele estava devastado, desconsolado, como se alguma pessoa querida tivesse morrido. Correu os olhos pelo parque, contemplando as árvores plantadas pelo pai cinquenta anos antes, o gramado que sua família cultivava havia cem anos, e tudo parecia inteiramente sem valor, sem a menor importância.

– Você luta por seu país e é traído por socialistas e revolucionários. Luta por sua classe e é traído pelos liberais. Luta por sua família e até mesmo assim é traído. Ah, Charlotte, por quê? Por quê? – Tinha a sensação de que estava sufocando e mal conseguiu balbuciar: – Como a vida é triste, Thomson... Como a vida é triste...

– Terei que interrogá-la – disse Thomson.

– Eu também. – Walden se levantou. Olhou para o charuto. Estava apagado. Jogou-o longe. – Vamos para dentro.

Os dois entraram.

Walden deteve uma criada no saguão.

– Sabe onde está lady Charlotte?

– Acredito que esteja no quarto dela, milorde. Devo ir chamá-la?

– Vá avisá-la que quero falar com ela em seus aposentos imediatamente.

– Pois não, milorde.

Thomson e Walden ficaram esperando no saguão. Walden olhou ao redor. O chão de mármore, a escada esculpida, o teto de estuque, as proporções perfeitas – nada tinha o menor valor. Um lacaio passou em silêncio, os olhos baixos. Um mensageiro de motocicleta entrou e foi para a sala octogonal. Pritchard atravessou o saguão e pegou na mesa os envelopes que deveriam ser remetidos, como devia ter feito no dia em que Charlotte escrevera sua carta traiçoeira para Feliks. A criada desceu.

– Lady Charlotte está pronta para recebê-lo, milorde.

Walden e Thomson subiram.

O quarto dela ficava no segundo andar, na frente da casa, com vista para o parque. Era claro e arejado, com lindos tecidos e móveis modernos. Já faz muito tempo que não venho aqui, pensou Walden.

– Parece zangado, papai – comentou Charlotte.

– E tenho motivos para estar. O Sr. Thomson acaba de me transmitir a notícia mais terrível que já recebi em toda a minha vida.

Ela franziu a testa.

– Lady Charlotte, onde está Feliks? – perguntou Thomson.

Charlotte ficou pálida.

– Não tenho a menor ideia, é claro.

– Como pode ser tão fria? – gritou Walden.

– Não se atreva a gritar comigo!

– Desculpe.

– Talvez seja melhor eu falar, milorde... – interveio Thomson.

– Está bem – disse Walden.

Ele se sentou no assento ao lado da janela. Por que estou sempre pedindo desculpas?, pensou.

Thomson dirigiu-se a Charlotte:

– Lady Charlotte, sou da polícia e posso provar que está envolvida em uma conspiração de assassinato. Minha preocupação, neste momento, assim como a de seu pai, é não permitir que isso vá adiante. Queremos evitar, sobretudo, que a senhorita vá para a prisão por um período de muitos anos.

Walden olhou aturdido para Thomson. Prisão! Claro que ele estava apenas querendo assustar Charlotte. Mas não, percebeu então, apavorado. O policial estava certo – a filha era mesmo uma criminosa...

– Desde que possamos evitar o assassinato, acreditamos que é possível encobrir sua participação – continuou Thomson. – Mas se o assassino conseguir realizar seus planos, não terei alternativa senão levá-la a julgamento... e neste caso a acusação não será de conspiração de assassinato, mas sim de cumplicidade em assassinato. Em teoria, pode ser enforcada.

– Não! – gritou Walden, sem conseguir se conter.

– Sim – falou Thomson, calmamente.

Walden enterrou o rosto nas mãos.

– Deve salvar a si mesma dessa agonia – acrescentou Thomson. – E não apenas a si mesma, mas também seu pai e sua mãe. Precisa fazer tudo o que puder para nos ajudar a encontrar Feliks e salvar o príncipe Orlov.

Não era possível, pensou Walden, desesperado. Tinha a sensação de estar enlouquecendo. Minha filha não pode ser enforcada. Só que, se Aleks for morto, Charlotte terá sido uma das assassinas. Mas o caso nunca seria levado a julgamento. Quem era o secretário do Interior? McKenna. Walden não o conhecia. Porém Asquith interviria para evitar o processo. Ou não?

– Diga-me quando viu Feliks pela última vez – insistiu Thomson.

Walden ficou observando Charlotte, enquanto esperava sua resposta. Ela estava em pé atrás de uma cadeira, segurando no encosto com as duas mãos. As articulações estavam esbranquiçadas, mas o rosto parecia calmo.

– Não tenho nada a dizer – falou, finalmente.

Walden gemeu alto. Como a filha podia continuar assim, agora que fora descoberta? O que estava se passando na cabeça dela? Parecia uma estranha. Quando foi que a perdi?, pensou.

– Sabe onde Feliks está neste momento? – perguntou Thomson.

Charlotte não respondeu.

– Avisou-o das medidas de precauções que adotamos aqui?

Ela permaneceu impassível.

– Quais são as armas que ele tem?

Nada.

– Compreende que se torna um pouco mais culpada cada vez que se recusa a responder a uma pergunta?

Walden percebeu uma mudança no tom de voz de Thomson e observou-o. Ele parecia agora genuinamente furioso.

– Deixe-me lhe explicar uma coisa – continuou Thomson. – Pode achar que seu pai é capaz de salvá-la da justiça. Talvez ele esteja pensando a mesma coisa. Mas se Orlov morrer, juro que vou levá-la a julgamento por assassinato. Pense nisso!

Então ele saiu do quarto.

~

Charlotte ficou consternada quando ele se retirou. Com um estranho no quarto, ainda fora capaz de manter o controle. A sós com o pai, estava com medo de desmoronar.

– Eu a salvarei, se puder – murmurou Walden, com tristeza.

Charlotte engoliu em seco e desviou os olhos. Queria que ele estivesse furioso, pensou; pelo menos seria algo com que eu conseguiria lidar.

O pai olhou pela janela.

– A culpa é minha – falou, angustiado. – Escolhi sua mãe, gerei e criei você. Eu a criei. Não consigo compreender como isso aconteceu, realmente não consigo. – Tornou a olhar para Charlotte, e acrescentou: – Pode me explicar, por favor?

– Posso, sim. – Charlotte estava ansiosa em fazê-lo compreender e tinha certeza de que seria capaz de falar tudo certo. – Não quero que você consiga fazer a Rússia entrar na guerra. Se isso acontecer, milhões de russos serão mortos ou feridos, sem qualquer propósito.

Ele ficou surpreso.

– Então é isso? Foi por esse motivo que fez tantas coisas horríveis? É isso que Feliks está tentando conseguir?

Talvez ele entenda, pensou Charlotte, com uma súbita animação.

– Exatamente. – Continuou, entusiasmada: – Feliks também quer uma revolução na Rússia... até mesmo você acha que isso poderia ser uma coisa boa... e acredita que começará quando as pessoas descobrirem que Aleks está tentando arrastá-las para a guerra.

– Você acha que quero uma guerra? – perguntou o pai, incrédulo. – Acha mesmo que eu gostaria disso? Acha que isso me faria algum bem?

– Claro que não. Mas você deixaria que acontecesse, em determinadas circunstâncias.

– Todos fariam a mesma coisa. Até Feliks, que está querendo uma revolução. Mas, se vai haver uma guerra, temos que vencê-la. É tão horrível assim dizer isso?

O tom era quase suplicante.

Charlotte estava desesperada para que ele entendesse.

– Não sei se é horrível, mas sei que é errado. Os camponeses russos não sabem nada da política europeia, e também não se importam. Mas serão dizimados, mutilados, aleijados, e todas essas coisas horríveis porque você fez um acordo com Aleks! – Ela lutou contra as lágrimas. – Será que não percebe como isso está errado, papai?

– Mas pense na questão do ponto de vista britânico; do seu ponto de vista pessoal. Imagine que Freddie Chalfont, Peter e Jonathan irão para a guerra como oficiais, e que seus homens serão Daniel, o cavalariço, Charles, o criado, e Peter Dawkins, da fazenda. Não gostaria que eles recebessem alguma ajuda? Não ficaria *contente* por toda a nação russa estar do lado deles?

– Claro que ficaria... especialmente se a própria nação russa tivesse decidido ajudá-los. Mas não serão as pessoas que tomarão essa decisão, não é mesmo, papai? Você e Aleks é que vão resolver. Devia estar trabalhando para evitar a guerra, não para vencê-la.

– Se a Alemanha atacar a França, temos que ajudar nossos amigos. E seria um desastre para a Inglaterra se a Alemanha conquistasse a Europa.

– Como poderia haver um desastre maior do que uma guerra?

– Então nunca deveríamos lutar?

– Só se formos invadidos.

– Se não lutarmos contra os alemães na França, teremos que lutar contra eles aqui.

– Tem certeza?

– É provável.

– Pois só deveremos lutar quando isso acontecer.

– Ouça: este país não é invadido há 850 anos. Por quê? Porque lutamos contra os outros povos no território deles, não no nosso. É por isso que você, lady Charlotte Walden, foi criada num país pacífico e próspero.

– Quantas guerras foram travadas para impedir a guerra? Se não tivéssemos lutado no território de outros povos, será que eles teriam precisado lutar?

– Quem sabe? – disse Walden, em um tom de cansaço. – Eu queria que você tivesse estudado mais história. Queria que você e eu tivéssemos conversado mais sobre essas coisas. Com um filho, eu teria conversado... Mas, por Deus, nunca sonhei que minha filha pudesse se interessar por política internacional! E agora estou pagando o preço por esse erro. E que preço. Charlotte, juro a você que a matemática do sofrimento humano não é tão simples como esse Feliks levou-a a achar. Será que não pode acreditar em mim, quando lhe digo isso? Será que não pode confiar em mim?

– Não – respondeu ela, obstinadamente.

– Feliks quer *matar* seu primo. Isso não faz nenhuma diferença?

– Ele vai sequestrar Aleks, não matá-lo.

O pai balançou a cabeça.

– Charlotte, ele já tentou matar Aleks duas vezes, e a mim uma vez. Matou muitas pessoas na Rússia. Ele não é um sequestrador, Charlotte. É um assassino.

– Não acredito.

– Mas por quê?

– Por acaso você me contou a verdade sobre o sufragismo? Sobre Annie? Me contou que na democrática Inglaterra a maioria do povo ainda não pode votar? Me falou a verdade sobre o intercurso sexual?

– Não, não fiz nada disso. – Para seu horror, Charlotte percebeu que as faces do pai estavam molhadas de lágrimas. – Talvez tudo o que eu já tenha feito como pai tenha sido errado. Não sabia que o mundo mudaria tanto. Não tinha a menor ideia de qual seria o papel da mulher no mundo de 1914. Está começando a parecer que fracassei terrivelmente. Mas fiz o que julguei melhor, porque a amava e ainda amo. Não é a sua posição política que me faz chorar. É a traição, entende? Lutarei com unhas e dentes para mantê-la longe dos tribunais, mesmo que você consiga matar o pobre Aleks, porque você é minha filha, a pessoa mais importante do mundo para mim. Por você, mandarei a justiça, a reputação e a Inglaterra para o inferno. Farei o que for errado por você, sem a menor hesitação. Para mim, você está acima de todos os princípios, de toda a política, de tudo, enfim. É isso que acontece em uma família. O que me magoa profundamente é que você não faria a mesma coisa por mim. Ou faria?

Charlotte queria desesperadamente dizer que sim.

– Será leal a mim, por mais errado que eu possa ter sido, apenas porque sou seu pai?

Mas você não é, pensou Charlotte. Baixou a cabeça. Não conseguia encará-lo.

Ficaram sentados em silêncio por mais um momento. Depois, Walden assoou o nariz. Levantou-se, foi até a porta, tirou a chave da fechadura e saiu. Fechou a porta e Charlotte ouviu-o girar a chave na fechadura, trancando-a lá dentro.

Desatou a chorar.

~

Era o segundo jantar horrível que Lydia oferecia em dois dias. Era a única mulher à mesa. Sir Arthur estava sombrio, porque a operação de busca não localizara Feliks. Charlotte e Aleks estavam trancados em seus quartos. Basil Thomson e Stephen tratavam-se com uma polidez fria, pois Thomson descobrira o relacionamento entre Charlotte e Feliks e ameaçara mandar

Charlotte para a prisão. Winston Churchill também estava presente. Trouxera o tratado e já o havia assinado, junto com Aleks. Mas ninguém estava feliz, pois todos sabiam que o czar se recusaria a ratificar o acordo se Aleks fosse assassinado.

Churchill chegou a comentar que seria melhor que Aleks deixasse o solo inglês o mais depressa possível. Thomson assegurou que determinaria uma rota segura e que providenciaria uma guarda formidável. Aleks poderia partir no dia seguinte. Todos foram se deitar cedo, pois não havia mais nada a fazer.

Lydia sabia que não conseguiria dormir. Não havia nada resolvido. Passara a tarde num nevoeiro de indecisão, drogada com láudano, tentando esquecer que Feliks estava em sua casa. Aleks iria embora no dia seguinte. Se ao menos fosse possível mantê-lo a salvo por mais algumas horas... Imaginou se haveria algum meio de ajudar a manter Feliks escondido por mais um dia.

Poderia ir vê-lo e contar-lhe uma mentira, talvez dizer-lhe que teria uma oportunidade de matar Aleks na noite seguinte. Mas ele jamais acreditaria nela. O plano era inútil. Depois que teve a ideia de ir procurar Feliks, no entanto, não mais conseguiu afastá-la da mente. Pensou: Bastaria sair por esta porta, passar pelo corredor, subir a escada, atravessar outro corredor, entrar no antigo quarto das crianças, passar pela porta do quarto adjacente e depois...

Fechou os olhos com força e puxou o lençol por cima da cabeça. Tudo era perigoso. Era melhor não fazer nada além de ficar imóvel, paralisada. Deixar Charlotte em paz, deixar Feliks em paz, esquecer Aleks, esquecer Churchill.

Mas ela não sabia o que iria *acontecer*. Charlotte podia procurar Stephen e dizer: "Você não é meu pai." Stephen podia matar Feliks. Feliks podia matar Aleks. Charlotte podia ser acusada de assassinato. Feliks podia aparecer aqui, no meu quarto, e me beijar.

Seus nervos estavam em frangalhos novamente, e sentia que outra dor de cabeça se aproximava. A noite estava muito quente. Os efeitos do láudano haviam se dissipado, mas ela bebera muito vinho durante o jantar e ainda se sentia tonta.

Por algum motivo, sua pele estava sensível naquela noite. Cada vez que ela se mexia, a seda da camisola parecia arranhar-lhe os seios. Estava muito irritável, em termos mentais e físicos. De certa forma queria que Stephen fosse procurá-la, mas depois pensou: Não, eu não poderia suportar.

A presença de Feliks lá em cima era como uma luz intensa brilhando em seus olhos, mantendo-a acordada. Empurrou o lençol para o lado, levantou-se, foi até a janela e escancarou-a. A brisa não estava mais fresca que o ar sufocante no quarto. Inclinando-se para fora e olhando para baixo, podia avistar os dois lampiões na entrada, o guarda andando pela frente da casa, as botas fazendo ruídos distantes sobre o caminho de pedras.

O que Feliks fazia lá em cima? Estaria fabricando uma bomba? Carregando uma arma? Afiando uma faca? Ou dormindo, contentando-se em esperar o momento certo? Ou vagando pela casa, tentando encontrar um meio de passar pelos guarda-costas de Aleks?

Não há nada que eu possa fazer, pensou Lydia. Nada.

Pegou o livro. *Poemas de Wessex*, de Hardy. Por que escolhi este livro?, pensou ela. Abriu na página que lera naquela manhã. Acendeu o abajur, sentou-se e leu o poema inteiro. O título era "Ela e seu dilema".

Silêncio guardavam os dois na igreja sem sol,
De paredes bolorentas, pedras desiguais no piso,
Entalhes desgastados que o antiquário rejeitava;
E ali nada rompia a tediosa cadência do relógio.

Apoiado no adorno carunchoso de um banco,
Tão exausto e abatido que mal se mantinha em pé,
Pois a morte logo o levaria, pediu ele, murmurante:
"Dize que me amas!" – e com força lhe apertou a mão.

Tudo ela daria para balbuciar um "sim" verdadeiro,
Tanto lhe parecia depender a vida dele da sua decisão.
E por isso mentiu, de todo o coração convencida:
Valia a pena perder sua alma por um ato momentâneo de bondade.

Mas essa triste carência, na iminente morte dele,
Tal troça fazia do humano, que ela se envergonhou
De prezar um mundo assim condicionado, ou mesmo a vida,
Onde a natureza era capaz de inventar tais dilemas.

É isso mesmo, pensou; quando a vida é assim, quem consegue fazer o que é certo?

A dor de cabeça era agora tão forte que ela pensava que o crânio ia rachar. Foi até a cômoda e tomou um gole de láudano direto do frasco. Depois tomou outro gole.

Foi para o antigo quarto das crianças.

CAPÍTULO QUINZE

ALGUMA COISA DERA ERRADO. Feliks não via Charlotte desde o meio-dia, quando ela lhe levara uma bacia, um jarro com água, uma toalha e uma barra de sabão. Devia ter acontecido alguma coisa que a impedira de voltar. Talvez ela tivesse sido obrigada a ir embora da casa. Ou talvez pensasse que estava sendo vigiada. Mas era evidente que ela não o denunciara, pois ninguém aparecera à sua procura.

De qualquer forma, Feliks não precisava mais dela.

Sabia onde Orlov estava e sabia onde ficavam as armas. Não poderia entrar no quarto dele, que estava sendo muito bem guardado, então teria que obrigá-lo a sair. Sabia como fazer isso.

Não usara o sabão e a água, pois o esconderijo era muito pequeno e não lhe permitia ficar de pé para se lavar. Além do mais, não dava muita importância à higiene. Agora, porém, estava com muito calor, sentindo o corpo pegajoso, e queria se sentir limpo e fresco antes de começar a trabalhar. Então, pegou a água e passou para o quarto.

Era muito estranho estar no lugar em que Charlotte passara tantas horas de sua infância. Feliks tratou de afastar o pensamento. Aquele não era o momento para sentimentalismo. Tirou todas as roupas e lavou-se, à luz de uma única vela. Uma sensação familiar e agradável, de expectativa e entusiasmo, o invadiu. Tinha a sensação de que a pele brilhava. Hoje eu vou vencer, pensou selvagemente, não importa quantos homens precise matar. Esfregou o corpo todo com a toalha, vigorosamente. Os movimentos eram bruscos e havia uma tensão no fundo de sua garganta que o fazia ter vontade de gritar. Deve ser por isso que os guerreiros emitem gritos de guerra, pensou. Baixou os olhos para o corpo e descobriu que estava com um princípio de ereção.

Nesse momento, ouviu Lydia dizer:

– Ei, você deixou crescer a barba!

Feliks virou-se bruscamente e olhou para a escuridão, aturdido.

Ela se adiantou para o círculo de claridade projetado pela chama da vela. Os cabelos louros estavam soltos, caindo pelos ombros. Usava uma camisola comprida e de cor clara, com corpete justo e a cintura alta. Os braços estavam nus. Ela sorria.

Ficaram imóveis, encarando-se. Ela abriu a boca várias vezes para falar, mas nenhuma palavra saiu. Feliks sentiu o sangue afluir para sua virilha. Quanto tempo, pensou, quanto tempo desde que fiquei nu na frente de uma mulher pela última vez?

Lydia se mexeu, mas isso não rompeu o encantamento. Ela avançou e ajoelhou-se a seus pés. Fechou os olhos e aconchegou-se contra o corpo dele. Enquanto Feliks olhava para baixo, a luz da vela refletiu-se nas lágrimas que escorriam pelas faces dela.

~

Lydia estava novamente com 19 anos, e seu corpo era forte, jovem e incansável. O casamento, uma cerimônia simples, terminara, e ela e seu marido estavam no pequeno chalé no campo. Lá fora, a neve caía em silêncio sobre o jardim. Fizeram amor à luz de velas. Ela beijou-o pelo corpo todo e ele disse, apesar de só terem se conhecido havia poucas semanas:

– Sempre amei você, por todos esses anos.

A barba dele roçou-lhe os seios, embora ela não se lembrasse do momento em que a deixara crescer. Ela observou suas mãos, que corriam pelo seu corpo, em todos os lugares íntimos.

– É você que está fazendo isso comigo... é você... Feliks... Feliks...

Era como se houvesse outro homem fazendo aquelas coisas com ela, lhe proporcionando aquele prazer intenso. Com a unha comprida, ela arranhou o ombro dele. Viu o sangue aflorar, então se abaixou e lambeu-o sofregamente.

– Você é um animal – murmurou ele.

Eles se acariciavam sem parar. Eram como crianças à solta numa loja de doces, passando desesperadamente de uma coisa para outra, tocando, olhando, saboreando, incapazes de acreditar naquela sorte espantosa.

– Ainda bem que fugimos – disse ela. Por algum motivo, isso deixou-o triste, então ela acrescentou: – Enfie o dedo em mim.

A expressão triste se desvaneceu e o desejo se estampou no rosto dele. Mas ela percebeu que estava chorando e não conseguia entender por quê. De repente, sentiu que era um sonho, ficou com medo de acordar e disse:

– Vamos agora, depressa...

Gozaram juntos. Ela sorriu por entre as lágrimas.

– Nossos corpos se encaixam tão bem... – murmurou.

Pareciam se mover como bailarinos, ou borboletas a se cortejarem.

– É sempre tão bom, meu Deus, sempre tão bom... Pensei que isso nunca mais ia acontecer... – sussurrou ela, então começou a soluçar.

Ele enterrou o rosto no pescoço dela, mas ela pegou-lhe a cabeça com as duas mãos e o afastou, para poder contemplá-lo. Agora sabia que não era um sonho. Estava acordada. Havia uma tensão entre o fundo de sua garganta e a base da espinha, um nervo que vibrava, levando seu corpo a entoar uma única nota de prazer, que se tornava cada vez mais alta.

– Olhe para mim! – exigiu ela, enquanto perdia o controle.

– Estou olhando – disse ele, gentilmente.

– Sou uma descarada! – gritou ela, à beira de mais um orgasmo. – Olhe para mim! Olhe como sou descarada!

Todo o seu corpo se contraiu, a tensão aumentou, o prazer se tornou ainda mais intenso, até que ela perdeu o controle por completo. Então, a última nota estridente de prazer rompeu a tensão e ela arriou, perdendo os sentidos.

~

Feliks ajeitou-a no chão, gentilmente. O rosto de Lydia, à luz da vela, estava sereno, e toda a tensão se desvanecera. Parecia uma pessoa que morrera feliz. Estava pálida, mas respirando normalmente. Feliks sabia que ela aparecera ali meio adormecida, talvez drogada, mas não se importava. Sentia-se esgotado e fraco, desamparado e grato... e muito apaixonado. Poderiam começar de novo, pensou. Ela é uma mulher livre, poderia deixar o marido, poderíamos viver na Suíça, Charlotte poderia ir conosco...

Este não é um sonho impossível, disse a si mesmo. Haviam feito aqueles planos antes, ele e Lydia, em São Petersburgo, dezenove anos antes, e tinham ficado totalmente impotentes ante os desejos das pessoas respeitáveis. Isso não acontece na vida real, pensou Feliks; eles voltarão a nos frustrar.

Nunca me deixarão tê-la.

Mas vou me vingar.

Ele se levantou e se vestiu rapidamente. Pegou a vela. Contemplou-a mais uma vez. Os olhos dela continuavam fechados. Feliks sentiu vontade de tocá-la mais uma vez, beijar sua boca macia, mas endureceu o coração. Nunca mais, pensou. Virou-se e saiu.

Foi andando em silêncio pelo corredor atapetado e desceu a escada. A vela projetava sombras estranhas. Posso morrer esta noite, mas não antes de ter matado Orlov e Walden, disse a si mesmo. Vi minha filha, fiz amor com minha esposa. Agora, matarei meus inimigos, e depois posso morrer.

Quando pisou no patamar do primeiro andar, a bota fez um barulho alto. Ele parou no mesmo instante e ficou escutando. O chão ali era de mármore, sem tapete. Esperou. Não ouviu nenhum ruído no resto da casa. Tirou as botas e prosseguiu descalço, pois estava sem meias.

As luzes estavam apagadas na casa inteira. Será que alguém apareceria vagando por ali? Será que alguém poderia descer para comer alguma coisa no meio da noite? O mordomo imaginaria que ouvira um barulho e daria uma volta pela casa para verificar? Os guarda-costas de Orlov sentiriam vontade de ir ao banheiro? Feliks escutou atentamente, pronto para apagar a vela e se esconder ao menor ruído.

Parou no saguão e tirou do bolso do casaco as plantas da casa que Charlotte desenhara. Consultou rapidamente a planta do primeiro andar, aproximando a vela do papel, depois virou à direita e avançou pelo corredor.

Passou pela biblioteca e entrou na sala de armas.

Fechou a porta com cuidado e olhou ao redor. Uma cabeça imensa e horrível pareceu saltar da parede em sua direção. Feliks deu um pulo, soltando um grunhido de medo. A vela apagou. Na escuridão, ele compreendeu que vira uma cabeça de tigre empalhada e pendurada na parede. Tornou a acender a vela. Havia troféus por todos os lados: um leão, um veado e até mesmo um rinoceronte. Walden devia ter sido um grande caçador. Havia também um peixe imenso, numa caixa de vidro.

Pôs a vela em cima da mesa. As armas estavam guardadas em prateleiras numa parede. Havia três espingardas de cano duplo, um fuzil Winchester e uma coisa que Feliks julgou ser uma arma para matar elefantes. Nunca vira uma arma para matar elefantes. Estavam todas presas por correntes, que passavam por dentro da proteção do gatilho e eram presas por um cadeado a um suporte aparafusado na prateleira.

Pensou por um momento sobre o que fazer. Precisava de uma arma. Achava que podia arrebentar um cadeado se tivesse um pedaço de ferro, como uma chave de fenda grande, para usar como alavanca. Mas parecia mais fácil desaparafusar o suporte da prateleira, depois passar corrente, cadeado e suporte por dentro da proteção do gatilho, soltando a arma.

Examinou novamente a planta de Charlotte. Ao lado da sala de armas ficava a sala das flores. Ele pegou a vela e passou para lá. Era um cômodo pequeno e frio, com uma mesa de mármore e uma pia de pedra. Ouviu passos. Apagou a vela e se abaixou. O som viera de fora da casa, do caminho de cascalho. Devia ser um dos guardas. A luz de uma lanterna brilhou lá fora. Feliks comprimiu-se contra a porta, ao lado da janela. A luz foi se tornando mais forte e os passos ficaram mais altos. Pararam lá fora e a luz da lanterna foi projetada pela janela, iluminando uma prateleira acima da pia. Feliks viu então algumas ferramentas penduradas em ganchos: tesouras, uma enxada pequena, uma faca curva. O guarda girou a maçaneta da porta em que Feliks estava encostado, mas ela estava trancada. Os passos começaram a se afastar e a luz sumiu. Feliks aguardou por mais um momento. O que o guarda faria? Era de se presumir que vira o brilho da vela de Feliks. Mas podia ter pensado que era o reflexo de sua própria lanterna, ou que alguém na casa tivera um motivo perfeitamente legítimo para entrar na sala das flores. Ou o guarda podia ser do tipo ultracauteloso, e então voltaria para verificar.

Deixando as portas abertas, Feliks saiu da sala das flores e atravessou a sala de armas, voltando à biblioteca, tateando no escuro, com a vela apagada na mão. Sentou-se no chão, atrás de um sofá grande de couro, e contou bem devagar até mil. Ninguém apareceu. O guarda não era do tipo ultracauteloso, no fim das contas.

Voltou à sala de armas e acendeu a vela. Ao contrário da sala das flores, as janelas ali tinham cortinas. Passou depois, cautelosamente, à sala das flores, pegou a faca que vira na prateleira, voltou à sala de armas e se inclinou por cima da prateleira. Usou a ponta da faca para desatarraxar os parafusos que prendiam o suporte. A madeira era velha e dura, mas os parafusos acabaram se soltando e ele conseguiu liberar as armas.

Havia três armários na sala. Um deles continha garrafas de conhaque e de uísque e copos. Outro continha exemplares encadernados de uma revista chamada *Horse and Hound* e um caderno imenso de capa de couro, com a inscrição "Livro de caça". O terceiro estava trancado. A munição devia ser guardada ali.

Feliks arrombou a fechadura com a faca.

Dos três tipos de armas disponíveis – Winchester, espingarda e arma para matar elefantes –, ele preferia o primeiro. Ao vasculhar as caixas de munição, no entanto, descobriu que não havia cartuchos para Winchester nem para a arma para elefantes. Deviam ser apenas suvenires. Ele teria que se contentar com uma espingarda. Todas as três eram de calibre 12, e todas as munições eram número 6. Para ter certeza de que mataria o homem, precisaria atirar de perto, no máximo a 20 metros de distância. E poderia disparar apenas dois tiros antes de precisar recarregar.

Não tem importância, pensou. Quero matar apenas duas pessoas.

A imagem de Lydia deitada no chão do quarto das crianças voltava a seus pensamentos a todo instante. Sentia-se exultante quando pensava em como haviam feito amor. Não experimentava mais o fatalismo que o dominara imediatamente depois do ato. Por que devo morrer?, pensou. E depois que eu matar Walden, quem sabe o que pode acontecer?

Carregou a espingarda.

~

E agora, pensou Lydia, terei que me matar.

Não via outra possibilidade. Caíra nas profundezas da depravação pela segunda vez na vida. Todos os anos de autodisciplina de nada haviam valido, só porque Feliks voltara. Não podia viver com essa consciência de si mesma. Queria morrer. Agora.

Pensou em como fazer. O que poderia tomar que fosse venenoso? Devia haver veneno de rato em algum lugar da casa, mas é claro que ela não sabia onde. Uma dose excessiva de láudano? Não tinha certeza se ainda restava o bastante. Lembrou que podia se matar com gás, mas Stephen convertera a casa para funcionamento com luz elétrica. Talvez o último andar da construção fosse alto o suficiente para lhe causar a morte se pulasse por uma janela, mas tinha medo de apenas quebrar a coluna e ficar paralítica pelo resto da vida. Achava que não tinha coragem suficiente para cortar os pulsos. Além do mais, levaria muito tempo para sangrar até a morte. O meio mais rápido seria um tiro. Talvez tivesse a capacidade de carregar uma arma e dispará-la. Já vira isso sendo feito inúmeras vezes. Mas lembrou que as armas estavam presas por cadeados.

Pensou então no lago. Sim, essa era a solução. Voltaria a seu quarto e colocaria um robe. Sairia da casa por uma porta lateral, para que os guardas não a vissem. Atravessaria o parque pelo lado oeste, junto dos rododendros e entraria pelo bosque até chegar à beira do lago. Então continuaria andando, até que a água fria cobrisse sua cabeça. Depois seria só abrir a boca e em um ou dois minutos tudo estaria acabado.

Saiu do quarto das crianças e avançou pelo corredor no escuro. Divisou uma luz por baixo da porta do quarto da filha e hesitou. Queria vê-la pela última vez. A chave estava na fechadura, pelo lado de fora. Abriu a porta e entrou.

Charlotte estava sentada em uma cadeira ao lado da janela, dormindo. O rosto estava bastante pálido, a não ser pela vermelhidão em torno dos olhos. Havia soltado os cabelos. Lydia fechou a porta e aproximou-se dela. Charlotte abriu os olhos.

– O que aconteceu? – perguntou.

– Nada – respondeu Lydia.

Ela se sentou.

– Lembra de quando a babá foi embora? – disse Charlotte.

– Lembro. Você já tinha idade suficiente para ter uma governanta e eu não tinha tido outro filho.

– Eu me esqueci de tudo por muitos anos, mas acabei de me lembrar. Você nunca soube que eu achava que a babá era minha mãe, não é mesmo?

– Não... Você pensava isso? Mas sempre me chamou de mamãe e a ela de babá...

– É verdade. – Charlotte falava devagar, quase divagando, como se estivesse perdida no nevoeiro de recordações. – Você era mamãe e a babá era babá, mas todos tinham uma mãe, e quando a babá me disse que você era a minha, eu falei para ela deixar de ser boba, que *ela* é que era minha mãe. E ela só riu. Fiquei desolada quando você a mandou embora.

– Nunca pensei...

– Marya nunca lhe contou, é claro. Que governanta contaria uma coisa assim?

Charlotte estava apenas contando uma lembrança, não acusando a mãe. Continuou:

– Então, quem eu acreditava que fosse minha mãe não era, e agora descobri que quem eu acreditava que fosse meu pai também não é. Imagino que uma coisa me fez lembrar a outra.

– Você deve me odiar, Charlotte. Eu entendo. Também me odeio.

– Não, mamãe, não a odeio. Estou furiosa com você, mas nunca a odiei.

– Acha que sou uma hipócrita.

– Nem mesmo isso.

Uma sensação de paz envolveu Lydia.

– Estou começando a compreender por que você é tão inflexivelmente respeitável, por que estava tão determinada a me manter ignorante em matéria de sexo... queria apenas me resguardar do que lhe aconteceu. E descobri que há decisões muito difíceis, que às vezes não se pode determinar o que é bom e certo. Creio que a julguei com muito rigor, quando não tinha o menor direito de julgá-la, e não estou muito orgulhosa de mim mesma.

– Sabe que eu amo você, não sabe?

– Sei... Eu também amo você, mamãe. E é justamente por isso que me sinto tão infeliz.

Lydia ficou atordoada. Era a última coisa que podia esperar. Depois de tudo o que acontecera – as mentiras, a traição, a raiva, a amargura –, Charlotte ainda a amava. Sentiu-se envolvida por uma alegria serena. Me matar?, pensou. Por que deveria me matar?

– Devíamos ter conversado assim antes, Charlotte.

– Não faz ideia de como eu sempre quis isso, mamãe. Você sempre foi muito boa em me dizer como eu devia fazer reverência, levar a cauda do vestido, sentar graciosamente, ajeitar os cabelos... Eu queria tanto que me explicasse as coisas importantes da mesma forma... as coisas sobre o amor e sobre ter filhos. Mas você nunca me explicou.

– Nunca consegui... e não sei por quê.

Charlotte bocejou.

– Acho que agora vou dormir.

Ela se levantou. Lydia beijou-a no rosto, e depois a abraçou.

– Também amo Feliks, mamãe. Isso não mudou.

– Sei disso. Também o amo.

– Boa noite, mamãe.

– Boa noite.

Lydia saiu depressa e fechou a porta pelo lado de fora. Hesitou por um instante no corredor. O que Charlotte faria se a porta ficasse destrancada? Lydia resolveu poupá-la da ansiedade da decisão. Passou a chave na fechadura.

Desceu a escada e tomou o caminho de seu quarto. Estava contente por ter conversado com Charlotte. Talvez, pensou, esta família ainda tenha jeito. Não sei como, mas tenho certeza de que podemos encontrar um meio. Entrou em seu quarto.

– Onde você estava? – perguntou Stephen.

~

Agora que tinha uma arma, Feliks só precisava tirar Orlov do quarto. E sabia como consegui-lo. Ia incendiar a casa.

Levando a espingarda numa das mãos e a vela na outra, ainda descalço, percorreu a ala oeste e atravessou o saguão para a sala de estar. Só mais alguns minutos, pensou. Só preciso de poucos minutos e tudo estará resolvido. Passou pelas duas salas de jantar e pela copa, e entrou na cozinha. As plantas de Charlotte tornavam-se vagas naquela área e ele teve que procurar a saída. Encontrou uma porta grande e tosca, presa por uma tranca de ferro. Levantou a tranca e abriu a porta silenciosamente.

Apagou a vela e ficou esperando na porta. Depois de cerca de um minuto, descobriu que conseguia distinguir os contornos das construções. Era um alívio - estava com receio de usar a vela lá fora, por causa dos guardas.

À frente dele havia um pequeno pátio com calçamento de pedras. No outro lado, se a planta estivesse certa, havia uma garagem, uma oficina e... um tanque de gasolina.

Atravessou o pátio. Calculou que a construção à sua frente fora originariamente um estábulo. Parte era fechada - provavelmente a oficina - e o resto era aberto. Feliks divisou de forma vaga os faróis de dois carros grandes. Onde estava o tanque de gasolina? Levantou os olhos. O prédio era bem alto. Feliks adiantou-se e bateu com a testa em alguma coisa. Era um cano flexível, com um bocal na extremidade. Vinha da parte superior do prédio.

Fazia sentido: deixavam os carros no estábulo e o tanque de gasolina no palheiro. Os carros eram tirados para o pátio e abastecidos pelo cano que vinha lá de cima.

Ótimo!, pensou Feliks.

Precisava agora de um recipiente. Uma lata de 10 litros seria o ideal. Entrou na garagem e contornou os automóveis, tateando com os pés, com cuidado para não tropeçar em algo que fizesse barulho.

Não havia latas.

Ele relembrou as plantas. Estava perto da horta. Podia haver um regador por perto. Já ia sair para verificar quando ouviu um barulho.

Parou no mesmo instante.

O guarda passou.

Feliks podia ouvir as batidas do próprio coração.

A luz da lanterna a óleo do guarda corria pelo pátio. Será que fechei a porta da cozinha?, pensou Feliks, em pânico. A lanterna iluminou a porta. Estava fechada.

O guarda seguiu em frente.

Feliks percebeu que estava prendendo a respiração e soltou-a num longo suspiro.

Esperou um minuto para que o guarda se distanciasse e depois seguiu na mesma direção, procurando a horta.

Não encontrou nenhum regador, mas tropeçou num rolo de mangueira. Calculou que devia ter pelo menos 30 metros de comprimento, e teve uma ideia perversa.

Primeiro precisava saber com que frequência os guardas patrulhavam aquela área. Começou a contar. Ainda contando, levou a mangueira da horta para o pátio e, com ela na mão, se escondeu por trás dos automóveis.

Havia contado até 902 quando o guarda tornou a aparecer.

Tinha levado cerca de quinze minutos.

Feliks prendeu uma das extremidades da mangueira no bocal do cano de gasolina, depois atravessou o pátio, desenrolando a mangueira pelo caminho. Parou na cozinha, pegou um espeto grande de carne e tornou a acender a vela. Então começou a percorrer a casa de novo, largando a mangueira por diversos cômodos: cozinha, copa, salas de jantar, de estar, saguão, corredor e biblioteca. Era pesada, o que tornava difícil fazer o trabalho silenciosamente. Estava atento ao som de passos, mas tudo o que ouvia era o barulho da casa antiga se acomodando para a noite. Tinha certeza de que todos estavam deitados, mas será que alguém desceria para pegar um livro na biblioteca, um conhaque na sala de estar ou um sanduíche na cozinha?

Se isso acontecer agora, pensou Feliks, meu plano estará liquidado.

Só mais alguns minutos... só mais alguns minutos...

Ele se preocupara com a possibilidade de a mangueira não ser comprida o bastante, mas conseguiu estendê-la até a porta da biblioteca. Então voltou, acompanhando o comprimento da mangueira e fazendo buracos na borracha de poucos em poucos metros com a ponta afiada do espeto de carne.

Passou pela porta da cozinha e parou na garagem. Empunhou a espingarda de dois canos como se fosse um porrete.

Teve a sensação de esperar por um século.

Finalmente ouviu passos. O guarda passou por ele e parou, a lanterna iluminando a mangueira. O homem soltou um grunhido de surpresa.

Feliks acertou-o com a espingarda.

O guarda cambaleou.

– Caia de uma vez, desgraçado! – sibilou Feliks.

Então tornou a bater, com toda a força que conseguiu.

O guarda caiu e Feliks golpeou-o mais uma vez, com uma satisfação selvagem.

O homem ficou imóvel.

Feliks virou-se para o cano de gasolina e encontrou o ponto em que enfiara a mangueira. Havia uma torneira para controlar o fluxo.

Feliks abriu-a.

~

– Antes de casarmos – disse Lydia, impulsivamente –, tive um amante.

– Santo Deus! – exclamou Stephen.

Por que falei isso?, pensou ela. Porque mentir a respeito deixou todos infelizes e não quero mais que isso aconteça.

– Meu pai descobriu tudo. Fez meu amante ser preso e torturado. Depois, disse que se eu concordasse em me casar com você, as torturas seriam suspensas imediatamente e meu amante seria solto assim que nós dois chegássemos à Inglaterra.

Lydia ficou observando seu rosto. Stephen não se mostrava tão magoado quanto ela esperara, mas estava horrorizado.

– Seu pai estava errado.

– Eu também, ao me casar sem amor.

– Ah... – Stephen estava agora angustiado. – Na verdade, eu também não estava apaixonado. Pedi você em casamento porque meu pai tinha morrido e eu precisava de uma esposa para ser a condessa de Walden. Só depois me apaixonei perdidamente. Eu poderia dizer que a perdoo, mas não há nada a perdoar.

Poderia ser tão fácil assim?, pensou Lydia. Será que ele é capaz de me perdoar por tudo e continuar a me amar? Parecia que, como a morte estava no ar, tudo era possível. Lydia continuou, incapaz de se controlar:

– Há mais, Stephen. E é pior.

A expressão dele era de angústia profunda.
– É melhor me contar tudo.
– Eu já estava... eu já estava grávida quando me casei com você.
Stephen empalideceu.
– Charlotte!
Lydia assentiu silenciosamente.
– Ela... não é minha filha?
– Não.
– Ah, Deus!
Agora eu o magoei, pensou Lydia. Com isso ele nunca sequer sonhou.
– Ah, Stephen, não sabe como lamento!
O marido ficou olhando para ela fixamente, repetindo, atordoado:
– Não é minha... não é minha...
Lydia pensou no que isso significava para ele. A nobreza inglesa dava a maior importância à genealogia e aos laços de sangue. Ela se lembrava de Stephen olhando para Charlotte e murmurando: "Carne da minha carne, sangue do meu sangue." Fora a única citação da Bíblia que já o ouvira pronunciar. Lydia pensou nos próprios sentimentos, no mistério da criança iniciando a vida como parte dela, depois se tornando um indivíduo separado, mas não completamente. Os homens deviam se sentir da mesma forma, pensou; às vezes podiam pensar que não, mas com certeza se sentiam.
O rosto de Stephen estava pálido e franzido. De repente, ele parecia mais velho.
– Por que está me contando tudo isso agora?
Não posso revelar mais nada, pensou Lydia; já o magoei demais. Mas era como se ela estivesse numa ladeira e não pudesse parar.
– Porque Charlotte conheceu seu verdadeiro pai e sabe de tudo.
– Ah, pobre menina... – disse Stephen, enterrando o rosto nas mãos.
Lydia compreendeu que a pergunta seguinte era inevitável: Quem é o pai? Foi dominada pelo pânico. Não podia contar. Isso iria matá-lo. Mas ela *precisava* contar. Queria tirar dos ombros o peso terrível daqueles segredos que lhe angustiavam a vida. Não pergunte, pensou. Ainda não, seria demais.
Stephen fitou-a. Seu rosto estava assustadoramente inexpressivo. Parecia um juiz, pronunciando a sentença de maneira impassível, e ela era a prisioneira culpada no banco dos réus.

Não pergunte.

– E o pai é Feliks, é claro – disse Stephen.

Lydia arquejou.

Stephen assentiu, como se a reação dela fosse a confirmação de que precisava.

O que ele vai fazer?, pensou Lydia, apavorada. Observou atentamente o rosto dele, mas não conseguiu ler sua expressão. Era como se um estranho estivesse à sua frente.

– Santo Deus, o que está havendo conosco? – disse ele.

Lydia começou a falar incontrolavelmente:

– Feliks apareceu no momento em que Charlotte começava a ver os pais como frágeis seres humanos. E lá estava ele, transbordando de vida e ideias lutando contra a ordem estabelecida... justamente as coisas que atraem uma moça de mentalidade independente. Eu sei, porque também aconteceu comigo... E aí ela começou a conhecê-lo melhor, passou a gostar dele, a querer ajudá-lo... Mas ela ama você, Stephen, ela é sua filha. As pessoas não conseguem evitar amar você... não conseguem evitar...

O rosto dele estava inexpressivo. Lydia gostaria que Stephen praguejasse, gritasse, a insultasse, até mesmo a esbofeteasse. Mas ele continuou sentado, impassível.

– E você, Lydia? Também o ajudou?

– Não intencionalmente... Não. Mas também não ajudei você. Sou uma mulher horrível, um ser humano detestável.

Stephen levantou-se e pôs as mãos geladas nos ombros dela.

– Mas você é minha, Lydia?

– Eu queria ser, Stephen... Queria muito...

Stephen tocou o rosto dela, mas não havia amor em sua expressão. Ela estremeceu.

– Falei que era demais para perdoar... – disse.

– Sabe onde Feliks está? – perguntou ele.

Lydia não respondeu. Se eu contar, pensou, Feliks morre. Se não contar, quem morre é Stephen.

– Sim, você sabe.

Ela assentiu, atordoada.

– Vai me contar?

Lydia o olhou nos olhos. Se eu contar, pensou, será que ele vai me perdoar?

– Faça sua escolha – falou Stephen.

Ela teve a sensação de que estava caindo de cabeça num poço profundo.

Stephen ergueu as sobrancelhas em expectativa.

– Ele está aqui – murmurou Lydia.

– Meu Deus! Onde?

Os ombros de Lydia vergaram. Estava feito. Ela traíra Feliks pela última vez.

– Está escondido no antigo quarto das crianças – balbuciou ela, desesperada.

A expressão de Stephen não estava mais impassível. As faces ficaram vermelhas, os olhos arderam de fúria.

– Diga que me perdoa, Stephen... por favor...

Ele se virou e saiu correndo do quarto.

~

Feliks correu pela cozinha e pela copa, levando a vela, a espingarda e os fósforos. Sentia o cheiro doce e ligeiramente nauseante da gasolina. Na sala de jantar, um esguicho fino e constante do líquido inflamável saía por um furo na mangueira. Feliks arrastou a mangueira pela sala, a fim de que o fogo não a destruísse muito depressa. Depois, riscou um fósforo e jogou numa parte do tapete encharcada de gasolina. O tapete se incendiou no mesmo instante.

Feliks sorriu e adiantou-se apressadamente.

Na sala de estar, pegou uma almofada de veludo e encostou-a por um minuto em outro buraco na mangueira. Jogou a almofada num sofá, ateou fogo e atirou outras almofadas ao redor. O incêndio se alastrou.

Ele correu pelo saguão e atravessou o corredor até a biblioteca. A gasolina saía pela extremidade da mangueira e se espalhava pelo chão. Feliks arrancou vários livros das prateleiras e jogou-os no chão, na poça que se expandia. Atravessou a biblioteca e abriu a porta de comunicação com a sala de armas. Parou na porta por um momento, depois jogou a vela na poça de gasolina.

Houve um barulho como o de uma imensa rajada de vento e a biblioteca se incendiou. Livros e gasolina ardiam intensamente. Um momento depois, as cortinas estavam em chamas. A gasolina continuava a fluir pela mangueira, alimentando o fogo. Feliks soltou uma risada alta.

Entrou na sala de armas. Meteu um punhado de cartuchos extras no bolso do casaco. Passou então à sala das flores. Destrancou a porta para o jardim, abriu-a em silêncio e saiu.

Seguiu direto para oeste, afastando-se da casa por duzentos passos, tentando conter a impaciência. Depois virou para o sul, percorreu a mesma distância, e finalmente encaminhou-se para o leste, até ficar bem em frente à porta principal, com o gramado escuro separando-o da casa.

Viu o segundo guarda parado na entrada, iluminado por duas lanternas, fumando um cachimbo. O colega estava inconsciente, talvez morto, no quintal da cozinha. Feliks podia ver as chamas nas janelas da biblioteca, mas a sentinela estava a alguma distância e ainda não tinha percebido nada. Mas muito em breve veria o incêndio.

Entre Feliks e a casa, a cerca de 50 metros da entrada, havia um imenso castanheiro. Ele seguiu na direção da árvore, atravessando o gramado. O guarda parecia estar olhando mais ou menos na direção de Feliks, mas não o viu. De qualquer forma, Feliks não se importava: se o homem me vir, pensou, vou matá-lo com um tiro. Ninguém mais pode controlar o incêndio. Todos terão que deixar a casa. A partir de agora, a qualquer instante matarei Orlov e Walden. A qualquer instante.

Ele chegou à árvore e encostou-se, com a espingarda nas mãos. Podia ver as chamas no lado oposto da casa, nas janelas da sala de jantar.

O que estarão fazendo lá dentro?, pensou.

~

Walden avançou rapidamente pelo corredor, bateu à porta do quarto azul, onde Thomson estava dormindo, e entrou.

– O que é? – perguntou Thomson, da cama.

Walden acendeu a luz.

– Feliks está na casa.

– Santo Deus! – Thomson se levantou. – Como ele conseguiu?

– Charlotte deixou-o entrar – informou Walden, amargurado.

Thomson vestiu uma calça e um casaco às pressas.

– Sabe onde ele está?

– No antigo quarto das crianças. Está com seu revólver?

– Não. Mas tenho três homens com Orlov, lembra? Vou chamar dois deles e iremos atrás de Feliks.

– Vou com você.

– Eu prefiro...

– Não discuta! – gritou Walden. – Quero vê-lo morrer!

Thomson fitou-o com uma estranha expressão de compaixão, depois saiu apressadamente do quarto. Walden foi atrás.

Seguiram pelo corredor até o quarto de Aleks. O homem diante da porta levantou-se e cumprimentou Thomson, que disse:

– Seu nome é Barrett, certo?

– Certo, senhor.

– Quem está lá dentro?

– Bishop e Anderson, senhor.

– Mande-os abrir.

Barrett bateu à porta.

Imediatamente, uma voz disse lá de dentro:

– A senha?

– Mississippi – respondeu Barrett.

A porta foi aberta.

– O que houve, Charlie? Ah, é o senhor.

– Como está Orlov? – perguntou Thomson.

– Dormindo como um bebê, senhor.

Vamos logo com isso!, pensou Walden.

– Feliks está na casa – continuou Thomson. – Barrett e Anderson, venham comigo e com milorde. Bishop, fique no quarto. Verifiquem se as pistolas estão carregadas, por favor, todos vocês.

Walden seguiu na frente, subindo a escada para o antigo quarto das crianças. Seu coração batia acelerado, e ele sentia uma curiosa mistura de medo e ansiedade, como sempre lhe acontecera quando tinha um leão grande na mira do fuzil.

Apontou para a porta do quarto.

– Há luz elétrica nesse quarto? – sussurrou Thomson.

– Sim.

– Onde fica o interruptor?

– À esquerda da porta, na altura do ombro.

Barrett e Anderson sacaram suas pistolas.

Walden e Thomson se postaram um de cada lado da porta, fora da linha de fogo.

Barrett abriu a porta, Anderson entrou e deu um passo para o lado; Barrett acendeu a luz.

Nada aconteceu.

Walden correu os olhos pelo quarto.

Anderson e Barrett examinavam os outros dois cômodos. Logo depois, Barrett informou:

– Não há ninguém aqui, senhor.

O quarto estava vazio e bem iluminado. Havia uma bacia com água suja e uma toalha amarrotada no chão.

Walden apontou para a porta do quartinho adjacente.

– Há um pequeno sótão atrás daquela porta.

Barrett abriu-a. Todos estavam tensos. Barrett entrou com a arma em punho.

Voltou um momento depois.

– Ele *esteve* ali.

Thomson coçou a cabeça.

– Precisamos revistar a casa toda – disse Walden.

– Eu gostaria que tivéssemos mais homens – falou Thomson.

– Começaremos pela ala oeste – decidiu Walden. – Vamos logo.

Todos saíram e atravessaram o corredor até a escada. Enquanto desciam, Walden sentiu cheiro de fumaça.

– O que é isso?

Thomson farejou.

Walden olhou para Thomson e Barrett. Nenhum dos dois estava fumando.

O cheiro era cada vez mais forte. Walden agora ouvia um barulho como o de vento entre as árvores.

Subitamente, foi dominado pelo pânico.

– Minha casa está em chamas! – gritou.

Desceu correndo a escada.

O saguão estava cheio de fumaça.

Walden atravessou correndo o saguão e abriu a porta da sala de estar. O calor atingiu-o como um golpe e ele cambaleou para trás. A sala era um verdadeiro inferno. Walden ficou desesperado. Não havia a menor possibilidade de apagar um incêndio daquela proporção. Olhou para a ala oeste e constatou que a biblioteca também se encontrava em chamas. Virou-se. Thomson estava logo atrás dele.

– Minha casa está pegando fogo! – berrou Walden.

Thomson segurou-o pelo braço e arrastou-o de volta à escada. Anderson e Barrett estavam parados lá. Walden descobriu que podia respirar e ouvir mais facilmente no meio do saguão. Thomson estava frio e controlado. Começou a dar ordens.

– Anderson, vá avisar os dois guardas lá fora. Mande um deles achar uma mangueira de jardim e uma bica. O outro deve correr até o vilarejo e telefonar para os bombeiros. Suba depois pela escada dos fundos e acorde todo mundo nos aposentos dos criados. Diga para saírem o mais depressa possível. Todos devem se reunir no gramado da frente, para serem contados. Barrett, vá acordar o Sr. Churchill e tire-o da casa. Eu irei buscar Orlov. Walden, vá pegar sua mulher e sua filha. Depressa, todos!

Walden subiu correndo a escada e entrou no quarto de Lydia. Ela estava sentada na poltrona, de camisola, os olhos vermelhos de tanto chorar.

– A casa está pegando fogo – disse Walden, ofegante. – Saia o mais depressa possível para o gramado da frente. Vou buscar Charlotte. – Nesse momento, ele se lembrou de uma coisa: o sino do jantar. – Não. Você chama Charlotte. Vou tocar o sino.

Ele tornou a descer a escada. Por que não pensei nisso antes?, perguntou-se. No saguão havia uma corda comprida de seda, que acionava sinos pela casa toda, para avisar a hóspedes e criados que a refeição ia ser servida. Walden puxou a corda e ouviu o barulho distante dos sinos em diversas partes da casa. Notou uma mangueira estendida pelo saguão. Será que já havia alguém combatendo o incêndio? Não podia imaginar quem fosse. Ele continuou a puxar a corda.

~

Feliks observava ansiosamente. O incêndio estava se espalhando depressa demais. Já havia áreas extensas do segundo andar em chamas. Ele podia ver o clarão pelas janelas. Saiam logo, seus idiotas!, pensou. O que estão fazendo? Não queria queimar todas as pessoas na casa – queria que saíssem. O guarda na frente parecia estar dormindo. Vou dar o alarme pessoalmente, disse Feliks a si mesmo – não quero que as pessoas erradas morram...

De repente, o guarda olhou ao redor. O cachimbo caiu de sua boca. Ele correu pela varanda e começou a esmurrar a porta. Finalmente!, pensou Feliks. Dê logo o alarme, seu idiota! O guarda correu para uma janela e quebrou-a.

Nesse instante a porta se abriu e alguém apareceu correndo em meio a uma nuvem de fumaça. Está acontecendo, pensou Feliks. Levantou a espingarda, esquadrinhando a escuridão. Não conseguia ver quem saíra. Era um homem, que gritou alguma coisa e o guarda saiu em disparada. Preciso distinguir o rosto das pessoas, pensou Feliks, mas se chegar muito perto, vão me ver cedo demais. O homem correu para os fundos da casa antes que Feliks pudesse reconhecê-lo. Terei que me aproximar mais, correr o risco, pensou ele. E foi avançando pelo gramado. No interior da casa, sinos começaram a soar.

Agora vão todos sair, disse Feliks a si mesmo.

~

Lydia correu pelo corredor cheio de fumaça. Como aquilo pudera acontecer *tão depressa*? Não sentira o cheiro de nada em seu quarto, mas agora o fogo já começava a aparecer por baixo das portas dos quartos por que passava. Toda a casa devia estar em chamas. O ar estava quente demais para se respirar. Chegou ao quarto de Charlotte e virou a maçaneta. É claro que estava trancada. Ela girou a chave e empurrou a porta. Não se mexeu. Girou a maçaneta e jogou o peso do corpo contra a porta. Alguma coisa estava errada. A porta estava emperrada. Lydia começou a gritar, e gritar...

– Mamãe! – berrou Charlotte, do lado de dentro.

Lydia mordeu o lábio com força e parou de gritar.

– Charlotte! – exclamou.

– Abra a porta!

– Não consigo, não consigo, não consigo...

– Está trancada!

– Já destranquei e a porta não quer abrir, e a casa está pegando fogo. Ah, Deus, me ajude!

A porta sacudiu e a maçaneta foi girada quando Charlotte tentou abrir pelo lado de dentro.

– Mamãe!

– Estou aqui!

– Mamãe, pare de gritar e escute com atenção. O assoalho empenou e a porta está emperrada. Terá que ser arrombada. Vá buscar ajuda!

– Não posso deixá-la...

– MAMÃE, VÁ BUSCAR AJUDA OU MORREREI QUEIMADA!

– Ah, meu Deus... já vou!

Lydia virou-se e correu, quase sufocada, na direção da escada.

~

Walden ainda estava soando o alarme. Através da fumaça, avistou Aleks, descendo a escada junto com Thomson e o terceiro detetive, Bishop. Lydia, Churchill e Charlotte deveriam estar ali também, mas então ele lembrou que poderiam descer por uma das outras escadas. O único lugar que podia verificar era o gramado da frente, onde todos deveriam reunir-se.

– Bishop! – gritou. – Venha aqui!

O detetive correu para junto dele.

– Fique tocando o alarme pelo máximo de tempo que puder.

Bishop pegou a corda e Walden seguiu Aleks para fora da casa.

~

Era um doce momento para Feliks.

Ele levantou a espingarda e caminhou na direção da casa.

Orlov e outro homem avançavam em sua direção. Ainda não o tinham visto. Ao chegarem mais perto, Walden apareceu atrás deles.

Como ratos numa ratoeira, pensou Feliks, triunfante.

O homem que ele não conhecia virou a cabeça para trás e falou com Walden.

Orlov estava a 20 metros de distância.

É agora, pensou Feliks.

Ajeitou a coronha da espingarda no ombro, mirou cuidadosamente o peito de Orlov e, no momento em que Orlov abria a boca para falar, puxou o gatilho.

Um buraco preto grande apareceu no tórax de Orlov no instante em que a bala penetrou em seu corpo. Os outros dois homens ouviram o estampido e olharam para Feliks, aturdidos. O sangue esguichou do peito de Orlov e ele caiu para trás.

Consegui, pensou Feliks, exultante. Matei-o.

Agora é a vez do outro tirano.

Apontou a arma para Walden e gritou:

– Não se mexam!

Walden e os outros ficaram imóveis.

Nesse instante, todos ouviram um grito.

Feliks olhou na direção do grito.

Lydia saía correndo da casa, com os cabelos em chamas.

Feliks hesitou por uma fração de segundo, depois correu na direção dela.

Walden fez o mesmo.

No caminho, Feliks largou a espingarda e tirou o casaco. Alcançou Lydia um segundo antes de Walden. Envolveu a cabeça dela com o casaco, para abafar as chamas.

Ela tirou o casaco da cabeça e gritou:

– Charlotte está presa no quarto!

Walden virou-se e foi correndo em direção à casa.

Feliks foi atrás.

~

Lydia, soluçando de pavor, viu Thomson adiantar-se rapidamente e pegar a espingarda que Feliks largara.

Ela ficou olhando, dominada pelo horror, enquanto Thomson levantava a arma e mirava as costas de Feliks.

– Não! – gritou.

Então jogou-se contra Thomson, fazendo-o perder o equilíbrio.

A espingarda disparou contra o chão.

Thomson fitou-a, aturdido.

– Será que não entende? – gritou Lydia, histericamente. – Ele já sofreu o bastante!

~

O tapete do quarto de Charlotte estava pegando fogo.

Ela levou a mão cerrada à boca e mordeu as articulações, para não gritar.

Correu para o lavatório, pegou o jarro com água e jogou no meio do quarto. Só aumentou a fumaça.

Ela foi até a janela, abriu-a e olhou para fora. Fumaça e fogo saíam pelas janelas logo abaixo. A fachada da casa era de pedra lisa: não havia como descer. Se não houver outro jeito, vou pular, pensou; será melhor do que morrer queimada. A ideia deixou-a apavorada e ela voltou a morder as articulações.

Correu para a porta e tornou a sacudir a maçaneta, desesperada.

– Socorro! Alguém me ajude, por favor!

As chamas elevaram-se do tapete e um buraco se formou no meio do assoalho.

Charlotte correu em volta do quarto para ficar perto da janela, pronta para pular.

Ouviu alguém chorar e compreendeu que era ela mesma.

~

O saguão estava cheio de fumaça. Feliks mal conseguia ver alguma coisa. Permaneceu logo atrás de Walden, pensando: Não vou deixar Charlotte morrer! Não vou deixar Charlotte morrer!

Os dois homens subiram correndo a escada. Todo o andar estava pegando fogo. O calor era intenso. Walden atravessou uma muralha de chamas e Feliks seguiu-o.

Walden parou diante de uma porta e foi dominado por um acesso de tosse. Impotente, apontou para a porta. Feliks sacudiu a maçaneta e empurrou a porta com o ombro, mas ela não se mexeu. Ele sacudiu Walden e gritou:

– Corra para a porta!

Ele e Walden, ainda tossindo, postaram-se no outro lado do corredor, de frente para a porta.

– Agora! – gritou Feliks.

Os dois lançaram-se juntos para a frente.

A madeira rachou, mas eles não conseguiram arrombá-la.

Walden parou de tossir. O rosto dele era uma máscara de terror.

– Agora! – berrou Feliks de novo.

Lançaram-se para a frente mais uma vez.

A porta rachou mais um pouco.

Ouviram Charlotte gritar do lado de dentro.

Walden deu um rugido de raiva. Olhou ao redor, desesperado, e agarrou uma cadeira pesada de carvalho. Feliks pensou que era pesada demais para Walden levantar, mas o homem a ergueu acima da cabeça e a jogou contra a porta. A madeira começou a se lascar.

Num frenesi de impaciência, Feliks meteu as mãos na rachadura e começou a arrancar as lascas. Os dedos ficaram escorregadios de sangue.

Ele recuou e Walden tornou a bater com a cadeira. Mais uma vez, Feliks arrancou as lascas. As mãos estavam cheias de farpas. Ouviu Walden murmurar alguma coisa e compreendeu que era uma prece. Walden golpeou com a cadeira pela terceira vez. A cadeira quebrou, as pernas e o assento separando-se do encosto. No entanto, havia um buraco na porta grande o bastante para que Feliks – mas não Walden – se espremesse para dentro.

Feliks passou pelo buraco e conseguiu entrar no quarto.

O assoalho estava em chamas, e ele não viu Charlotte.

– Charlotte – gritou, o mais alto que conseguiu.

– Estou aqui!

A voz vinha do outro canto do quarto.

Feliks correu pelo lado do quarto em que as chamas eram menores. Charlotte estava sentada no peitoril da janela aberta, aspirando o ar lá de fora sofregamente. Ele a agarrou pela cintura e a suspendeu até o ombro. Correu de volta à porta.

Walden estendeu as mãos pelo buraco para pegá-la.

~

Enfiou os braços, a cabeça e um ombro pelo buraco da porta, para pegar Charlotte. Percebeu que o rosto e as mãos de Feliks estavam enegrecidos, a calça pegando fogo. Os olhos de Charlotte estavam arregalados de horror. Atrás de Feliks, o assoalho começou a desabar. Walden passou um braço pelo corpo de Charlotte. Feliks parecia cambalear. Walden retirou a cabeça do buraco, enfiou o outro braço no lugar e segurou Charlotte pela axila. As chamas começaram a lamber sua camisola e ela gritou.

– Está tudo bem. Papai já a pegou – disse Walden.

Subitamente, estava com todo o peso de Charlotte nos braços. Puxou-a pelo buraco na porta e ela perdeu os sentidos. Nesse momento, o assoalho do quarto desabou, e Walden viu o rosto de Feliks enquanto o russo caía para o inferno.

– Que Deus tenha misericórdia da sua alma – sussurrou.

Em seguida, desceu correndo a escada.

~

Lydia estava sendo contida com força por Thomson, que não a deixava voltar à casa em chamas. Ela olhava fixamente para a porta, rezando para que os dois homens aparecessem, trazendo Charlotte.

De repente um vulto surgiu. Quem era?

A imagem se aproximou. Era Stephen. Estava com Charlotte nos braços.

Thomson largou Lydia e ela correu para eles. Stephen pôs Charlotte na grama, com delicadeza. Lydia olhou para ele em pânico.

– O que... o que... – balbuciou.

– Ela não está morta, apenas desmaiada.

Lydia se abaixou na grama, aninhou a cabeça de Charlotte no colo e pôs a mão em seu peito, por baixo do seio esquerdo. O coração batia forte.

– Ah, meu bebê... – murmurou ela.

Stephen sentou-se a seu lado. Lydia fitou-o. A calça dele estava queimada e a pele enegrecida, cheia de bolhas. Mas ele estava vivo.

Ela olhou na direção da porta.

Stephen viu o olhar da esposa.

Lydia percebeu que Churchill e Thomson estavam de pé ali perto, escutando.

Stephen pegou a mão dela.

– Ele salvou Charlotte. Passou-a para mim. Logo depois, o assoalho desabou. Ele está morto.

Os olhos de Lydia encheram-se de lágrimas. Stephen apertou sua mão.

– Vi o rosto dele no momento em que caía. Creio que, enquanto viver, jamais esquecerei. Os olhos estavam abertos e ele parecia consciente, mas... não estava assustado. Na verdade, parecia... satisfeito.

As lágrimas escorriam pelo rosto de Lydia.

– Livre-se do corpo de Orlov – ordenou Churchill a Thomson.

Pobre Aleks, pensou Lydia, chorando por ele também.

– O que disse? – balbuciou Thomson, incrédulo.

– Esconda-o, enterre, jogue no fogo. Não quero saber como vai fazer, quero apenas que se livre do corpo.

Lydia fitou Churchill horrorizada e, através das lágrimas, viu-o tirar um maço de papéis do bolso do robe.

– O acordo está assinado – acrescentou ele. – O czar será informado de que Orlov morreu acidentalmente, no incêndio que destruiu Walden Hall.

Orlov não foi assassinado, entendeu? Não houve assassinato. – Fitou cada um deles, o rosto gorducho e agressivo com uma expressão feroz. – Nunca houve ninguém chamado Feliks.

Stephen se levantou e foi até o lugar em que estava o corpo de Aleks. Alguém cobrira o rosto do príncipe. Lydia ouviu Stephen dizer:

– Aleks, meu rapaz... o que vou dizer à sua mãe?

Ele se abaixou e cruzou as mãos de Aleks sobre o buraco no peito.

Lydia ficou olhando para o incêndio que destruía tantos anos de história, consumindo o passado.

Stephen tornou a se aproximar e ficou de pé ao lado dela.

– Nunca houve ninguém chamado Feliks – sussurrou.

Ela ergueu os olhos para ele. Atrás de Stephen, o céu a leste começava a clarear. Em breve, o sol surgiria e seria um novo dia.

EPÍLOGO

No dia 2 de agosto de 1914, a Alemanha invadiu a Bélgica. Depois de apenas alguns dias, o Exército alemão avançava pela França. No fim de agosto, quando parecia que a queda de Paris era inevitável, tropas alemãs importantíssimas foram retiradas da França para defender a Alemanha de uma invasão russa a leste. E Paris não caiu.

Em 1915, os russos assumiram oficialmente o controle de Constantinopla e do Bósforo.

Muitos dos rapazes com quem Charlotte dançara no baile de Belinda foram mortos na França. Freddie Chalfont morreu em Ypres. Peter voltou para casa com neurose de guerra. Charlotte fez um curso intensivo de enfermagem e foi para o front.

Em 1916, Lydia deu à luz um menino. Esperava-se que o parto fosse difícil, por causa de sua idade, mas acabou não havendo problemas. O bebê recebeu o nome de Aleks.

Charlotte contraiu pneumonia em 1917 e foi mandada para casa. Durante a convalescença, traduziu para o inglês *A filha do capitão*, de Aleksander Pushkin.

Depois da guerra, as mulheres conquistaram o direito ao voto. Lloyd George tornou-se primeiro-ministro. Basil Thomson obteve o título de Cavaleiro do Reino.

Charlotte casou-se com um jovem oficial de quem cuidara na França. A guerra convertera-o num pacifista e socialista, e ele foi um dos primeiros membros do Partido Trabalhista a se eleger para o Parlamento. Charlotte tornou-se a mais eminente tradutora inglesa de ficção russa do século XX. Em 1931, os dois foram a Moscou e voltaram à Inglaterra declarando que a União Soviética era o paraíso dos trabalhadores. Mudaram de ideia por ocasião do pacto nazi-soviético. O marido de Charlotte tornou-se um dos ministros do governo trabalhista de 1945.

Charlotte ainda está viva. Reside num chalé no que antes fora a casa de fazenda de sua família. O chalé fora construído por seu pai para o intendente e é bastante espaçoso, uma casa robusta cheia de móveis confortáveis e tecidos alegres.

A propriedade se transformou num conjunto residencial, mas Charlotte gosta de estar cercada de pessoas. Walden Hall foi reconstruída por Lutyens e pertence agora ao filho de Aleks Walden.

Às vezes Charlotte fica um pouco confusa em relação ao passado recente, mas se lembra do verão de 1914 como se fosse ontem. Uma expressão um tanto distante e fria aparece em seus olhos e ela se põe a contar uma de suas histórias comoventes.

Mas Charlotte não vive apenas de recordações. Ela condena o Partido Comunista da União Soviética por ter proporcionado uma péssima reputação ao comunismo, e acusa Margaret Thatcher de ter acarretado uma reputação pior ao feminismo. E se alguém lhe diz que a Sra. Thatcher não é feminista, ela responde que o Sr. Brejnev não é socialista.

Claro que ela não traduz mais. Contudo, está lendo *O arquipélago gulag* no original russo. Diz que Solzhenitsyn é um fanático, mas está determinada a terminar o livro. Como só pode ler meia hora pela manhã e outra meia hora à tarde, calcula que estará com 99 anos quando chegar ao fim da leitura.

De alguma forma, acho que conseguirá.

AGRADECIMENTOS

AO ESCREVER ESTE LIVRO, recebi a ajuda de muitos amigos. Agradeço a Alan Earney, Pat Golbitz, M.E. Hirsh, Elaine Koster, Diana Levine, Caren Meyer e suas assistentes, Sue Rapp e Pamela Robinson, assim como à equipe da Bertram Rota Ltd., Hilary Ross, Christopher Sinclair-Stevenson, Daniel Starer, Colin Tennant e, por fim – mas em primeiro lugar sob todos os outros aspectos –, Al Zuckerman.

CONHEÇA OUTROS TÍTULOS DO AUTOR

As espiãs do Dia D

Segunda Guerra Mundial. Na fúria expansionista do Terceiro Reich, a França é tomada pelas tropas de Hitler. Os alemães ignoram quando e onde, mas estão cientes de que as forças aliadas planejam libertar a Europa.

Para a oficial inglesa Felicity Clairet, nunca houve tanto em jogo. Ela sabe que a capacidade de Hitler repelir um ataque depende de suas linhas de comunicação. Assim, a dias da invasão pelos Aliados, não há meta mais importante que inutilizar a maior central telefônica da Europa, alojada num palácio na cidade de Sainte-Cécile.

Porém, além de altamente vigiado, esse ponto estratégico é à prova de bombardeios. Quando Felicity e o marido, um dos líderes da Resistência francesa, tentam um ataque direto, Michel é baleado e seu grupo, dizimado.

Abalada pelas baixas sofridas e com sua credibilidade posta em questão por seus superiores, a oficial recebe uma última chance. Ela tem nove dias para formar uma equipe de mulheres e entrar no palácio sob o disfarce de faxineiras.

Arriscando a vida para salvar milhões de pessoas, a equipe Jackdaws tentará explodir a fortaleza e aniquilar qualquer chance de comunicação alemã – mesmo sabendo que o inimigo pode estar à sua espera.

As espiãs do Dia D é um thriller de ritmo cinematográfico inspirado na vida real. Lançado originalmente como Jackdaws, traz os personagens marcantes e a narrativa detalhada de Ken Follett.

Noite sobre as águas

Setembro, 1939. Poucos dias após o Reino Unido declarar guerra à Alemanha, um enorme hidroavião está prestes a partir da costa sul da Inglaterra. A aeronave mais luxuosa do mundo tem como destino Nova York, no que deve ser o último voo civil a sair da Europa antes do conflito.

A bordo dela encontram-se tanto a nata da sociedade quanto a escória da humanidade. Contudo, não é apenas a guerra que motiva os passageiros a deixar o continente: eles também querem se distanciar do próprio passado.

Confinados por trinta horas em meio a todo o conforto, porém numa época em que voar ainda é um empreendimento arriscado, eles veem a travessia do Atlântico se tornar uma viagem de crescente angústia, com perigos inesperados que os conduzem a uma tempestade de violência, intriga e traição.

Em Noite sobre as águas, Ken Follett exibe mais uma vez sua escrita magistral ao narrar as histórias dos mais diferentes personagens e fazê-las colidir neste emocionante voo cinco estrelas.

Um lugar chamado liberdade

Desde pequeno, Mack McAsh foi obrigado a trabalhar nas minas de carvão da família Jamisson e sempre ansiou por escapar. Porém, o sistema de escravidão na Escócia não possui brechas e a mínima infração é punida severamente. Sem perspectivas, ele se vê sozinho em seus ousados ideais libertários.

Durante uma visita dos Jamissons à propriedade, Mack acaba encontrando uma aliada incomum: Lizzie Hallim, uma jovem bela e bem-nascida, mas presa em seu inferno pessoal, numa sociedade em que as mulheres devem ser submissas e não têm vontade própria.

Apesar de separados por questões políticas e sociais, os dois estão ligados por sua apaixonante busca pela liberdade e verão o destino entrelaçar suas vidas de forma inexorável.

Das fervilhantes ruas de Londres às vastas plantações de tabaco da Virgínia, passando pelos porões infernais dos navios de escravos, Mack e Lizzie protagonizam uma história de paixão e inconformismo em meio a lutas épicas que vão marcá-los para sempre.

Com 8 milhões de exemplares vendidos em todo o mundo, *Um lugar chamado liberdade* é mais uma prova de que Ken Follett é um mestre absoluto em criar tramas complexas e emocionantes.

Queda de gigantes

Cinco famílias, cinco países e cinco destinos marcados por um período dramático da história. *Queda de gigantes*, o primeiro volume da trilogia "O Século", do consagrado Ken Follett, começa no despertar do século XX, quando ventos de mudança ameaçam o frágil equilíbrio de forças existente – as potências da Europa estão prestes a entrar em guerra, os trabalhadores não aguentam mais ser explorados pela aristocracia e as mulheres clamam por seus direitos.

De maneira brilhante, Follett constrói sua trama entrelaçando as vidas de personagens fictícios e reais, como o rei Jorge V, o Kaiser Guilherme, o presidente Woodrow Wilson, o parlamentar Winston Churchill e os revolucionários Lênin e Trótski. O resultado é uma envolvente lição de história, contada da perspectiva das pessoas comuns, que lutaram nas trincheiras da Primeira Guerra Mundial, ajudaram a fazer a Revolução Russa e tornaram real o sonho do sufrágio feminino.

Ao descrever a saga de famílias de diferentes origens – uma inglesa, uma galesa, uma russa, uma americana e uma alemã –, o autor apresenta os fatos sob os mais diversos pontos de vista. Na Grã-Bretanha, o destino dos Williams, uma família de mineradores de Gales do Sul, acaba irremediavelmente ligado por amor e ódio ao dos aristocráticos Fitzherberts, proprietários da mina de carvão onde Billy Williams vai trabalhar aos 13 anos e donos da bela mansão em que sua irmã, Ethel, é governanta.

Na Rússia, dois irmãos órfãos, Grigori e Lev Peshkov, seguem rumos opostos em busca de um futuro melhor. Um deles vai atrás do sonho americano e o outro se junta à revolução bolchevique. A guerra interfere na vida de todos. O alemão Walter von Ulrich tem que se separar de seu amor, lady Maud, e ainda lutar contra o irmão dela, o conde Fitz. Nem mesmo o americano Gus Dewar, o assessor do presidente Wilson que sempre trabalhou pela paz, escapa dos horrores da frente de batalha.

Enquanto a ação se desloca entre Londres, São Petersburgo, Washington, Paris e Berlim, *Queda de gigantes* retrata um mundo em rápida transformação, que nunca mais será o mesmo. O século XX está apenas começando.

Inverno do mundo

Depois do sucesso de *Queda de gigantes*, Ken Follett dá sequência à trilogia histórica "O Século" com um magnífico épico sobre o heroísmo da Segunda Guerra Mundial e o despertar da era nuclear.

Inverno do mundo retoma a história do ponto exato em que termina o primeiro livro. As cinco famílias - americana, alemã, russa, inglesa e galesa - que tiveram seus destinos entrelaçados no alvorecer do século XX embarcam agora no turbilhão social, político e econômico que começa com a ascensão do Terceiro Reich. A nova geração terá de enfrentar o drama da Guerra Civil Espanhola e da Segunda Guerra Mundial, culminando com a explosão das bombas atômicas.

A vida de Carla von Ulrich, filha de pai alemão e mãe inglesa, sofre uma reviravolta com a subida dos nazistas ao poder, o que a leva a cometer um ato de extrema coragem. Woody e Chuck Dewar, dois irmãos americanos cada qual com seu segredo, seguem caminhos distintos que levam a eventos decisivos - um em Washington, o outro nas selvas sangrentas do Pacífico.

Em meio ao horror da Guerra Civil Espanhola, o universitário inglês Lloyd Williams descobre que tanto o comunismo quanto o fascismo têm de ser combatidos com o mesmo fervor. A jovem e ambiciosa americana Daisy Peshkov só se preocupa com status e popularidade até a guerra transformar sua vida mais de uma vez. Enquanto isso, na URSS, seu primo Volodya consegue um cargo na inteligência do Exército Vermelho que irá afetar não apenas o conflito em curso, como também o que está por vir.

Como em toda obra de Ken Follett, o contexto histórico pesquisado com minúcia é costurado de forma brilhante à trama, povoada por personagens que esbanjam nuance e emoção. Com grande paixão e mão de mestre, o autor nos conduz a um mundo que pensávamos conhecer e que a partir de agora não parecerá mais o mesmo.

Eternidade por um fio

Durante toda a trilogia "O Século", Ken Follett narrou a saga de cinco famílias – americana, alemã, russa, inglesa e galesa. Neste livro que encerra a série, o destino de seus personagens é selado pelas decisões dos governos, que deixam o mundo à beira do abismo durante a Guerra Fria.

Esta inesquecível história de paixão e conflitos acontece numa das épocas mais tumultuadas da história: a enorme turbulência social, política e econômica entre as décadas de 1960 e 1980, com o Muro de Berlim, assassinatos, movimentos políticos de massa, a crise dos mísseis de Cuba, escândalos presidenciais e... rock 'n' roll!

Na Alemanha Oriental, a professora Rebecca Hoffmann descobre que durante anos foi espionada pela polícia secreta e comete um ato impulsivo que afetará para sempre a vida de sua família, principalmente a de seu irmão Walli, que anseia atravessar o muro e fazer carreira como músico no Ocidente.

Nos Estados Unidos, o jovem advogado George Jakes, filho de um casal mestiço, abre mão de uma carreira promissora para trabalhar no Departamento de Justiça do governo Kennedy e acaba se vendo no turbilhão pela luta em prol dos Direitos Civis.

Na Rússia, Dimka Dvorkin, jovem assessor de Nikita Kruschev, torna-se um agente primordial no Kremlin, enquanto os atos subversivos de sua irmã gêmea, Tanya, a levarão de Moscou para Cuba, Praga, Varsóvia – e para a História.

Do extremo sul dos Estados Unidos à vastidão da Sibéria, da isolada Cuba ao ritmo das ruas da Londres dos anos 1960, *Eternidade por um fio* encerra com maestria a história de pessoas que acreditaram em seus sonhos e, assim, mudaram o mundo.

Os pilares da terra

(SOMENTE EM E-BOOK)

Emocionante e pontilhado de detalhes históricos, *Os pilares da terra* já vendeu mais de 18 milhões de exemplares e conquista novos leitores há mais de 25 anos ao traçar o retrato de uma época turbulenta, marcada por conspirações, violência e o surgimento de uma nova ordem social e cultural.

Na Inglaterra do século XII, Philip, um fervoroso prior, acredita que a missão de vida que Deus lhe designou é erguer uma catedral à altura da grandeza divina. Um dia, o destino o leva a conhecer Tom, um humilde e visionário construtor que partilha o mesmo sonho. Juntos, os dois se propõem a construir um templo gótico digno de entrar para a história.

No entanto, o país está assolado por sangrentas batalhas pelo trono, deixado vago por Henrique I, e a construção de uma catedral não é prioridade para nenhum dos lados, a não ser quando pode ser usada como peça em um intricado jogo de poder.

Os pilares da terra conta a saga das pessoas que gravitam em torno da construção da igreja, com seus dramas, fraquezas e desafios.

Mundo sem fim

Uma guerra que dura cem anos. Uma praga que devasta um continente. Uma rivalidade que pode destruir tudo.

Na Inglaterra do século XIV, quatro crianças se esgueiram da multidão que sai da catedral de Kingsbridge e vão para a floresta. Lá, elas presenciam a morte de dois homens. Já adultas, suas vidas se unem numa trama feita de determinação, desejo, cobiça e retaliação. Elas verão a prosperidade e a fome, a peste e a guerra. Apesar disso, viverão sempre à sombra do inexplicável assassinato ocorrido naquele dia fatídico.

Ken Follett encantou milhões de leitores com *Os pilares da terra*, um épico magistral e envolvente com drama, guerra, paixão e conflitos familiares sobre a construção de uma catedral na Idade Média.

Agora *Mundo sem fim* leva o leitor à Kingsbridge de dois séculos depois, quando homens, mulheres e crianças da cidade mais uma vez se digladiam com mudanças devastadoras no rumo da História.

CONHEÇA OS LIVROS DE KEN FOLLETT

Os pilares da Terra (e-book)
Mundo sem fim
Coluna de fogo
Um lugar chamado liberdade
As espiãs do Dia D
Noite sobre as águas
O homem de São Petersburgo
A chave de Rebecca
O voo da vespa
Contagem regressiva
O buraco da agulha
Tripla espionagem
Uma fortuna perigosa

O SÉCULO
Queda de gigantes
Inverno do mundo
Eternidade por um fio